JN306460

新潮文庫

明和絵暦

山本周五郎著

新潮社版

5875

明和絵暦

木《こ》の芽《め》立《だち》

一

「奸物《かんぶつ》斬るべし！」

「斬るべし！」

　五人の若侍が肩を怒らせて叫ぶ。青山主膳《しゅぜん》は微笑し、うなずいて、

「いずれも御同志で重畳《ちょうじょう》じゃ、では是《これ》から斬奸《ざんかん》の手段《てだて》に就《つい》て御相談仕《つかまつ》ろう。ずっと進んで頂きたい」

　上席の主膳を中心に、五人が円座をつくると、壁際《かべぎわ》に一人坐《すわ》って、居眠りをしている者の姿が現れた。主膳は眉《まゆ》をひそめて、

「百氏《ももいうじ》！」

　と呼ぶ。

「は！」

居眠りの頭をひょいとあげた百三九馬《さくま》、色白の丸顔、眉が濃く額高く、唇《くちびる》のまわりにいつも微笑の影の絶えたことがないという男、

「は、お呼びでござるか」

けろりとしていた。

「唯今《ただいま》の合議、お分りでござろうな」

「いや、とんと——」

「なに⁉」

主膳が驚くより、同座の五人がふッ然と怒りを発した。甲斐《かい》又兵衛《またべえ》というのが、

「貴公、今の決議を御存知ないか」

となじった。

「左様——拙者の家と違って、このお邸《やしき》は日当りの良い故《ゆえ》か、ぽかぽかと背中の方から暖かくなってきたと思ったら、つい仮睡《うたたね》をしてしまったよ。ああ——良い心持じゃ」

「黙れ！」

又兵衛は袴《はかま》をつかんで、

「一藩の死活を論ずる大切の場合に居眠りをしておるとは何事だ、貴公元来何の為《ため》に此処《ここ》に参った」

「待たれい」

青山主膳は静かに制して、

「唯今は左様に枝葉の責を問うて居《お》る場合ではござらぬ、お聞きもらしとあれば改めて申上げよう」

「は――」

三九馬は腹の中で、察しの悪い奴等《やつら》だ、おれが居眠りの真似《まね》をしてやったのに、其《その》意味が分らないのかな、と考えている。

「百氏！」

主膳は膝《ひざ》を正して
「我等は江戸家老吉田玄蕃《げんば》氏の行状について、全く藩政を紊《みだ》る条々……」

「あ、それは承りました」

「最も主なる件は大阪山屋《やまや》よりの莫大《ばくだい》な借用金の不始末、是が一つ、反官学派山県大弐《やまがただいに》をして藩政に参加せしめんとする運動これが一つ、側御用《そばごよう》田沼主殿《とのも》と結託して、渡瀬山《わたせやま》銅山の開拓を企て、藩の財政を危うすることこれが一つ、いま一つは――」

「いやいや」

三九馬は微笑しながら、

「それはみんな承知でござる」

「では――」

主膳が不快そうに、

「是等の件につき、拙者も勿論《もちろん》ここに御同座の御一同は、いずれも玄蕃氏誅殺《ちゅうさつ》という意見でござるが、それについて」

「誅殺――?」

三九馬は首を捻《ひね》った。

「はて、どうもおれも頭が悪くなったぞ、誅殺とはどういう意味かの」

甲斐又兵衛が片膝ぐいと寄せた。

二

「百《ももい》!」

甲斐又兵衛が大きく、

「貴様先刻より色々呆《とぼ》けおるが、一座の決議に不服があるのか」

「左様さ」

三九馬はうなずいた。

「不服と申せば不服かのう」

「何？」

「まあ急《せ》くなよ」

三九馬はぐいと向き直った。

「御物頭《おものがしら》を前にして、口巧者《くちごうしゃ》に申すは恥かしいことだが、全体我ら若輩が何の要あって御政治向に口を出すのだ」

「若輩であろうと何であろうと、一藩の死活に関して意見を」

「まあ待て」

三九馬は悠々《ゆうゆう》と、

「先刻から貴公達しきりに一藩の死活と申されるが、第一この百三九馬にはそれからして解《げ》せぬ、江戸家老に失態があるとして、それがどういう風に当藩の危急に関するのか、先《ま》ずその説明からして承わりたいな」

「百氏」

青山主膳が声をかけた。

「貴公も物分りの悪い仁だな、唯今拙者が説明した条々、あれにてその理由はお分りであろうが」

「いや！」

三九馬は静かに、

「山屋よりの借財、鉱山事業の失費、山県先生の問題――二、三の条文は承わりましたが、いずれも拙者には藩の安危に係《かか》わる如《ごと》き事実とは受取れませぬ故、どうして死活に関するか、それを伺いたいと存じます」

「左様な事、ここで仔細《しさい》に論じたとてお分りなきものはお分りあるまい、要はこれにどう処するか、それを決定するにござるよ」

「お待ち下さい」

「くどいぞ百！」

又兵衛が苛立《いらだ》って叫ぶ。三九馬は平然と、

「どう処するか――どう処するか、左様、どう処するかと申せば、我等は分を守って己の勉励すべきところに努むればよろしいかと存じまするな」

「何だと――？」

「前にも申す通り御政治向の事を論ずるには、御政治向についての役々がござる、治水工事の失敗とか鉱山の失費とか、商人《あきんど》よりの借財とか、色々不始末の条目のみ並べたてたところで問題の核心に触れなければ何にもなりますまい、御政治の核心がいずれにあるか、各々《おのおの》には御存知ござるか――。一藩の政道は一個人の家政とは異なり、そう簡単には参らぬもの、まして御内政渋滞の時期に当っては、色々方策算段も弄《ろう》されねばならぬはず、一々以《もっ》て之《これ》を批判致し、何の彼《か》のと騒ぎたつるよりは、老職に後顧の憂なからしめ、充分に活躍して頂く事を思案するが第一と存ずる」

「うぬ、口巧者な！」

荒木重吉という若侍が、癇癪声《かんしゃくごえ》をあげて詰寄った。

「では、江戸家老に失策ありとも、黙って看過《みす》ごすのが良しというのか！」

「失策？」三九馬は相変らず微笑したまま、静かに荒木重吉の方へ振返った。

三

「江戸家老に失策はござるまい」

「まあ待て」

苛立つ荒木、甲斐らを抑えて青山主膳はずいと膝をすすめた。

「百氏！　みごと貴公吉田玄蕃殿に失策なしといい切られたのう」

「左様」

「では拙者からたずねる」

主膳は鋭く、

「事業の失策、借財の不始末は先ず措《お》こう、我等問罪の主意は山県氏の件だ。大弐といえば貴公も御存知の如く、元より幕府に憚《はばか》り多き皇漢の学者、殊《こと》に先般上梓《じょうし》せし様に新論の所説は、ほとんど幕府弾劾《だんがい》の文字に埋まっている、伝聞するところによれば、幕府はいま新論の検討に取掛っておるとか——斯様《かよう》に公儀の思召《おぼしめし》よろしからざる学者を推して殿の賓師とし、藩政に参与せしめようとする無謀、斯様な人物を老職に戴《いただ》いて、安閑とお家長久が謳《うた》えようか、どうだ」

「なるほど！」

三九馬は微笑した。

「さすがは御物頭、御明察でござるな、そこまでお分りならば、別に玄蕃誅殺などという、不穏な議論にもなりますまいに」

「それはまた何故に」

「何故と仰《おお》せられますが、御当家は信長公よりして海内《かいだい》に聞こえた勤王の家柄《いえがら》でござる、恐れ多くも戦塵《せんじん》の裡《うち》に衰微せられし皇室を、信長公自ら造営し奉《たてまつ》り欠典を挙げ、紀綱を張り、常職を継いで尽忠の至誠を致されてござる、かかるめでたき御家として皇道学者を招き、殿の賓師とするは宗祖信長公の——」

「黙れ！」

主膳が不意に叫んだ。

「喙《くちばし》青き其方《そのほう》如きに、講釈聞かさるる耳を持たぬわ、信長公に勤王の思召があったとて、今徳川の食禄《しょくろく》を喰《は》む織田《おだ》家にとって何の関係がある、一度幕府の忌諱《きい》に触るれば、小幡《おばた》二万石のお家はひと握りに握り潰《つぶ》されること必定だ、かかる文理の理《ことわり》が分らぬような者は、此上《このうえ》同座するも互に益の無いこと、もはや用はないから帰られい！」

「帰れとあれば帰りもしますが」

三九馬はじろりと一座を見廻《みまわ》し、

「いま一応伺いとう存ずる、各々にはあくまで江戸家老誅殺の御趣意でござるか」

「左様！」

主膳は冷然と、

「辞職をすすめんにも君意を枉《ま》ぐる寵臣《ちょうしん》、誅殺の外に策はないのだ！」

「で――ござるか」

三九馬はにやっと笑って、

「左様ならば拙者もここでは、きっと申上げるが百三九馬はあくまで反対でござる、貴公らが江戸家老誅殺に向われる場合には、百三九馬が邪魔を致します」

「何――に」

大胆不敵な奴、現に屈強の六人を前にして、余りにもはっきりと云《い》い過ぎる、これで怒らぬ相手ではない、

「うぬ！」と呻《うめ》くように云うと、気早の甲斐又兵衛つと左手を伸ばして三九馬の肩をつかんだ。

「待たれい！」

主膳はさすがに声をはげまして、

「手荒な事はならぬ、甲斐氏お放しなさい、まあよいからお放しなさい」

「しかし、此奴《こやつ》このままおいては――」

「兎《と》に角《かく》、兎に角ここは――」

主膳が抑えるので、甲斐又兵衛は歯嚙《はが》みをしながら突放した。

「帰れ！　ばか者！」

「御免」

三九馬は依然として微笑を解かず、左手にぐいっと大剣をつかんで立上った。

四

三九馬が青山邸を出て、三丁あまりも来たと思う頃、後から——

「待て、三九馬待て！」

と声がした。

振返ると甲斐又兵衛だ。待っていると、足早に追いついて来て、

「互いに今日から敵味方だ、気の毒だが八千緒《やちお》どのとの縁も是まで——」

「何をいう」

百三九馬が制した。

「妹とは最早《もはや》結納《ゆいのう》も済んでおる、貴公の妻も同様の者ではないか」

「断わる！」

又兵衛の額には太く癇筋が立っていた。

「甲斐、それはいかんぞ」

「いや、何といっても駄目《だめ》だ、兄の貴様とこうなった以上、知らん顔でその妹を嫁にするなどという、長者振った真似は拙者には出来ん、堅く断るぞ！」

「そうか」

三九馬は静かにうなずいた。

「それほどいうなら心得た、妹との縁談これまで、たしかに承知だ」

「……」

又兵衛は一瞬、顔を硬張《こわば》らせたが、つと外向《そむ》くとそのまま、

「さらばだ！」

といって引返して行く。

「待て」

三九馬が呼び止めた。

「――」

「甲斐、貴公、本当に江戸家老を奸物だと思っているのか、本心をきかせてくれ」

「今更何を」

又兵衛は三九馬をにらみつけて、

「お家直しの為には、第一に斬らねばならん奴だ、洒落《しゃれ》や冗談にこんな騒ぎをやると

思うか」

「なあ又兵衛」

三九馬は二三歩近寄って、

「物事を一途に観《み》、一途に行おうとする貴公日頃の性癖は拙者よく知っている、だが
――この度の企《くわだ》ては貴公間違っているぞ」

「間違っている？」

「今度の事は江戸邸と国許《くにもと》との老臣間の反目が原因だ、老職の位置の争奪、その暗闘の現れだ、奸物と申せばむしろ江戸邸用人松原郡太夫《まつばらぐんだゆう》殿を指すべきだぞ――いやいや、そう申しては足りぬ、用人の背後にあって、糸を引く大物がいる」

「誰だ――!?」

「申せぬ、その人の事は申せぬ」

「憶測だ！」

又兵衛は嘲《あざけ》るように、

「左様な憶説を聞いたとて致し方ない、老職を狙《ねら》う暗闘であろうとなかろうと、お家建直しを前にして現に君寵をぬすみ藩政を紊《みだ》る奸物があれば、之を除くが我等の役だ――」

「又兵衛――」

「いや、もう何をいっても無駄だ、貴様は貴様の信ずるようにやるがよい、拙者の決心も一日で定《きま》ったのではないぞ！」

三九馬は微笑した。

「そうか、ではこれも致し方あるまい。いずれ妹から挨拶《あいさつ》が行くだろう」

「――」

又兵衛は無言で踵《きびす》を返した。

春日黄昏《たそがれ》に近い――。

夜《や》　艶《えん》

一

「もうなりませぬ」

「よいよい」

頼母《たのも》は銚子《ちょうし》をさしつけて、

「ならぬなどと弱いことを申すな、さ——もう一盞《いっさん》参れ」

「でも、もうこんなに酔って——」

竜江《たつえ》は熱くほてる頬を押えながら、甘えるように頼母の五十七歳にしてはすこしも衰えを見せぬ黒髪、香油を絶やさぬ男の横鬢《よこびん》を見た。

頼母は静かに振返った。襖《ふすま》の向うで低く、

「お客様にござります」

と婢《おんな》の声がした。

「誰だ」

「崇福寺様にございます」

「梅叟《ばいそう》殿か、それは珍しい、直にこれへ御案内申せ」

「あれ、この室《へや》では」

竜江が慌《あわ》てていうのへ、

「外ならぬ仁じゃ、構わぬ構わぬ、これへ御案内してよいぞ」

「はい」

襖の外で答える。

竜江は衣紋《えもん》をつくろいながら、つと立って香爐《こうろ》の方へ行った。

「これは――」

部屋へ一歩入ると、僧梅叟は盃盤《はいばん》を見て、苦笑しながら、

「お邪魔を仕ったのではございませぬかな」

「いやよいところじゃ、さ、ずっと」

「心付かぬ推参、慮外でございました」

「竜、敷物を――」

竜江は自ら敷物を取って席へ直す、梅叟は静かに座を取った。

「久しい対面じゃ、いつ帰られたな」

「は、今日――」

「江戸はどうじゃ、貴僧あちらで大分賑《にぎ》やかに噂《うわさ》をまいておらるるようじゃが」

「これは怪《け》しからぬこと」

梅叟は赭顔《あからがお》を崩して、

「隠居と申しても寺用繁多にて左様な暇はとんと」

「駄目々々！」

頼母は盃《さかずき》をさして、

「一盞」

竜江に酌《しゃく》を命じながら、

「隠し目付から仔細《しさい》通知が参って居る。吉原なんどで派手に騒ぐとは違い、どこぞの芸者を根引して、ちんまりと寮構えの悪戯《いたずら》、すっかり知れておるじゃ」

「頂戴《ちょうだい》！」

梅叟は盃を受けて、

「冤罪《えんざい》、冤罪でございます」

「さぞ冤罪でござんしょう」

竜江が軽くにらんで、

「崇福寺様は昔からお堅くて、生仏様と評判でござんしたものなあ」

「これはしたり、竜江様までが左様なことを、それでは愚僧立つ瀬がござらぬ」

「それ故好《ゆえ》い女と沈んでばかり――ほほほ」

「どうじゃ崇福寺、ははは」

梅叟は敵《かな》わぬという風に、大きく頭を振って盃を頼母へ返し、

「隠し目付と申せば」

と容《かたち》を改めて、

「宮田将監《しょうげん》様には、近く江戸お邸へお役替そうにございまするな」

「左様！」

頼母はちらと梅叟へ一瞥《いちべつ》をくれた。梅叟はそれに気付かぬ風で、

「いよいよ藩政御改革にございますか」

「どういう意味やら」

頼母は盃を含んで、

「お上《かみ》の御意じゃで、わし共には解《げ》せぬがのう、江戸表には敏腕の多士済々《せいせい》、玄蕃が頭にずしりと据《す》わっておる故、田舎者が出て参ったところで役には立つまいが」

「しかし――」

梅叟は探るように、

「宮田様は聞こえた経済家、少将様（藩主信邦《のぶくに》の実父）御覚えもめでたいお人故、何ぞそこに深い動きがあるかに按《あん》ぜられまするが」

「そうかのう」

頼母は呆《とぼ》けた顔で答えた。

「わし共には、とんと左様な仔細は分らんが、いずれ叡智《えいち》の貴僧の観察じゃで、その

ような事があるかも知れんのう」

「や、話しが妙な方へ外れました」

梅叟は巧みに笑って、

「頂戴！」

と盃を取った。

頼母は竜江へ振返って、

「竜、三味線をとれ、久しぶりに崇福寺への馳走《ちそう》じゃ、唄《うた》ってきかそう」

「や、これは重畳《ちょうじょう》」

竜江は立って、三味線を取下して来た。

「頼母もかようにのう、妾《めかけ》を相手に端唄《はうた》参昧《ざんまい》ではいかんて、最早お役御免を願って、早く貴僧のように隠居を致したいものじゃ」

梅叟は鋭く光る眸子《ひとみ》で、眼尻《めじり》からじっと頼母の横顔をみつめていた。

二

憂《う》きは朝《あした》の別れぞと

　誰《た》がいひ初《そ》めし
　時雨《しぐれ》ぞや。

竜江の三味線に合せて、低く唄い終ると、頼母は盃をあげながら、

「どうじゃ」

「渋うございますな」

梅叟は膝をゆすって、

「愚僧、憚《はばか》りながらひとつ仕りましょう」

「やるか、珍しいのう」

「竜江様、恐れ入りますが、鳥羽絵《とばえ》を」

「あい」

竜江が調子をととのえる時、

「申上げまする」

と襖の外に声がした。

「うん」

「百三九馬様、御面会お願いにござりまするが」

「百――？」

頼母がつぶやくのと、同時に梅叟の眼《め》も光った。

「会おう、彼方《あちら》へ通せ」

「はい」

婢が去ると、梅叟が、

「百とは、たしか——国老の御縁に当る」

「縁辺ではないが、親爺《おやじ》と親しかったで、後見のような事になっておるのじゃ」

「親爺殿とは」

「先殿に直諫《ちょっかん》して死におった武右衛門じゃ」

「おお、あの頑固《がんこ》屋の——」

「伜《せがれ》も頑固者じゃが、こいつ親爺と違って一風変った奴《やつ》でのう、時を得れば役に立つ若者じゃ。ちょっと中座するで」

と竜江の方へ振返り、

「崇福寺殿のお相手を」

「あい」

頼母は立って、襖の外へ出て行った。

竜江は三味線をおくと、ちょうど部屋付の婢が捧《ささ》げて来た新しい銚子を取って、梅叟と差向いに座った。

「さ、お重ねなされませ」

「かたじけのう」

盃を受けたが、婢が退《さが》ると、ちらと四辺《あたり》に眼を配ってから、

「何ぞ、変ったことはござらんか」

と低く。

「別に変った事といっては、何も――おお、昨日松原様からお手紙頂きましたが」

「拙僧の事であろう」

「ええ、国老様とお前様との様子を、よく見張っておれと――」

「見張れ？　ははは」

「まるで狐《きつね》と狸《たぬき》の何とやら、おかしい位でござんすなあ」

「郡太夫も」

言いかけて、ちょっと耳を傾けてから、ぐっと声を低め、

「郡太夫も、拙僧が腹から己に加担をしようとは、さすがに信じておらぬらしいて。少将様思召《おぼしめし》の儀も、どこまで有利であるか、充分に疑いおる――、ま、そこがかえって我らのつけ目ではあるがな」

竜江は片頬で笑った。

「江戸では、その後どの様に」

「玄蕃をおとしいれる手段《てだて》は、最早九分通りまで出来ている、あとはただ時期を待つのみ」

「でも――」

竜江は肩をすくめながら、

「少将様もずんと思切ったお方でござんすなあ、実の御子様の命をお縮め遊ばして、小幡の家を――」

「しっ！」

梅叟が鋭く制した。

部屋付の若い婢が二人肴盤《さかなばん》を捧げて入って来た。

「おお、鶯《うぐいす》が鳴いている」

梅叟は盃を取った。

三

頼母は座につくなりいった。

「は、夕頃にお騒がせ申し、慮外にござりまするが」

「挨拶はよい、何か用か」

「は！」

三九馬は面《おもて》をあげて、

「御承知及びにござりましょう、私妹八千緒と、甲斐又兵衛との婚約」

「うん」

「それが今日破談となりました、つきまして一応」

「破談？――どうしたのじゃ」

「ちと仔細ありまして」

「いずれの仔細だ、八千緒がむずかりでも始めたか」

「いや――」

「何じゃ」

三九馬は苦笑して、

「又兵衛の望みにござります」

「おかしいではないか」

頼母は煙草盆《たばこぼん》を引き寄せた。

「この縁談は又兵衛から強《た》っての懇望、進まぬ八千緒をようやく納得させた筈《はず》ではなかったかのう」

「気が変ったのでござりましょう」

三九馬は軽く答える。

「気が変ったと申して、結納《ゆいのう》まで取交わしてあるものを、ああそうかでは済まんと思うが、其方《そのほう》はどう所存する」

「しかし、どうも」

三九馬は苦笑して、

「厭《いや》になったと申すものを、無理にとは申せませぬし」

「いかぬ！」

頼母は強く、

「武士たる者が、ただ厭になったでは理非が立たぬ、又兵衛は多少心得のある奴だと思ったが、そんなばかな事を申して——」

「実は——」

三九馬は少し弱った様子で、

「これには少々理由がございます」

「何だ！」

「申上げまするには、あまりにも聞苦しい儀にございまする故」

「構わぬ、言うてみい」

「はっ」

三九馬は膝を正したが、

「お客来にございまするか」

「崇福寺の梅叟が来ておる」

「梅叟殿——」

三九馬はちょっと眉《まゆ》を寄せた。

「聞こう」

と頼母。

「御家老には、若輩の間に、改革派と唱える一党のあること、お聞き及びでござりますか」

「聞いておる」

「如何《いかが》、思し召されます」

「――」

頼母は煙管《きせる》を口へ運んで、

「それが、どうした」

「最近又兵衛も、この改革派に加わりまして、何やら事を起そうと企てております
る」

「何をやろうというのだ」

「それは、申上げられませぬ」

「――」

頼母はじろりと細い眼を三九馬に向けた。

「で――?」

「それにつきまして、私は全く別に所存がございます故、又兵衛とは乖離《かいり》の間となり
ました」

「――うん」

「互の志違《ちご》うて、敵味方も同様となっては、縁組の事は全く心外と、又兵衛が申し条にござります」

「三九馬！」

頼母は煙管をおいた。

四

「三九馬」

頼母の調子は低いが鋭かった。

「はっ」

「其方、江戸へ行け」

「え——？」

「そう申せば分るであろう、宮田将監の江戸入りは旬日に迫っている、改革派の間に如何《いか》なる企てがあるか知らぬが、少将様御策謀もいよいよ露骨となって来た、わしの命も——何日《いつ》どうなるか知れたことでない」

「それは」

「まあ聞け、わしの命などはどうなろうと構わぬが、殿のお身上が案じられる、江戸邸に於《おい》て吉田玄蕃が孤立になったと同様、国許《くにもと》のわしの位置も全く今は風前の燈火《ともしび》、この上其方が国許におったところで、改革派に対抗してゆく事など思いも寄らぬ」

「国老！」三九馬はひと膝乗出した。

「やはり――此度《このたび》の動揺の根元は少将様でござりますか」

「そうじゃ」

頼母の面には痛憤の色が現れた。

少将とは――、
表高家《おもてこうけ》に列する二千五百石の名門、織田信栄《おだのぶよし》のことである。小幡藩は織田の宗家で、当主信邦《のぶくに》は信栄の四男であった。

元来小幡の織田家は、北畠《きたばたけ》内府入道（信雄《のぶかつ》）の子兵部大輔《ひょうぶたゆう》信良より伝わった一流の名家で、国持、城持という程の禄高《ろくだか》でないにかかわらず、代々当主は四位の侍従に進み、網代《あじろ》の輿《こし》、爪折《つまおり》の傘《かさ》という、他に異なる由緒《ゆいしょ》を以《もっ》て世に聞えていた。

この名家にして織田の宗家たる小幡へ、自分の四男信邦を養子に入れた信栄は、高家中でも名だたる権謀家で、信邦が若年であり、且《かつ》又日頃病弱であるのを名として、暇なく藩邸に詰かけ、自ら後見職同様に立振舞っているのだった。然《しか》るに信邦は病弱ながら聡明《そうめい》な青年で、少将の権謀を嫌《きら》い、深く江戸家老吉田玄蕃、国老津田頼母と提携し、小幡藩政の盛返しと、宗家の権力確立に努めていたから、此《こ》に——信栄の操る一派と対立して暗黙裡《り》の紛争をはらんだのである。

「参りましょう、江戸へ……」

三九馬がうなずいて答えた。

「八千緒も連れて行け」

「しかし、少々足手まとい——」

「いや」

頼母は頭を振って、

「あれは心得ある奴だ、兄の足手まといになるような真似《まね》はせぬ、連れて行け」

「では」

頼母は低く、

「早いがよいぞ」

「は、何日——?」

「明早朝にせい、後始末はわしがしてやる、江戸へ参ったなら——」

いいかけて頼母はぎらりと眼を光らせながら振返った。襖の彼方《あちら》で、

「御免遊ばせ――」

と声がして、すっと襖があく、

「おや」

ほんのり頬を染めた竜江が、あでやかに微笑しながら入って来た。

「まだ御用はお済みになりませんの」

「いま済んだところだ」

頼母は竜江の手をとって引寄せながら、酔った声で、

「どうだ三九馬、似合うか」

「まあいや――」

竜江は身をもんで、頼母の腕をのがれようとしながら、艶《えん》な眼に溢《あふ》れるような媚《こび》を見せて、じっと三九馬の眼をみつめた。

仇《あだ》しあだ浪《なみ》
寄せては返る浪
浅妻船のあさましや――

と爪弾《つまびき》で、梅叟の唄う声が、低く向うの部屋から響いて来た。

春の雪

一

「先生──」

部屋の中へ入って来ながら、富永道雄は低い声で、

「やはりあの男、諜者《ちょうじゃ》です」

「あの男とは──？」

山県大弐《やまがただいに》は髪へ櫛《くし》を入れていたが、静かに道雄の方へ振返った。蒼白《あおじろ》い相貌《そうぼう》に、濃い眉《まゆ》が張って、線の強い引きしまった唇が、四十二歳の年には不似合に朱《あか》かった。

「甲府からずっとつけて来た小男《こおとこ》です」

「ああ彼か」

大弐は軽く、

「彼は自分でも言っていた通りただの薬売に相違ない、捨てておけ、捨てておけ」

「ですが――」

道雄は傍《かたわ》らへ座って、

「唯今《ただいま》、私が下で手水《ちょうず》を使っておりますと、女中溜《だまり》へ入り込んでこの部屋付の女中に、諄々《くどくど》とこの室の容子《ようす》を訪ねているのをちらと――」

「立聞きをしたのか」

大弐の口調はきつかった。

「いや」

道雄は慌《あわ》てて、

「立聞きなどは致しません、唯手水を使いながら、耳なれた声なので――」

「よいよい」

大弐はうなずいて、

「一人二人の諜者を恐れていて我等の仕事が果せるものではない、探索したければ思う儘《まま》に探索させるがよい、下品《げぼん》の俗吏を恐れる山県ではない」

「――」

道雄は黙って頭を下げた。

「東寿《とうじゅ》！」

大弐は振返って呼んだ。

はい、と答えて隣室の襖をあけ、盲目の若者が現れた。

「何ぞ――？」

「うん、妙義《みょうぎ》は天下の名山、これを前にして一曲奏してみとうなった、琵琶《びわ》を持って供を頼むぞ」

「はい」

東寿は辞儀をして立つ。

「私もお供を――」

「お前は先へ飯にするがよい」

「でも」

道雄は不安そうに、

「怪しき者の徘徊《はいかい》する折でもあり、東寿一人では心許《こころもと》のう存じます故《ゆえ》」

「はは」

大弐は櫛をおき、

「盲《めしい》てはいるが、東寿は道雄くらいは使うぞ、まあ宿におれ、そちがいては琵琶もゆつくり、うたえぬでな」

道雄は苦笑して黙った。

東寿は直に、大弐の愛する琵琶「桂月《けいげつ》」と名付くるを抱えて戻った。

「お供仕《つかまつ》ります」

「うん」

大弐は静かに座を立った。

有明行燈《ありあけあんどん》の火の色漸《ようや》く薄れて、東に面した窓の明り障子は、早春の寒々とした暁の光を、たたえ始めた。

大弐が廊下へ出た時、どやどやと階段を駈《か》け登って来る足音がして、四人ばかりの若侍達が、血眼《ちまなこ》になって立現れた。

「先生」

道雄がおっ取刀《とりがたな》で部屋から出る、大弐もちょっと退《さが》って、左手を大刀の柄《つか》へやった。

「失礼仕る」

四人の先登にいた一人が、大弐を認めるとちょっと躊躇《ためら》った後、進み出て挨拶した。

「ちと探《たず》ぬる者あって参った者、お騒がせ申して恐縮でござる」

「いや――」

大弐は礼を返した。

二

「御免!」

といって四名が、端の部屋から捜しにかかろうとした時、その内の一人が、行過ぎようとする大弐の横顔を見て、

「あ――」と低く声をあげた。

大弐は東寿を促して階下へ――見送った四名の内の一人が、

「山県――大弐だ」

と囁《ささや》く。

「え――?」

「江戸邸《やしき》で一度会ったことがある、たしかに間違いなし!」

「では」

一人が口早に、

「もしや打合せがあったのではないか」

「三九馬か――？」

「うん！」

　年少の一人が、

「追うか？」

　と弱く云《い》うのを、山県をみわけたのが制して、いま富永道雄の戻って行った部屋を顎《あご》でしゃくり、

「先《ま》ずあの部屋を検《あらた》めてみろ」

「よし！」

　四人がつかつかと大弐の部屋の表へ来た。

「御免蒙《こうむ》る――」

「――」

　道雄は部屋へ戻るときから四人の気配を察して、愛刀をぐっと側《そば》へ引寄せていた。

「御免！」

　返辞がないので、大声に重ねながら、一人がすっと障子を押しあけた。道雄は左手に刀をつかんで、

「何だ――？」

と静かに訊《き》く。

富永道雄はその時二十七歳、貫心流《かんしん》の剣では相当に自信があった、いまだ人を斬《き》った経験はないが、木剣試合で一人打殺《ぶちころ》したことがある、その時の感じで木剣も真剣も同じことだという技外の技を会得《えとく》していたから、だいぶ鼻柱が強い。

「失礼な儀でござるが」

と四名の内の年長らしい一人が、道雄の意気込をみてとったから、慇懃《いんぎん》に、

「拙者共は小幡織田家の者でござるが、同藩百三九馬と申すを御意討の為《ため》追って参ったところ碓氷《うすい》において見失い、斯様《かよう》に捜索致しおる仕儀、御無礼ながら一応この部屋の内を検めさせて頂きたいと存ずるが――」

「それはそれは」

道雄はうなずいて、

「御苦労なことでござる、しかし――此《この》部屋には我等主従二名より外に猫《ねこ》の子一匹居《お》りませぬ、他をおさがしなされたが宜《よろ》しかろう」

「いや！」

相手は押して、

「勿論《もちろん》他も探しまするが、念晴れの為、一応――」

「御免！」

気早の者が踏み込もうとする、

「お控えなさい！」

道雄が低く叫んだ。

「おらぬ者は誰が探そうとおらぬ、たって部屋を検むるとあれば、拙者にも少々覚悟がござるぞ」

「なに？」

年少の一人が、

「当方ではかく理非を申して頼むに、覚悟あるとは何んだ」

「構わぬ、踏み込め！」

四名がぱっと左右へ、いっぱいに障子を押し開いた。

「…………」

道雄は大剣の鯉口《こいぐち》を切って、

「狼藉者《ろうぜきもの》、赦《ゆる》さんぞ！」

と叫びざま立上った。

隣の部屋に、窺《うかが》い寄る、旅商人《たびあきんど》風の男があった。

三

「もういかんよ！」

三九馬は呻《うめ》くように言って足を止めた。

「八千緒《やちお》」

「はい」

八千緒はあえぎながら、

「どう致しましょう」

「理非を申聞かせて、若《も》し退《ひ》かなかったら、致し方がない――」

云いながら、手早く下緒《さげお》を解《ほど》き、羽織を脱いで襷《たすき》をかけ、野袴《のばかま》の股立《ももだち》を取上げた。

「お前――」

「はい」

「向うの橡林《とちばやし》の中へ行っておれ」

「いえ、わたくしも――」

「いかん」

三九馬は草鞋《わらじ》の緒を踏み試みながら、坂の下二丁余のところへ近づいている追手の影を見やって、急《せ》きたてた。

「お前がいたとて彼等は遠慮をしまいし、おれには何の役にも立たん、さあ——」

「はい」

八千緒は素直にうなずいて、蒼白《あおざ》めた額越しにじっと兄の眼を見てから、道を右へ外《そ》れ、丘を登って橡林の中へ——。

坂を追登って来るのは、甲斐《かい》又兵衛《またべえ》を先頭に、陣屋《じんや》左次郎《さじろう》、荒木重吉《あらきじゅうきち》、渡辺壮助《わたなべそうすけ》、行田《ゆきた》鞍馬《くらま》の五名。

津田頼母の妾《めかけ》、竜江の諜報によって、百三九馬の脱藩を知るより、青山主膳の指揮の下にふた手に分れ、江戸への道を食止めて信濃路《しなのじ》へ追込んで来たのである。

「待て!」

又兵衛は、坂を登りつめると足を止めて向うを見た。

三九馬が身仕度をして、道のまん中にただ一人待受けている。

「いよいよ覚悟をしたらしい。行田氏と渡辺氏は別行動、妹がその辺にひそんでいるはず故、それを探してひっ捉《とら》える、主膳殿より申しつかった通り、津田頼母から吉田玄蕃へ遣わす密書の有無を検めてもらいたい」

「心得た！」

「一番は拙者、陣屋氏が二番、荒木の槍《やり》は遊撃として、時宜に応じてかかってくれ」

「心得た」

「おう！」

行田鞍馬と渡辺壮助は即《すなわ》ち丘を登り、甲斐、荒木、陣屋の三名は手早く仕度を直した。

「それから――」

甲斐又兵衛は振返って、

「三九馬は切返して来る剣が鋭い、打込む次の変化に充分気をつけて」

「――」

二人は無言でうなずいた。

「焦《あせ》らずに、道場にいる積りで似相《じそう》先生が常々申された如《ごと》く、肉を斬らせて骨を断つの覚悟、是《これ》が必勝だから――よく」

「承知だ」

荒木重吉は強く答えたが、自分でもはずかしい位声がうわずっていた。

「参ろう」

甲斐が先頭に立った。

三九馬は相手が十間あまり近くへ迫った時、例の親しみのある微笑をみせながら、

「やあ、お揃《そろ》いで――」

と声をかけた。

又兵衛は答えずに、更に二三間進んでから、左手を鍔《つば》へかけてぐっと返し、鋭く三九馬の眼をみつめながら、

「御意討だ、覚悟せい！」

といった。

「御意討――？」三九馬はいぶかしげに、

「誰の御意だ、江戸におわす殿の御意か、それとも改革派の御意か？」

「問答無益、斬れ！」

と渡辺壮助が叫ぶ――。

曇った空から、ちらちらといつか雪が。

四

「待て待て」

　三九馬は抑えて、

「甲斐——、貴様よくよく盲人になったな、間違いだ、何の為におれを斬る。百三九馬を斬って、何の足《たし》になる、改革派がまことに藩政改革を志すものならば、一人二人を斬るより先に考えねばならぬ事が沢山あるはずだ、又兵衛——」

「聞かぬ！」

　又兵衛はいらだって、

「お家建直しの為には、朋友《ほうゆう》の三四、先輩の五六、斬ってのけるに遠慮はせぬぞ、無駄な言葉幾万言《いくまんげん》聞くとも益ないことだ、抜け」

「待てというに、又兵衛！」

「咆《ほ》えるな！」

　叫びざま又兵衛は剣を抜いて間隔を二間ばかりに縮めた。

　荒木重吉は槍の鞘《さや》を払い、陣屋も抜いて、甲斐の後からじりじりと肉薄した。この時、三九馬の眉がぴぴぴと、痙攣したとみると、唇へ彼等が初めて見る、一種の冷ややかな微笑が現れた。

小幡藩では師範役藤田似相が無明《むみょう》流であったから若手の多くは同流を学んでいたが、三九馬は珍しくも一放《いっぽう》流を使い、同時にまた荒木重吉の高田派の槍術《そうじゅつ》に匹敵する位には中根流の短槍にも心得があった。

「致し方あるまい」

三九馬は呟《つぶや》くようにいうと、三人の構えに眼を配りながら、

「又兵衛！」

「――」

「貴公を斬るのは辛《つら》いぞ、また――荒木に、陣屋」

「――」

「幼馴染《おさななじみ》の諸君、ここで貴公らの血を見ようとは思わなかったぞ、これが世の相《すがた》か」

刹那《せつな》、甲斐が、

「えい！」

わめいて空打を入れる、三九馬はさっと右にひらいて――未《いま》だ抜かぬ。

「えい！」

陣屋左次郎、気を急いで、

「え、やっ！」

つめ寄ると、とたんに三九馬が、腰を沈めて抜討に甲斐又兵衛の横面《よこつら》へ無言の一刀。

「とう」

応《こた》えて甲斐が身をかわす刹那、三九馬の剣は電光の如く切返して陣屋左次郎の真向《まっこう》へきらり直線をひいた。

「あっ！」

左次郎一歩ひらいたが、汗止の鉢巻《はちまき》がばらり落ちて、蒼白《そうはく》の面上にぱっと血が散った。とっさに甲斐が左次郎を庇《かば》って出るが——呼吸をつめて、いっぱいに瞠《みひら》いた眸子《ひとみ》を、狂ったように三九馬の眼へ射かけるばかりだ——。

「是が——」

と三九馬が低く、

「これが世の相か——、又兵衛、おれは悲しいぞ、辛いぞ、三九馬の一放流は、友を斬る為に習ったものではない、残念だなあ——」

「う——」

低く呻く声がした。

みると陣屋左次郎が、枯草の中にしゃがみ込んで頭を抱えた両手の指の間から、血が凄《すさま》じく滴《したた》り落ちていた。

「傷の手当をしてやれ！」

と三九馬。

「くそっ！」

又兵衛は鋩先《きっさき》を、く！　と三九馬の胸元に擬し、籠手《こて》をすり上げたと思うと、

「か――」

絶叫しながら必殺の突きを入れる。同時に三九馬の体が左へひらいて、剣はきらり、後詰の荒木重吉へのびていた。一瞬後、はずされてのめった又兵衛が構えを立直した時、荒木重吉は槍を半ばから切放され四五間ばかりとび退《しさ》って、残った槍の半分を手に、居合腰になっていた。

左次郎はもう、草の中へ横ざまに倒れ、その上へ粉雪がちらちらと降りかかっている。

五

又兵衛は口惜《くや》しそうに、

「荒木！」

「見苦しいぞ」

「――」荒木重吉はその声で、ばねに弾《はじ》かれたように立直った。

彼は全く驚いたのだ。

又兵衛が捨身の突きを入れた時、ひっぱずしても体当りにはなるとみたから、その時の三九馬の体の崩れに虚を取ろうとした、ところが逆で、反対に三九馬の為に先を取られ、手許《てもと》へ剣がのびて来たので、本能的にとび退ったが、その時はもう槍は半分にされていた。

どう云うかたちで槍をとられたか、重吉にはまるで分らないのだ、恐らくその瞬間、かれは眼をつむったのであろう、――恐ろしい奴だ、と思うと気が臆《おく》れて、ほとんど半ば呆然《ぼうぜん》と半分の槍を持ったまま立尽くしていたのである。

――うぬ！

又兵衛の声で我にかえった重吉は、日頃、相当に使えると思っていた自分の技が、案外ものの役に立たなかった口惜しさと底を看破《みやぶ》られた恥とで、

——もうこうなれば死ぬより外にない、相手を斬る斬らぬはその時のことだ、死のう、死んでやろう！　そう思うと、急に胸の悶《もだ》えが消え、眼もはっきりと見えて来るかに思われた。

「——！」

無言で槍を捨てると、静かに大剣を抜いて、三九馬を中に、向合っている甲斐又兵衛の顔を見た。又兵衛の顔が、十年も会わなかった知己のように、頼もしくなつかしく思われた。

重吉は又兵衛に笑顔を見せようとした。しかし、顔面の神経がかたくなって、仮面のように動かないのが感じられた。

——もう少し修練を積んだつもりでいたが、駄目だ！

そう思うと、死のう！　という気持が倍の強さで盛上って来る。

幅一間ばかりの道、上下に敵を控えて、百三九馬の地理は悪くなった。

「おっ！」

重吉が第一声を発した。

「え、えいっ！」

又兵衛はすり足に寄る。

三九馬は右足を半歩ひき、青眼――籠手を右へはずして、充分に腰を浮かせて待つ。

唇は漸《ようや》くいつもの人懐《ひとなつ》こい微笑が現れ、眸子にも静かな光が戻った。

「又兵衛――少し焦り過ぎているぞ、呼吸をととのえろ」

三九馬は充分の余裕をみせた。

「どうした、常に似合わぬ、眼が狂っておるではないか、さー来い」

「くそっ！」

わめいて重吉が大きく踏み込みながら一刀、三九馬の肩へ！

「とう！」

三九馬が身を転ずる、刹那、又兵衛が左から胸をねらって払う剣！

「え、やっ！」

かっ！　剣と剣が触れる。

「おっ！」

盛返して重吉が寄る、三九馬身を沈めて重吉の胴へ！と見る、返して、真向へ来る又兵衛の剣を、か！　受けるのと、ひっぱずして、踏み込んで来た荒木重吉の胴へ一刀斬り込むのと同時だった。

「か――」異様にわめいてのめる重吉。

ちらとも見ずに甲斐又兵衛がここぞとねらった得意の突きだ。

「とう！」

かっ！　剣が鳴って、三九馬は二三間退った。

雪は漸く勢いをまして来た。

六

山県大弐は、軽井沢の駅《うまや》より北西にある兜山《かぶとやま》という高地に立って、左手に古写の地図をひろげ、右手に筆を持って、妙義、碓氷、浅間、和美《わみ》峠から物見山へかけての地勢を按《あん》じ、地図の面《おもて》へ註を加えていた。

大弐から七八間うしろに、東寿は岩へ腰をかけて、琵琶《びわ》を弾じながら朗々と平家物語の一節を誦《じゅ》している。

「おお――」

ふと大弐は筆を止めてあたりを見廻《みまわ》した。雪である――

「さっきから浅間の煙が薄れてきたと思ったが、これは珍しい——雪だな」

「——」

東寿は琵琶の撥《ばち》をやめようとしたが、大弐は静かに、

「いや、続けてくれ」

といって、一段低くなっている岩の出鼻へ下りて行った。

大弐が持っている古図は、彼の祖である入道信玄の随身《ずいじん》山県三郎兵衛昌景以来、家に伝わっているもので、北条《ほうじょう》早雲が小田原に挙兵した時、信玄自ら本陣を軽井沢に移し、善戦よく勝利に導いた折の戦略図で、——彼が此処《ここ》に来たのは、実にこの古写図を実地に照らし、甲州流軍学の範模を按ぜんが為《ため》であった。

尤《もっと》も大弐の今度の旅は、単にそれだけの目的ではなかった。彼は江戸から先ず故郷甲斐国《かいのくに》巨摩郡篠原《こまごおりしのはら》村へ行き、祖先の展墓をした。そして師である加賀美桜塢《おうう》にも会い、兄市郎《いちろう》右衛門《えもん》にも会い、歓をつくして信濃をここまで来たのである。

故郷へ帰ったのは、表面展墓の為を拵《こしら》えたが、実は旧師知己同胞への、今生の袂別《べいべつ》であった。

「よく降るな」

大弐は地図の面《おもて》へはらはらと積る雪を、静かに払い落しながら、左に碓氷の嶮《けん》を

にらんで、ぐいと太い墨の一線を、碓氷から浅間隠れ山の裾《すそ》まで引いた。

東寿の撥は益々《ますます》冴える。大弐はふと筆を止めて眼を閉じた。

壇ノ浦を語る東寿の声は、つのり来る寒気と共に大弐の胸へ犇々《ひしひし》と迫った。

「もう――すぐだ」

大弐は低く呟いた。

「志を果す時、そして山県大弐の死ぬる時――故郷の人々も大弐捕縛と聞いたなら、此度《このたび》の帰郷の意味を知ってくれるだろう。あと幾許《いくばく》の生命か、桜を見るか――見ぬか」

雪が、瞑目《めいもく》して立つ大弐の蒼白な横顔にしげく、紫紐《ひも》でむすんだ艶々《つやつや》しい総髪に、見る見る白く積りかかる――。

ふと――撥の音がやんで、

「先生！」

と東寿の声がした。

「――」

「先生――！」

二度めの声ではっと我にかえった大弐は、いつか右手の筆が地に落ちているのに気付いた。寒気で指がこごえたのだ。

「先生！」

「何だ」

大弐は筆を拾う。

「誰やら此方《こちら》へ急いで来る足音が致します」

「杣人《きこり》でもあろう」

「いえ、多勢です。然《しか》もひどく取乱した気配が感じられます」

大弐は答えずに岩を上った。

東寿は琵琶をおいて、腰の脇差《わきざし》をぐっと左手でつかんだ。大弐が静かに東寿の側《そば》まで来た時、北側の急坂《きゅうはん》を、雪まみれになった旅姿の女が一人、まろぶように駈け登って来るのが見えた。

七

山の頂きまで駈け登って来た女は、そこに大弐と東寿のいるのを見ると、一瞬、ぎょっとしたらしくあえぎながらそこへ立ち止ったが、——ただならぬ様子を察した大

弐が、

「仔細《しさい》ない者じゃ、参られい」

というと、突きのめされたように走り寄って、

「追われて居《お》ります、お助け」

とぎれとぎれに叫びながら、大弐のうしろへ身をかくした。同時に、女の後を追って来た二人の武士、いずれも右手に抜身をさげて現われたが、ぬっと立っている山県主従を見ると思わずそこへ足を止めた。霏々《ひひ》と降る雪の中に、五拍子ばかりの間、互ににらみ合って立っていたが、一人が二歩あまり進み出て、

「慮外ながら、そこにいる女、お渡しが願いたい」

と云った。

「左様」

大弐は低く、

「拙者には縁もゆかりもなき婦人、お渡し申さぬとは云わんが、見れば壮夫二人、抜刀にて追いつめておらるる様子だが、如何《いか》なる仔細か伺えまいか」

「その女は――」

と別の一人が、

「奸物《かんぶつ》の片割にて、御意討の為我ら両名にてこれまで――」

「御意討――？　ほう」

大弐は女へ振返ってから、

「それにしても、女一人に男二人はちと妙に思われるが、貴殿がた御藩は？」

「小幡の者でござる」

「小幡――？」

大弐の眼がちらと光った。

「織田殿御家中《かちゅう》とならば、拙者にも少々知己がござるが、この婦人――如何なる理由にて御意討とは？」

「奸党に与《くみ》し、お家を紊《みだ》す奴」

「ほう――この婦人が？」

「いや、そ奴の兄百三九馬《ももいさくま》なる者、江戸家老吉田玄蕃と気脈を通じ――」

「しっ！」

一人があわてて制した。

しかし、大弐の聞きもらすはずはない、一言で前後の事情が釈然とした。

織田家の江戸家老吉田玄蕃とは年来の知己、学、芸、術、ともに許した相手だ。玄蕃を中心にして、家中に隠然と紛争が醸《かも》されていることも聞いている。さてはこの二人、改革派とかいう徒党の者だな――。

そう思ったから、

「東寿！」

と静かに振返った。

「はい」

「斬れるか――？」

「はい」

東寿のか細い面に、虹《にじ》のような微笑が現われた。大弐は二人の方へ向き直って、

「なるほど、奸物は斬るべしでござる、貴殿がたの御用意はよいかな」

「何ーに！」

二人――（いうまでもない、行田鞍馬と渡辺壮助だ）は、ちょっと胆《きも》をぬかれた体《てい》で、さっと左右へひらきながら、

「では、その女――」

「渡しましょうとも遠慮は御無用、ずっと寄ってお連れなされい」

東寿が片手に脇差を抜いた。

「行田、面倒だ、やろう！」

「うん！」

鞍馬はうなずくなり、色を失った唇をかたく噛《か》みしめながら、猛然雪を蹴《け》って、東寿の正面へ斬ってかかった。

「あ！」

一瞬、女は面を蔽《おお》う、同時にはげしい気合と、逼迫《ひっぱく》した呼吸とがからみ合って、自分の横を誰かが、断崖《だんがい》の方へのめり倒れる気配がした。

八

「冴えておるのう」

大弐の声に、女は顔から袖《そで》を取った。見ると行田鞍馬は崖端《がけはし》へ倒れているし、渡辺壮助は琵琶を置いた岩の下に倒れて、ぶきみな呻《うめ》きをあげていた。

「こわいか？」

大弐が振返って声をかけた。

女は――八千緒、武士の娘として、日頃のたしなみも忘れ、臆病な有様を人に見ら

れた恥かしさに、恐怖のなかから頬を染めつつ、

「は——」

と俯《うつむ》向いてしまった。

「恥ずるには及ばぬ、初めて血を見る時は大丈夫でも身が顫《ふる》うものだ、百——とか申されたな」

「はい、兄は三九馬、わたくしは八千緒と申しまする」

「兄御は——？」

「この先の峠道にて、同藩の方々と立合っておりましたが、どうなりましたことやら、案じられて——」

「近くかな」

「はい、あの森林の向うでござります」

「東寿、参れ」

八千緒を先に立てて、三人は兜山を北へ下りて行った。

行田鞍馬も渡辺壮助も、もう絶息したらしい、呻き声も絶えて、積る雪にまみれたまま動かなくなっていた。

三丁あまり、樺《かば》の林をぬけて先刻の場所へ案内して来た八千緒は、峠路の道の上に

倒れている人の姿を見つけると、

「あ！」

と息詰るように叫んで、雪を蹴立てながら走りだした。

――若しや兄上では？

胸を顫わせて、近寄ったが、それは額を割られた陣屋左次郎だった。

「おお、彼方《あちら》にも」

大弐の指さすところにもう一人、俯伏せになって倒れている。八千緒は不安に戦《おのの》きながら、気もそぞろに駈寄った――が、それは荒木重吉だった。雪を染めた血沼の中に、まだ息があるらしく、力のある呻吟《しんぎん》を続け、足を縮めたり伸ばしたりしていた。

「どちらも兄御ではないな」

「はい――」

血の匂《にお》い、吐きたいような不快を感じつつも、兄と――もう一人、許婚《いいなずけ》であったひと、甲斐又兵衛の非業《ひごう》の姿を見ずに済んだことが嬉《うれ》しくて、八千緒は張切った神経が一時にほぐれてゆくのを覚えた。

「それは重畳《ちょうじょう》、いずれかへ落延びたのであろう――が、そこ許《もと》はこれからどうなさる、いや別にお隠しなさることはない、実は拙者山県大弐と申して、江戸の――」

「あ！」

八千緒は意外な名を聞いて、驚きの眼をみはりながら一二歩退《さが》った。

「御承知か、拙者のこと——」

「はい」

勿論知っていた。

兄三九馬が日頃から、海内随一の学者として、尊崇し、憧憬《しょうけい》していた人、また江戸家老吉田玄蕃と共に主君信邦が師事する人として、かねて頭を去らぬ名であった。

「存ぜぬこととて、さき程より御無礼のみ仕《つかまつ》りました」

「無礼は互のこと、これにおるは門弟、東寿と申す者。遠慮は要らぬ、何なりと申されるがよい」

「はい、実は——」

八千緒は、兄と共に脱藩、江戸へ赴く次第を手短に語り、

「国家老より江戸表吉田様への密書、至急お届け申さねばならぬそうで、わたくしがお預かり申しておりまするが——」

「それは」

と大弐がうなずいた時、

「先生――！」

向うから大声に叫びながら、雪を蹴立てて来る者があった。

九

駆けつけて来たのは富永道雄だった。

「どうした」

「も、申訳のないことを致しました」

道雄は息せき切って、

「人をさがすとやらいう四人連れ」

「相手になったな」

「いや――」と頭を振って、

「四人の奴《やつ》ら、無法にお部屋へ踏み込もうと致しますので、つい癇癪《かんしゃく》が起り、表へ誘い出して懲《こら》してくれようと存じましたところ、四人はそのまま立去りましたが」

「うむ」

「後で部屋へ戻ってみますと、先生の手文庫が紛失しております」

「――」

「ほんの僅《わず》かの間のこと、盗賊でない証拠は、すぐ側にあった金袋には手をつけず、手文庫を狙《ねら》ったところ正に彼奴《あやつ》と――例の薬売とか申す旅の者を調べに参りましたら、一足ちがいで出立《しゅったつ》、すぐ後を追いましたが、碓氷の峠前で姿を見失い、これまでたずねて来たのでございます」

「よいよい」

大弐が苦笑しながらうなずいた。

「と、申してあの中には」

「構わん構わん、大弐は世に隠れて志を行なう者ではない。盗めば盗んだ物から、探り出せばまた探り出した者から、大弐の主張が世の隅々《すみずみ》へ弘まるばかりだ、捨てておくがよいぞ、道雄」

「は！」

「八千緒どの」

大弐は振返って、

「お聞きの通りじゃ、別に四人の者がお身御兄妹をさがしておる、とてもここで三九馬殿をたずね廻ってはおられまいが」

「はい」

兄の事も気にかかる、甲斐又兵衛がどうしたかも知りたい、しかし、今ここでうろうろしていて、追手の者に捕えられれば犬死をせねばならぬ。

「どうじゃ、三九馬殿も無事であれば、いずれは江戸へ出らるるであろう、そこ許は別して玄蕃殿への託書もあること、先ず江戸へ行かれたらどうであろう」

「わたくしも、そのように存じまするが」

「それならば」

と大弐がうなずいて、

「道雄、そち此方《こなた》を案内して、一足先に江戸へ戻ってくれ」

「は！」

八千緒はちらと道雄の顔を見た。若い道雄は娘のつややかな眸子《ひとみ》を浴びて、顔へ血ののぼるのを感じながら、

「しかし、先生は――？」

「わしは両三日ここへ滞在せねばならぬ、碓氷の嶮《けん》妙義への道をいま少し調べてから帰る」

「では一応宿へ戻って」

「いや、軽井沢は危い、雪の中を濡《ぬ》るるであろうが裏道伝いに沓掛《くつかけ》へ出て宿をとれ、荷物などは後から届けさせるで――、そうだな、佐多屋と申す小宿があった、あれへ泊るがよい！」

「は！」

「江戸へは、沓掛から秩父《ちちぶ》へぬけるのだ、十石峠が難所だが、武州へ入れば安全だから、道を早めて行くがよい」

「は、あの道は先生のお供で一度通ったことがござります故《ゆえ》、私には自信がござります」

「だが――」

大弐は笑って、

「雪が降ると熊《くま》が出るぞ、秩父は熊が名物、心してゆかぬと」

「は、では是《これ》にて――」

「うん、八千緒どの、途中大事にのう」

「はい、色々とお世話様になりまして、なんともお礼の申しよう――」

「措《お》かれい措かれい」

大弐はやさしく、八千緒の肩から雪を払ってやりながら、

「道伴《みちづ》れは拙者の門弟、富永道雄と申して気の弱い奴じゃ、安心して旅をお任せあるがよい、いずれ――江戸で」

「はい、では先生にも、御大切に」

雪は、いまや本降りに、四人を押し包んで狂い舞う。もはや、浅間も妙義も見えなかった。

十

「あ、あれに――」

急坂を登って来た、先頭の若侍が、なかば雪に埋もれている荒木重吉をみつけて、うしろへ呼びながら走った。

馬上の青山主膳は、若侍のあとを追って、手負《ておい》の側《そば》まで来ると、

「誰だ?」ときいた。

若侍は雪をかき除《の》けて、

「荒木氏でございます、まだ息があるようでございます」

「忠三――」

主膳は追いついて来た三名の若侍の中で一番若いのに振返って、

「源四郎どのと共に付近を捜してみい、外にまだおるかも知れぬ」

「は！」

二人は直にそこを離れた。

その間に主膳は馬を下りて手負のうしろへ廻るとぐっと抱え起して、気息をうかがっていたが、

「大丈夫！」

うなずいて、傷所を検《あらた》めた。

腰から下がぐっしょり血で、右の脾腹《ひばら》にあたるところの衣服が斜に五寸余裂けている。手をやると僅かにはみ出ている腸が触れた。

「桃井《もものい》氏、薬を――」

「は」

桃井久馬が手早く金瘡薬《きんそうやく》と巻木綿を取出した。主膳は馴《な》れた手つきで、重吉の衣服を寛《くつろ》げ、腸を傷口へ押込んで、薬をぬり、きつく上から木綿を巻いた。

「お――い」

二丁ばかり先で声がする。

「ここにもう一人おります」

「いま参る！」

絶え絶えに呻いている重吉を桃井久馬に任せておいて、主膳は大股《おおまた》に戸田忠三の方へ走って行った。

源四郎が、雪まみれの死体を抱き上げ、大声に、

「兄上！　兄上！」

と呼んでいる。

「陣屋殿か！」

「はい」

戸田忠三は、いたましげにうなずいた。主膳は前へ廻って、左次郎の面《おもて》をひと眼見るなり、静かにこうべを垂れて、

「いかん！」

と低く呟《つぶや》いた。

「残念でしたろう兄上、源四郎がいま少し早かったら、やみやみお死なせ申しはしなかったものを――」

「三九馬め」

主膳は屹然《きつぜん》と面をあげた。

藩中でも三九馬はつかいてと評判の内には入っていたが、陣屋とて荒木とて、むざと後れを取るような相手ではない筈《はず》である。然も甲斐又兵衛がついていながら——、そう思うと、同勢であった甲斐や、渡辺、行田ら三名のことが気懸りになって来た。

「敵は必ず、源四郎が——」

左次郎の胸へ顔を埋《うず》めて、源四郎は遂《つい》に声を忍びながら泣きだした。

「や、あれに誰か参ります」

忠三が斜面に続く樺の林の方を指さした。雪の中を、向うでも此方を認めたか、四名の武士が近づいて来た。

「おお佐藤勝太夫《かつだゆう》の組だ」

主膳が呟く時、先頭にいた士《さむらい》が、足を早めて斜面を下りて来た。

「百は——？」

主膳が待ちかねて叫ぶ。

「甲斐氏か」

佐藤勝太夫は走寄りながら、

「傷ついて倒れておられるのを、お援《たす》け申して参りました」

「百は、三九馬めは？」

「――」

勝太夫は頭を振った。

「駄目か」

主膳の面にはありありと失望の色が表われた。

十一

甲斐又兵衛は、菅屋《すがや》十郎太の背に負われていた。

「痛むか」菅屋は、寒さの中にうっすら額へ汗を滲《にじ》ませながら、

「いま少し静かに歩こうか」

「いや大丈夫だ」又兵衛は努めて元気そうに、

「重いであろう、済まぬ」

「何をいう、済まぬなどと――もっと楽に、遠慮せずに負いかかってくれ」

先になった森川吉之助《きちのすけ》というのが戻って来て、

「拙者代ろう」

と云《い》う。

「なにまだよい」

「向うに物頭《ものがしら》がおられる、いま佐藤が先へ走って行った、どうも向うでも百を仕止めなかったらしいぞ」

——三九馬！

又兵衛は、太腿《ふともも》の傷へひびく痛みを、懸命にこらえながら、敗をとった自分の、不《ふ》甲斐《がい》なさを責めつづけた。

——主膳殿に合せる面目があるか、三人で立合って、まんまと取逃がし、三人とも斬《き》られるなどと、何たる態《ざま》だ。

口惜《くや》しさと、腹立たしさに、傷よりも胸が抉《えぐ》られるような痛みだった。

「森川！」

と又兵衛が面をあげて、

「おう」

「渡辺と行田はいるか」

「——」

吉之助は十郎太の眼を見た。

いおうか、いうまいかと――

「おらんか」

「うん！」

「百の妹を追わせたが、遠くへ行く筈はない、会わなかったか」

「実は、のう甲斐」

菅屋十郎太、足を止めて、

「我らは軽井沢の宿から、山県大弐の跡を追って山へ入ったのだ。すると――」

「なに山県大弐？」

「だと思う、勝太夫が顔を見知っていて、たしかにそうと申したで」

「大弐が――」

又兵衛は唇を噛んだが、

「それで――？」

「雪の中に乱れた足跡があったから、それを伝って行くと兜山という、あの高地な」

「うん」

「あの上に渡辺と行田が――屍体《したい》となっているのを発見した」

「いずれも一刀、心《しん》の臓《ぞう》を突かれておった、そして少し離れた岩蔭《いわかげ》に、若い女の櫛《くし》がひとつ落ちていたのだが」

女の櫛、むろん八千緒の物であろう、だが二人が八千緒の為に刺されたとも思われぬ、誰かいた、誰かが――。

「四辺《あたり》に人の姿を見なかったか」

「足跡は雪の吹溜《ふきだま》りで消えていた、それで見当をつけて来ると貴公をみつけたのだ」

「ああ」

又兵衛は傷の痛みに、思わず喰《く》いしばった歯の間から呻《うめ》きをもらしたが、

「で――大弐は？」

「いま少し先、宿を出た時と同様、盲人に琵琶《びわ》を持たせて、軽井沢の方へ戻って行く姿を見た」

佐藤勝太夫が戻って来て、

「どうだ、甲斐」

と声をかけた。

「うん、大丈夫」

「荒木は生きておるぞ！」

「陣屋は！」

「いかん、源四郎が取乱している、仲の良い兄弟だったでのう」

又兵衛は眼を閉じた。

苔《こけ》竜《りん》胆《どう》

一

前には千曲《ちくま》川の、泡《あわ》を嚙む奔流があった。うしろは百丈の断崖《だんがい》で、その裾《すそ》を抉るようにして小さな洞窟《どうくつ》がひとつ、岩を畳んで自然の浴槽《ゆぶね》をつくり、澄んだ温泉が溢《あふ》れている。武田信玄の隠し湯と呼ばれる七湯の一、佐《さ》久郡《くごおり》小牧の温泉である。

三九馬は、全身を湯にひたし、足場の岩に腰をかけ腕組をしながら、じっと向うをみつめている。千曲川の彼方《かなた》に、晴れきった空を負って、八ケ岳の秀峰が聳《そび》えている。

五日前、碓氷であった、雪がここにも降ったのであろう、ほとんど裾まで雪に蔽われ、昼に近い日に向けて藍白《らんぱく》にかがやいている。

さすがに川の手前は、真南をうけた陽溜りで、川まで、緩い傾斜をなして下りている磧《かわら》のそこ此処《ここ》には大きく伸びた蕗《ふき》の薹《とう》が白い花を咲かせていた。洞窟の入口には、雑草が勁《つよ》い葉をすくすくとぬき灌木《かんぼく》はいずれも若芽をつけている。三九馬はうっとりと、ほぐれてゆく神経の快い弛《し》緩《かん》を味わいながら、いつまでも湯の中を動かなかった。

ちちちち　ちちちち

磧を、鶺鴒《せきれい》が飛んだ。三九馬は、鶺鴒が、大きな石の蔭をすりぬけて、ひらりと身を翻《ひるが》えすのを見ると、ふいに又兵衛との立合を思い出した。

「ばかな奴――」

重吉を斬ってから、又兵衛まで傷つけるに忍びず三九馬は機を見て逃げた、しかし、餓《が》狼《ろう》の如《ごと》く追って来る甲斐又兵衛の執念深さに、遂には腹が立って来て、

――それほど死にたいか！

と言いながら向直って迎えた。本当に仕止めてやろうと思ったのである。然し三太刀と合せる間もなく高腿を一刀斬ると、うしろざまに雪の中へ倒れた又兵衛の姿が、ふっと――八千緒の悲しげな眉《まゆ》を、思い出させたので、そのままそこを立去ったのであった。

又兵衛を倒すとその足で、妹のいる橡林《とちばやし》へ引返してみたが林の中には乱れた足跡が

あるばかりで、妹の姿は見えない、心もそぞろに足跡を伝って林の西へ出ると、降り積む雪にかき消されて、どう行ったか見当もつかない始末だった。

急いで碓氷の関所前、二本杉の物蔭に身をひそめて待つと、追手の一行が、死骸《しがい》三つ、手負二人を担《かつ》いで通るのを見かけた、しかし、八千緒の姿がその中にないので、

――逃げたな！

と覚《さと》ることが出来た。

逃げたとすれば、いずれは江戸へ出るに相違ない、女の一人旅に秩父路へ入る気遣いなし、甲斐へぬける一途と――、先へ廻《まわ》ってこの小牧で、疲労を医《いや》しかたがた街道を見張って今日で三日。

「お客様――」

岩蔭で若い娘の声がした。

「あの、おひるを持って参じました――」

「おお」

三九馬はうなずいて、

「いま頂戴《ちょうだい》する、そこへおいて行ってくれ」

「あの――」

娘がのぞいて、

「今日は手が余っていますゆえ、お給仕をして参ります」

「それには及ばぬが」

「いえ、あの――よろしいのでございます」

年は十七そこそこであろう、小牧の湯の世話宿で紙屋という家の娘で、お房《ふさ》という ぽってりと肉肥《にくぶと》りのした、肌《はだ》の白い眼の潤《うるお》いの深い、表情の多い顔立で、親爺《おやじ》七兵衛が自慢の娘だった。

「そうか、では雑作になろうかのう、や、すっかりうだってしまったぞ」三九馬はぬっと湯から出た。

色白で、肉の緊《し》まった、逞《たく》ましい男の裸をちらと見るなり、お房はぽっと頰を染めながら慌《あわ》てて、眼をそらした。

二

「やあ、とろろ薯《いも》か」

衣服を着て、陽《ひ》を吸った温い岩根へどっかり座りながら、お房の手許《てもと》を見やって三九馬が愉快そうにいった。

「お嫌《きら》いでは——?」

「何よりの好物」

「それは嬉しゅうございました、どうかと按《あん》じましたけれど、このあたりの名物故」

お房はながしめに、自分に気づいているかいぬか充分に艶《えん》を含んだ眼で、三九馬が箸《はし》を動かすさまを見やりながら、

「お口に合いましょうか」

「結構、うまい、久しく口にせぬので腹の中から迎えが参る」

「ほほほほ」

お房は、子供のように気軽な三九馬の様子が、うれしく、おかしくて、袂《たもと》を唇へ持ってゆきながら、

「どうぞ沢山召上って——」

「うん、貰《もら》おう」

二杯、三杯と代えた。

「お客様はお江戸でございますのでしょう?」

「そう見えるか」

「違いましたでしょうか」
「ああ喰った」
三九馬は箸をおいて、
「茶を所望」
「はい」
お房の注《つ》ぐ茶を受けながら、
「江戸ではないが、江戸ならばどうする」
「わたし」
お房ははずかしそうに、ちらと三九馬の眼を見上げて、
「お江戸へ出てみたいと、随分ながいこと願っております」
「ほう、江戸へのう――」
「こんな山の奥で、一生猿《さる》の声を聞きながら暮らすのかと思うと、ほんとうに心細くて、さびしくて」
「あちらにお身寄でもあるか」
「いえ――」
「では江戸へ出て何をなさる」

お房は熱い眸子《ひとみ》にじっとものを言わせながら、

「わたし、何でも致す積りです、女中奉公なり、また、どこかお邸《やしき》へでも上れましたら」

「なかなか」

三九馬は頭を振って、

「江戸は身許詮議《せんぎ》の厳しいところで、世間の裏を行けば格別、他国の者にそう易々《やすやす》と邸勤めなど出来るものではない」

「でもし」

お房はちょっと躊躇《ちゅうちょ》したが、

「お客様がお連れ下さいましたら」

「拙者が」

「はい」

かっと一時に血が心臓へ集まって、お房は胸の高鳴るのを抑えるすべもなく、顫《ふる》えながら俯《うつむ》向いてしまった。

「はははは」

三九馬は笑いにまぎらし、

「拙者は上方《かみがた》へのぼる体だ」

「いえ」

お房はさえぎり、

「昨日この湯で、旅のお人に江戸への道を、色々とおたずねなされたではございませんか、わたししここからみんな」

「聞いていたか」三九馬はぎくりとしたが、

「それで、拙者を江戸の者と思い込んだのだな、ははは、それは間違いだ、道を訊《き》く位のことは誰でもする話しの拍子《ひょうし》で、拙者は京へのぼるに相違ない」

お房は怨《えん》ずるように、眼尻《めじり》で三九馬を見上げながら、ふと草双紙などで読んだように、このお侍ももしや仇討《かたきう》ちにでも出たお人ではないかしらん、と思った。

磧を、紙屋の婢《おんな》に案内されて、一人の長身の武士が湯の方へ近づいて来る。

「ああ、満腹、馳走《ちそう》であった」

三九馬は茶碗《ちゃわん》をおいて立つ。

三

「ごめんなされませ」

宿の娘が、食事を片付けて去る、三九馬は剣をさげて、洞窟の右側にある巨《おお》きな岩の上へあがった。

今日で五日――。

宿の者に頼んで南牧《みなみまき》のたて場にも、妹らしい旅人が通りかかったら知らせてくれるよう話してあるし、街道をひと眼に見るこの湯から、毎日眼を放さず見ているのだが、ついぞ似寄った姿もみかけない。

「まだ何処《どこ》かにひそんでいるか、でなければもう外から江戸への道を急いでいるか――、いずれにせよもう二三日待とう」

三九馬が岩の上に腰を下した時、

「ここでございます」

宿の婢に案内されて、長身の武士が洞窟の前へ着いた。

「隠し湯――なるほどのう」

式士はそう云いながら、鋭く光る眸子できろりと三九馬へ一瞥《いちべつ》をくれた。

「昔は磧が此方《こちら》側に無かったので、舟で通ったものだそうでござります。向うに見えまする赤松、あれは首掛の松と申しまして、信玄公の時分にこの隠し湯の場所を他国の人にもらしたと云うかどでお仕置になり、あの松へ首を晒《さら》されたのだと云い伝えております」

「うむ」

武士はうなずいて、

「御苦労、道は分って居《お》るからもう帰って宜《よ》いぞ」

「はい」

婢は叮嚀《ていねい》に、

「では御ゆるりと――」

腰を屈《かが》め、三九馬の方へもちらと愛想笑を見せて戻って行った。

長身の武士はもう一度三九馬を見た。色の浅黒い男だ、眉の怒った、唇のきつい、耳翼の大きい精悍《せいかん》な顔である、年は三十五六であろう、人を見る眼光が鋼《はがね》のように鋭く、相手を威竦《いすく》めるような圧力をもっている。

「御免を蒙《こうむ》る」

武士は三九馬を睨《にら》みながらそう声をかけた。三九馬は目礼を返して、

「いや」

と答える。

武士は剣を脱《と》り、静かに帯を解き始めた。

三九馬は街道を通る旅人の姿に眼を放ちながら、ひと癖ありそうな武士にも注意を怠らなかった。

藩中に見覚えのある人物ではないが、どんな処《ところ》に追手の網が張られてあるか知れない、殊《こと》にいまの武士、ひどく人の風態《ふうてい》をじろじろ眺《なが》めていた。

——ことによると。

三九馬は左手に大剣の鍔元《つばもと》をつかんで、呼吸をととのえながら、街道へ眼を、洞窟へ気を、充分に構えをつけた。

洞窟の中では、しばらく湯をうつ音がしていたが、間もなくさびのあるすんだ声で、朗々と詩を吟ずるのが聞こえて来た。

「鰍門遥向㆓駿河㆒通。急峡長難見㆓鬼工㆒。目送千山皆走㆑北。扁舟早已倒㆓南中㆒」

吟なかばに、三九馬ははっとした。その詩に記憶があるのだ。記憶があるばかりで

はない、三九馬自身も日常愛誦《あいしょう》しているものだ。作者は柳荘山県大弐《りゅうそうやまがただいに》、「富士川を下る」と題する高名な絶句である。

――山県先生を追慕する人か、いや、そうばかりはいえぬ。

――日頃自分の愛誦するもの故、それによって我を試みる策か。

三九馬はいずれとも決しかねたが、兎《と》に角唯者《かくただもの》でないぞという感じはいよいよはっきりして来た。

「失礼ながら御意を得る」

洞窟の中から声がした。

「は――」

三九馬は岩に腰かけたまま、身動きもせずに答えた。

「そこ許御当地の方か」

「いや、他国でござる」

「御湯治かな」

「旅中でござる」

四

湯をはねて、武士の出て来る気配がした。

湯から出た武士は、濡《ぬ》れた下帯のまま岩の上に腰をおろした、中肉で、筋骨隆々と堅く、均整のとれた素晴らしい体である。

「御旅行、いずれへおわすな」

「左様、先《ま》ず上方へと志しております」

武士はまた三九馬の態度をじろり見た。何ものも見透《みとお》さずにはおかぬ眼だ。

「失礼だが、御公用か？」

「まずその辺――」

三九馬は漸《ようや》くうるさいという感じを露骨にしはじめた。

「拙者も上方には長く住居《すまい》していたが、京へおいでか、それとも大阪でござるか」

「左様――」

「え――？」

「京へも参り、大阪へも参ります」

相手の武士も、三九馬がうるさがっているなと察したらしい、ちらと三九馬の眼を見たが、自分とは十以上も年の違う相手、見たところ色白で温和《おとな》しそうな若者だから、勿論《もちろん》てんで呑《の》んだ態度をとる。

「拙者少々観相の心得がある、旅中の吉凶観《み》て進ぜようか」

「まず、無用でござる」

「遠慮はいらん、どうじゃ」

「――」

「これへ参られい、大道易者の八卦《はっけ》などとは違う。天地森羅《しんら》万象、変化運行の妙諦《みょうたい》より演繹《えんえき》するところの秘術じゃ、去るところを按じ来るところを察す、世に処して、禍災を未然に防ぐの妙法――観て進ぜよう」

三九馬が低く笑いだした。武士は口をつぐんで、じっと相手を見ていたが、若者の小賢《こざか》しい容子《ようす》に癇《かん》をたてたらしい、

「何を笑う！」

岩の上に立上った。

「はははは」

三九馬は遂《つい》に声をあげて笑いだした。本当におかしかったのだ。見るからにひと癖

ありげな武士だと思っていたのに、得々として観相をすすめるとは——しかもどうやら大真面目《おおまじめ》だ。

「いや、失礼仕《つかまつ》った」

ようやく笑を納めると、三九馬は人なつこい微笑をうかべながら、

「貴殿の恰幅《かっぷく》と、観相と、余りにかけ離れた話し故、ついおかしくなって」

「おかしい？」

「左様、実は拙者さき程より、貴殿を追手の者と存じていました」

「これは奇妙」

相手の武士も意外という表情、

「実は、拙者もそこ許を幕府の目付かと思っておった。ははは、これでは自慢の観相学も程が知れたな」

ふたりは大きく笑った。三九馬はふと思い出したように振返って、

「さき程、詩吟を拝聴仕ったが、あれは？」

「山県柳荘先生の絶句、御存じないかな」

「小生愛誦の作故、実はなつかしく聞いておりました」

「お好きか——？」

「名作と存じます」

武士はうなずいて、

「だが、先生の詩としては遊びでござるよ、先生の本領は」

といいかけて、さすがに武士はためらう様子だった。

「いや、それよりも」武士はふと調子を変え、

「そこ許、いま追手云々《うんぬん》と申されたが、追手とはどういう筋の――？」

「つまらぬ私闘でござる、同藩の者二三名程傷つけて参ったから、いずれ追手でもかかろうかと存じて」

「二三名――？」

武士は改めて三九馬の体つきを見やった、この生《なま》っ白《ちろ》い若者が――、と思ったのである。

五

三九馬が顔をあげて、

「貴殿はまた、幕府の目付と仰《おお》せられたが、これはまたどう云う仔細《しさい》でござるか」

「隠しても致し方あるまい」

武士は裸の肩を叩《たた》きながら、

「拙者は藤井右門と申して、かねて幕府の経綸《けいりん》を誹謗《ひぼう》するとの罪を得、京を追われておる者でござる」

「おお藤井殿――」

三九馬は意外なめぐり会いに驚きの眼を瞠《みは》った。

藤井右門とは、宝暦の疑獄に竹内式部《たけうちしきぶ》と連座し、式部が学者の立場であったに比し、右門は殿上人と往来して、倒幕の挙兵にまで参画した人物である。幸い同志が公卿《くげ》であった為《ため》、追放で事済みとなったが、かねて事件の仔細を伝聞していた三九馬には、右門の刺客を避けている気持は直に察せられた。

「拙者を御承知か」

「疾《とく》より」

「して――」

右門は疑うように、

「どうお考えなさるな」

「さあ、拙者には別に生命を賭《か》けての仕事がござる故、一図にこうとは申上げられぬが、もし安暇の身上ならば同じ志をもって働きとう存ずる」

「ほう」

右門はうなずいて、

「同じ志とは？」

「山県先生の柳子新論《りゅうししんろん》に説かれてあるところ」

「新論を読まれた？」

「申し遅れました」

三九馬は微笑しながら、

「拙者、上州小幡織田美濃守《みののかみ》の臣にて、百三九馬《ももいさくま》と申します」

「おお織田家の仁か」

右門は漸く疑いが解けたという様子で、

「では、――玄蕃殿とは御昵懇《じっこん》でござろう」

「実はこれより、江戸邸へ参って家老に会う途中でござる」

「それは重畳《ちょうじょう》」

右門はそう言ってから、

「や、すっかり体が冷えてしまった、失礼してもうひと浴び」

「さ――」

右門は洞窟へ入った。

三九馬は右門の後を見送りながら、改めて藤井右門について考えていた自分の想像をくりひろげてみた。

右門はもと正親町《おおぎまち》三条家の諸大夫《しょだいぶ》だということである、染谷一刀流の奥儀《おうぎ》に達し、兵学に長じ、卜筮《ぼくぜい》を善くし、また専《もっぱ》ら妖術《ようじゅつ》を行なうと伝えられていた。

右門の果敢な行動については、かねて三九馬も推服するところであったが、余りに多才多能な点、殊《こと》に妖術を遣うなどという噂《うわさ》を聞いては、むざと信義をもつ気になれなかったのである。恐らくその妖術というのも、慶安《けいあん》の由《ゆ》比正雪《いしょうせつ》の類《たぐい》を真似《まね》た方便であろうが、事勤王の志を行なうに当っては真面目を欠く嫌いなきにしもあらずだ。

――恐らく大した人物ではあるまい。

と想像していたのだが、それがこうして会ってみると、どうやらその想像もまんざら外れたとはいえないようである。

「百氏」湯の中から右門が、

「柳荘先生の詩、いま一つ御披露《ひろう》申そうか」

「どうぞ」

右門は真《まこと》に吟じ始めた。

「柴田正武を弔うの辞――、竊聞先生兮俟罪鬼方。亡何鴟夷兮託軀皮嚢――」

「よい声だ」

三九馬はそう呟《つぶや》いて耳を傾けた。そして、これだけの美声と、これだけ詩情をいかす吟風を会得《えとく》するような人物は、なかなか大志一途、道に徹することは出来まいと思った。

三九馬はふと、足下に一輪濃紫《こむらさき》の花をつけた苔竜胆《こけりんどう》の可憐《かれん》な姿をみつけた。

「お房――とかいったな」

宿の娘の、匂《にお》やかな顔が、ふっと眼の前にうかんで消えた。

動く人々

一

広書院には、国許《くにもと》年寄役の織田主馬《しゅめ》を中心に、目付沢口甚左衛門《じんざえもん》、倉島六郎太夫《ろくろうだゆう》、物頭《ものがしら》青山主膳、それに郡奉行《こおりぶぎょう》宮田将監《しょうげん》の五名が集まっていた。

織田主馬は、白髪《しらが》の頭をかしげながら、老眼鏡を直し直し調書を読んでいたが、やがてそれをおいて、

「なるほど――」

とうなずき、老人らしく嗽《せき》をした。

「行田鞍馬、渡辺壮助、陣屋左次郎――この三名は即死で、荒木重吉が軽傷」

「いや、重傷にござります」

主膳が正した。

「そう、重傷、甲斐又兵衛軽傷という始末じゃのう、うむ」

「そんなに出来るかのう、三九馬のやつ」

沢口甚左衛門が主膳に振返った。併《しか》し主膳はそれには答えずに、

「つきましては、百に討手を向ける名目にござりまするが」

「うん！」

主馬がうなずく、

「無届にて脱藩を致しました件と、藩士を殺傷仕りました件とにて、表向に御意討と申すことを――」

「手ぬるい！」

倉島六郎太夫が強くさえぎった。

「御意討となれば、一応は江戸表の御裁可を受けねばなるまい、そんな手続きを取っている間に相手は何処《いずこ》へ潜り込んでしまうか知れぬ、直に追手をかけてひっ捕えるか、手に余らば斬《き》るか――」

「その斬るがのう」

沢口甚左衛門が口をはさんだ。

「しかし、似相老《じそう》を煩《わずら》わす法もあると思う」

「師範役か」

　甚左が主馬を見てきく、

「動きましょうか？」

「藩の禄《ろく》を喰《は》んでいる者がまさか厭《いや》ということはあるまい」

「だが事が事ゆえ、快く引受けるかどうか、――勿論師範役が出てくれれば問題はないが、それでは少し、大仰になるかに思う」

　主膳は事件の糸を大体自分の考えていたところまで引込んで来たと思ったので、始末書を手に取ってたしかめるようにいう、

「兎も角も、三九馬を討つべき事については御一座御賛同下さいまするな」

「勿論、そうなくては」

「一刻も早いがよかろう」

「手筈《てはずき》を定めて、即刻――」

　みんな肩を反らせたりうなずいたりする中に、宮田将監ひとりは黙っていた。

「宮田様には？」

　主膳がきくと、将監は静かに、

「先ず、国老の御意見を承わった上にて」

「うむ、そう申せば」

織田主馬が不快そうに、

「頼母《たのも》はどうしたのだ、遅いではないか」

「使者の返辞は？」

倉島が主膳に振返った。

「今朝より微恙《びよう》とのことで、しかし時刻までには御登殿あるべしとの御返辞でございましたが、――何に致せ吃急《きっきゅう》の処置を要しまする事ゆえ、相成るべくは此《こ》のままにて御決定を」

「成るまい」

将監はきっぱりと主膳の言葉を制した。織田主馬は苛々《いらいら》と老眼鏡を脱《と》ったり掛けたりしていたが、

「もう一度、督促の者を遣わすがよかろう」

「は！」

主膳が座を退《さが》ろうとした時、襖《ふすま》があいて、

「御家老様御参殿にござります」

若侍が知らせた。

二

津田頼母は蒼白《そうはく》な顔をしていた。昨夜半からのひどい下痢で足許も危く、唇などはほとんど色がなかった。

「遅参仕った」

頼母は上席をとると、静かに一座へ目礼をした。

「不快じゃったそうな？」

「はい」

主馬の言葉に軽くうなずいて、

「少々腹をいためまして、併し最早《もはや》どうやら落着きました様子故《ゆえ》」

「病を押して議する程の事でもないで、我慢をせぬがよかろうが」

「かたじけのう」

頼母は手を膝《ひざ》へ戻し、

「さて、議定の事承わりましょう」

主膳が引取って、

「大体の趣は先に一応御手許まで申上げてござりまするはず」

「左様」

「百三九馬兄妹、無届にて脱藩の事承知仕りました故、目付役倉島様に御届けの上、私計らいにて追手を向けましたところ、碓氷の西扇返《にしおうぎがえ》し切通しはずれにて――」

「ちょっと」

頼母がさえぎった。

「――？」

「百三九馬兄妹、無届にて脱藩とはいぶかしく存ずるが、どなたの御判定じゃな」

主膳はちらと織田主馬に眼を向けた。倉島六郎太夫も沢口甚左衛門もはたと口をつぐんだ。

「倉島殿に届出られて追手をかけられた処置、機宜の計いと存ずるが、お物頭としては少々役違いに思われる。第一に――百三九馬は脱藩ではござらん」

「え――!?」

主膳はぎょっとした。宮田将監は膝に手をおいたまま、半眼になって動かなかったが、この時ちらと頼母の面《おもて》を見た。

「脱藩でないとは？」

「左様、江戸表へ至急申達すべき事あって、拙者が使者に差遣わした者でござる。一昨日退出後に、目付の書役にも藩士二名使者として差立てる次第、書面を以《もっ》て達してある、倉島殿には記録を御検《あらた》めあったと思うが――？」

「は、それは――」

六郎太夫は詰った。目付方記録を点検するのは自分の役目であったが、毎日変化のない記録をそう真面目に眼を通すはずなく、事件と共に早朝から青山主膳と追手の協議を先にした為、未《いま》だ検めていなかったのである。

「しかし」

主馬が苛立った調子で、

「藩士を江戸に差立てるについては、かねて重役に諮《はか》るべき習いであったが、その事なくして国老の一存に行なったは専断ではないか」

「左様――」

頼母は、腹の具合が悪くなったのであろう、眉をしかめながらぐっと右手を下腹へ押当てて、暫《しばら》く苦痛を堪《こら》えていたが、やがて静かに答える。

「御参勤に当ってのお供立《ともだて》、又はお役替にこの任免には、重役の諮問決定が習わしにござります。しかし此度の儀は御政治向き密々を要する使者のこと故」

「密々の使者と申して、御政治向きの儀なれば尚更《なおさら》重役に相談あるを至当と思うが」

「いや！」頼母は強く頭を振った。

「御政治向き秘密を要する事には憚《はばか》りながら御年寄役にも申上げられぬ儀がござります、専断とのお言葉はちと筋違いかと覚えまするが」

「筋違い？」主馬は老眼鏡をとった、

「筋違いとは妙な事を聞くぞ、年寄役は何の為におかれてあるか、殿のお留守を預って御政治向き監査をなし、役々に粗忽《そこつ》あれば取ただして、曲直を検むる役――」

「いやいや！」

頼母は静かにさえぎって言った、「それは御年寄役が、御自身にそう思《おぼ》しめされるだけのことでござるよ」

三

「なに！」

主馬はきっと唇を食反らした。

「聞捨てならぬ一言、わしがそう思うだけじゃとは何だ、なるほど主馬は老耄《ろうもう》しておる、頼母殿のように妾手掛《めかけ》を蓄え弄花《ろうか》淫酒《いんしゅ》に日夜を送る程の元気はない、しかし御家の為にはいつにても老骨ひとつ野に晒《さら》す覚悟は出来ておるぞ、ましてや御一族織田を名乗って」

「ま、暫く、暫く」

宮田将監が猛《たけ》りたつ主馬を制した。

「ええ、止められな、余りと申せば過言、年寄役を蔑《ないがしろ》にした言葉このままに」

「兎に角ここはこのまま」

将監の口調は案外に強《きつ》かった。

「御不快については改めて、今日は兎も角も先決を要する議がござる故、先《ま》ず」

「けしからん」

主馬は癇筋《かんすじ》を立てて、

「わしは退座する、斯様《かよう》に侮《あなど》られて、共に席を列《つら》ねてはおられぬ、いずれも御免」

「――――」

「では――」頼母は眼もくれず、
主馬は憤然と立って、誰が止める暇もなくさっさと退出してしまった。

「改めて御一同の御意見を承わりたい、どう処置するがよろしいか」

「――」

「その前に、私より一応おたずね仕りますが」

　将監が落着いた調子で、

「百三九馬兄妹、江戸表へ使者として差立てられたと致しますと、碓氷にて追手の同藩士を斬った事、不審に存ぜられまするが如何《いかが》にござりましょうか」

「左様――」

　頼母は淀《よど》みなく、

「それは追手に向った者と、百三九馬とを対決させた上でどのような手違いであったか調べてみねば分るまいが、百は吃急の御用を控えて道を急ぐ者故、追手に向った人々の扱いによって、随分思切った事もせねばならなかったと存ずる」

「しかし」

　主膳が膝をすすめて、

「急務を帯びての旅であれば、碓氷へ向うはいぶかしゅうござるが？」

「拙者の命でござる」

「如何《いか》にして？」

「お答え申す必要はござらぬ、御政治向き密々の儀でござる」

頼母の態度は、かつて見ぬ厳としたものであった。

三九馬兄妹を信濃路へ追込んだのは、当の青山主膳の一党であった。頼母が信濃路へ行けということは明らかに拵《こしら》えた事であるが、それを突き詰ることは自分達の策謀を明るみへさらけだすことになりそうだ。

「では」

主膳は忌々《いまいま》し気に、

「国老にはこの事をどう御処置遊ばしますか」

「将監殿は？」

頼母が宮田を見た、

「左様」

宮田将監は冷然と、

「処置と申せば、先ず――第一に事を誤った責任を明かにすべきかと存じます」

主膳が顔色を変えた。

「使者に差立てられたる者を脱藩と誤り、早まって追手をかけた上に、藩士に死傷者を出したる不始末、先ずこの責任を糺《ただ》した上ならでは、斬った者も斬られた者もどう処置致すか決定は出来ますまい」

主膳は動乱する心を押鎮《おししず》めながら、じっと宮田の顔を見たが、将監は眼を半眼にしたまま、石のように無感動だった。

四

主膳は調書をそこへ置いて、

「では私は控間に退ります する」

「――」

誰も何ともいわなかった。主膳が責を負うとすれば倉島六郎太夫も黙っている訳にはいかない、

「私も退りましょう」

と立上ろうとした。

「いやしばらく」頼母が制して、

「郡奉行の御意見、拙者も尤《もっと》もだと思うが、いたずらにこの上事を荒立て、騒動を大きくしては、幕府への聞こえも如何かと思われる、先ず、今日は初めの通り、殺生事《せっしょう》件のみ決定するが宜《よろ》しかろう」

「国老の御意見は？」

将監がきく。

「百三九馬には江戸表に達し次第、謹慎を申し付くる手配を致す、追手に向った人数はそのまま禁足、お役のある者はお役御免、謹慎して沙汰《さた》を待つよう」

「申上げまする」

主膳が蒼白になった顔を上げた。

「追手に向った人数は、いずれも私の差図のままに動きました者、責は私にございます、すべて私が――」

「お黙りなされい」

頼母が鋭く制した。

「そこ許《もと》に責のあること勿論じゃ、同時に、役柄《やくがら》をもわきまえず党を組んで、みだりに私闘を企《たくら》むなんど、追手の人数に加わった者も、お咎《とが》めをまぬかれぬ事当然じゃ！」

「私闘――？」

主膳はひと膝すすめて、

「私闘とは何事でございます」

「ほほう、私闘でないと云われるか、ならば改めてたずねるが」

頼母は冷やかに笑って、

「拙者の調べによると、軽井沢へ廻《まわ》ったひと組は、――御意討じゃと申していたそうな、主膳、御意討とは如何なる意味か存じておるか」

「――」

「それとも、拙者の調べが間違っているか」

「――」

「どうじゃ！」

主膳はふつふつと膏汗《あぶらあせ》の流れるのを感じた。

「御物頭をも勤むる身で、あまりに軽々しい致し方、あまつさえ御意を僭称《せんしょう》するなどとは以てのほかの事だ、私闘と申したは拙者の心遣い、事を小さく納めようと存じたればこそ、不服とあらば仔細究明致そうか！」

主膳は知らず知らず、膝の上にあった手を畳へ滑らせていた。

「主膳殿――」

宮田将監が静かにいった。

「ひと覚悟あるべきところだのう」

主膳は頭を垂れた。

「頼母の意見としては、ただ今申上げた通りでござるが、御一同は――?」

頼母が一座を見廻した。

「御高見《ごこうけん》と存じます」

将監がうなずいて、

「三九馬が追手を斬った事も、主膳殿が追手をかけた事も、いずれも役目外のこと故、一応私闘とみて謹慎申し付くるが良策と存じまする――御目付方は如何?」

「ごもっとも――」

沢口甚左衛門が粘った舌をもつれさせながら、追従するようにうなずいた。

「ではまた、御沙汰書については役々寄合の上決定するとして、今日はこれ迄《まで》に」

頼母はそう云うとふらつく足を踏みしめながら、座を立った。

主膳は、頼母が立上った時、そっと右手を脇差《わきざし》の柄《つか》へやったが、突然席をけって、

「奸物《かんぶつ》!」

喚《わめ》くと共に、抜いて、猛然と頼母に迫る、刹那《せつな》! 将監が、

「控え!」

と叫んで足を払った。どっと倒れる。はね起きようとするのを、上から押えつけた

将監、

「見苦しいぞ、狼狽《うろた》えるな」

「うぬ！」

主膳が必死にもがくのを、尻目《しりめ》に見て、頼母は静かに広書院を立去った。

五

桃井久馬が、至急という使者に招かれて、青山主膳の邸へ来ると、既に中村源次郎と菅屋十郎太の二人がいた。

「貴殿もお招きか」

「うん」久馬は座りながら、

「至急という事であったが、何であろう」

「さあ――」

源次郎が、

「今日、三九馬の処置について御相談があったはずだから、大方それだと思うが」

「多分それであろう」

話していると、襖の向うからぷんと焚香《ふんこう》のかおりが伝わって来た。

「――」

いつにない事で、三人は思わずどきんとしたが、いずれも気付かぬ体を装っていた。

半時ばかりも待つと、やがて主膳の妻が出て来た。

「お待たせ申しました、どうぞこちらへ――」

「は」

妻女の様子にも、日頃と違って、妙に寒々としたものがあると思ったが、居間の中へ一歩入るなり、三人は思わず息を詰めた。

部屋の上座に、切腹の座が設けられ、主膳が白装束を着て端座していた。

「こ、これは――」

久馬がそこへ崩れるようにすわって、かすれた声で叫ぶ。中村も萱屋もあっと云い、色を失ってそこへ座を取った。

「騒がれるな」

主膳は静かに制して、

「さ、ずっとこれへ寄られい、刻《とき》が迫っておるで、仔細は今申上げられぬ、これに始末書を認《したた》めて置いた故、後に御覧を願う――」

「しかし、何としてまた」

　久馬が詰寄るのをさえぎって、

「主膳の死如《ごと》きは枝葉でござる、御三名をお呼びしたのは、申遺《もうしのこ》すべき大事あってのこと、しかとお聞きが願い度《た》い」

「――」

　三名は黙って膝をすすめた。

「既に江戸家老誅殺《ちゅうさつ》すべしとは我ら改革派の決定するところでござるが、今は最早荏苒《じんぜん》と時期を待つべきでござらん――ようござるか、我らは郡奉行宮田将監の江戸入りを待っておった、将監こそ我党の先達《せんだつ》と存じておった、しかし――それは誤りだったのだ」

「え――」

「将監、何か他に野望を持っておる、何かは知らぬ、知らぬがそれは確実だ、それに主馬様も同志と頼むには心許なき御仁――となれば、御家建直しの為には貴殿がた若手の人々をおいて外にない」

「は！」

「今日の集りにて追手に向った人数は全部お役御免謹慎と云うことに決定した、老猾《ろうかい》頼母をみくびったが主膳の過ちでござったよ、しかしかくなる上は必死の手段に出る外はない、貴殿がた御三名今宵《こよい》のうちに脱藩して江戸へ行かれたい」

「――」

三名は無言でうなずいた。

「松原郡太夫殿には、拙者から手紙を差出しておいた。江戸へ参られたら郡太夫殿お差図のままに、働いて頂きたい」

主膳は帛紗包《ふくさづつみ》を三つとりあげ、しずかに三名の前へ押しやって、

「路用と当座の入費、充分はござらぬ、もし出来たら、甲斐又兵衛をもお連れなさるのがよろしいと存ずる」

「は」

久馬はそこへ手をついた。

「めざす相手は吉田玄蕃、お分りであろうのう」

「は――」

三名は平伏した。久馬の頬をはらはらと涙がこぼれ落ちた。

「色々と永いこと御厚志を受けたこと、主膳かたじけのう存ずるぞ、さらばこれにて」

「——」

「さ、お帰りなされい、謹慎の使者が参ってはこと、面倒さ！」

主膳は静かに立上った。

執　心

一

すっと障子の開く音。

忍び足で誰か、部屋へ入るとあとを閉めて、そっと枕元《まくらもと》へ近寄って来る——三九馬は寝床の中で足を縮め、床脇に置いてある差添を左手でつかんだ。

「誰だ」

ぱっと三九馬がはね起きる。

「あ！」

低く叫んで、向うが驚いたらしい、そこへ崩れるように座って、

「わ、わたしでございます」

女の声だ。

「――」

障子からの片明りで、暗がりをすかして見ると、寝巻姿で――宿の娘お房がいた。

「お房どのか」

「はい」

三九馬は差添を置いて、

「どうなさった」

「――」

深くうなだれて、丸々と盛上った膝の上で袂《たもと》を弄《もてあそ》びながら、頓《とみ》には答えようとせぬ、
宿の内はいずれも寝鎮まっている、千曲《ちくま》川の流の音が、近々と寒い。

「この夜更《よふけ》に、左様な姿で、どうなされたというのか」

「あの――」

娘はようやく、

「お願いがあって」

「願い、ほう、何の願いだ」

「お江戸へ、お連れなされて下さりませ、どうぞ、一生のお願いでございます」

娘は膝の手を畳へおろした。

「江戸へ」

三九馬は微笑して、

「またそれをいうか、昨日からもうこれで三度、幾ら申しても思切れぬ様子だが、全体江戸へ出てどうなさる積りだ」

「どうといって」

お房は懸命に、

「お笑い遊ばすかも知れませぬが、江戸へ出て人らしい暮らしがしたいと思うのです、こんな山の中で煤《すす》にまみれ、猿《さる》の声を聞いて一生を終る位なら、どんな苦労も厭《いと》いませぬ、江戸で例え一年、半年でも自由気儘《きまま》に——面白く生きられたら、それで本望と存じます」

「困ったのう」

三九馬は低く、

「別に拙者は道学者でもない故、江戸へ出るのを悪いとも、ここにいるのを良いとも申さぬが、そこ許此の家の一粒種というではないか、殊《こと》に親爺《おやじ》どのが自慢にしている娘御、第一に親爺どのが承知を致すまい」

「はい」

娘ははっきりうなずいた。

「父に申せばいかぬというに定《きま》ったこと、父には内証で――」

「家出をなさるか」

「決心しておりまする」

三九馬は暫《しばら》く黙っていたが、この上どう云いきかす術《すべ》もないとみて、大きくうなずいた。

「宜《よろ》しい、考えて置こう」

「お連れ下さいますか」

「致し方あるまい、どうにか仕《つかまつ》ろうから、今宵はこれでお帰りなさい」

「あ――」悦《よろこ》びに、胸をおどらせながら、お房が膝ですり寄ろうとするのを、

「そんな姿で、若《も》し人に見られでもしたら悪い、さ早く帰って」

「はい、それではきっと」

「うん」

「お騙《だま》しなされたら、恨みまする」

お房は頬を染めて、暗がりの中から、熱く熱く三九馬の眼をみつめた。

二

「御免！」

藤井右門の部屋の外で、三九馬は低く呼んだ。

「おう」

「お眼覚めでござるか」

「百氏か、お入りなさい」

「御免」

三九馬は部屋へ入った。右門は床の上に起き直って、有明行燈《ありあけあんどん》の燈《ひ》をかき立てながら、三九馬の旅装を見ると、

「や、出立なさるか」

「ちと仔細あって、夜の明けぬ内にこの家を立たねばならなくなりました。ひと足お先に参ります」

「女難だの」

「え？」

「いや、ははは」

右門が低く笑って、

「宿の娘のそこ許を見る眼、あれは恋慕の色でござったよ、拙者の観相によると、そこ許と娘とは、生涯《しょうがい》就かず、離れず妄執《もうしゅう》の絆《きずな》で堅く結ばれておるようじゃ、之《これ》に因《よ》って風雨生じ、波瀾《はらん》起り、怨念《おんねん》邪患、嫉妬《しっと》、狂水、呪縛《じゅばく》してそこ許の道の妨げとなるであろう」

「卦《け》でござるか」

「骨相に現われて居《お》る、是《これ》を祓《はら》うには――もう二朱もらわぬとな」

「はははは」

三九馬は笑った。右門が改めて、

「冗談は兎《と》に角《かく》、あの娘は田舎にありふれた者と違って、眼の構え挙措、なかなか人に屈せぬ気性でござる、へたをすると本当にそこ許の為にならぬ結果を招くように思われるで、心されるがよろしかろう」

「御厚志かたじけのう」

「直にお立ちか」

「もはや勘定も済ました故」

「妹御のことは――?」

「これ迄待って来ぬところをみると、恐らくもう江戸へ参っておるかと思われます」

「そうかも知れぬのう」

右門はうなずいて、

「ではお別れと致そう、いずれまた江戸へ参ったならお眼にかかれようで」

「その機はまた――」

「気をつけて行かれい」

「御免」

三九馬は右門の部屋を出た。

宿を出たが、まだ暗かった。

渡しを越して甲府路へでる、山気冷えて、馬も人もみえぬ道を、南へ南へと急ぐと、横尾の坂へかかる頃になって漸《ようや》く朝の光がひろがって来た。

右に大きく八ケ岳の峰が、日の出の光を冠雪に浴びて、かっと眼も眩《まば》ゆく照り栄《は》えだした。道は紆余《うよ》曲折して、林に入り、森をぬけ、丘を登り狭間《はざま》へ下り、二本松の宿へかかろうとする、半丁あまり手前にかかった。

「おーーい」

遠くで人の呼ぶ声。

勿論自分のことだとは知らぬから、三九馬はずんずん足を早めていると、馬を煽《あお》って追いついて来た二人の男。

「そこのお武家、待ったあ」

大声にわめきながら、三九馬の脇を駆けぬけて、行手に二頭の馬を停《と》めた。

「何だ、拙者か」

足を止めて見ると、街道の人足らしい奴《やつ》、二人とも髯《ひげ》だらけの荒くれで、向う鉢巻《はちまき》、双肌《もろはだ》脱ぎ、右手に棍棒《こんぼう》を抱き込んでいる。

「何か用か」

三九馬がいうのへ、押冠《おしかぶ》せるように、背へ一面竜虎《りゅうこ》の刺青《ほりもの》をしたのが、

「太《ふて》えことをする人だ、いま七兵衛どんが来るで、そこを動かず待っていらっせえ」

「おーーい」

一人が馬の上に伸び上がって遥《はる》かに街道の彼方《かなた》をさしまねいた。

見ると、四五人の男が、何やら罵《ののし》りわめきながらいっさんにこちらへ走って来る。

三

追いついて来たのは、温泉宿紙屋の亭主七兵衛、番頭と小牧の宿の人足頭、それに人足二人という顔ぶれだった。

「どうしたという事だ」

三九馬が声をかけるのを、

「何ぬかす！」息をはずませながら七兵衛が、

「娘をどこへやった、さあ娘を返せ！」

「なに、娘？」

三九馬はぎょっとして、心中しまったと呟《つぶや》く、自分がぬけ駈《が》けに出立するのを察して、早くも家をぬけ出たものに相違ない。

「それは間違い」

三九馬はあわてて、

「拙者が連れ出したと思っておらるるようだが、それは違うぞ、実は今朝早く――」

「やかましい！」

七兵衛すっかりあがっている。

「お前さんがおびき出さねえで誰がするものか、娘の書置にもちゃんとお前さんに連れられて江戸へ行くと書いてあるのだ」

「まあ聞け、それについて申すことがある」

「鯖太《さばた》！」

人足の頭が、馬上の男に喚《わめ》く、

「手前《てめえ》早く先へ行って街道を洗って来い、お房坊ひとりだ、遠くへは行っちゃあいめえ」

「合点《がってん》だ」

馬をかえして鯖太は去る。

「お武家さん」

人足頭はぎろりと眼を怒《いか》らせて、

「しらを切るのもよい加減にしたらどうだ、顔にも似合わねえ太え人だ、田舎宿の娘を騙して連れ出すなんざあ、ちっとばかりあくど過ぎるぜ」

「馬鹿《ばか》なことをいうな、連出した者なら一緒におろうではないか、拙者が宿を出たのは明け七つ前、男の足でここ迄がいっぱいだぞ、か弱い娘の足で拙者より先へ参れる筈《はず》があるか、第一拙者が早朝宿を出たのも、娘御の為を思ったればこそで――」

「それ、ぬかしたぞ！」

七兵衛威猛高《いたけだか》になって、

「娘の為を思ったとは何じゃ、お房にはこの七兵衛という親がついている、一夜二夜泊った旅の客が娘の為を思うの何のと、それからして誘《おび》き出した証拠ではねえか」

「兎に角もう一度宿まで帰って頂きましょう」

番頭が側《そば》からいう。

「そうだそうだ」

人足頭もうなずいて、

「お武家さんが連れ出したものなら、娘一人で江戸へ行けるもんじゃなし、お房坊も帰って来るに違《ちげ》えねえ」

「つまらぬ事を申せ、大切な用を控えておる拙者だ、左様な暇潰《ひまつぶ》しが出来るか」

「出来ねえ？――出来ねえったっていけませんぜ、こちとらあ小牧の宿で相模《さがみ》の鉄とちったあ名を知られた野郎だ、やいとひと言呼べば五十や百、命知らずの人足を集めるに手間暇はいらねえ、簀巻《すまき》にしても連れて帰るからそう思っておくんなさいよ」

「お――い」

馬を煽ってさっきの人足が帰って来た。

「どうだ！」

「いたいた」

「いたか」

七兵衛ほっと肩をおろすのと同時に、その怒りが倍になった。

駈けつけて来た鯖太、

「小名木《おなぎ》の宿で追いついた、宿の甚兵衛どんに預かってもらって来た」

「よかろう」

相模の鉄が向き直った。

「おい、お侍さん、もうこうなっちゃあ、いくらしらあ切っても駄目だぜ、かどわかしにゃあ街道筋の掟《おきて》がある、小牧の宿まで帰ってもらいましょう」

「いけないさんぴんだ！」

刺青をした馬上の人足が、

「面倒だ、たたんでのけろ！」

「待て！」

三九馬が一歩さがる時、小名木の宿の方から、手に手に棍棒を持った人足共が五六人、ほこりを蹴立《けた》ててやってきた。

四

「待て、待てと云《い》うに」

三九馬は道から、右手の丘の上へ跳《おど》りあがった。

「や、逃げるぞ！」

「やるな！」

小名木の方から駈けつけて来た人足共も、一緒になってつめ寄るのを、

「待て、申すことがある、待て」

大喝《だいかつ》して制すのをきかず、二人ばかりが向う見ずに棍棒で殴込んで来る！

「ばか！」

三九馬が叫んで、体を沈めると、二本の棍棒が飛んで二人の人足は、互に体をぶっつけながらつんのめった。

「待てと云うに、この上乱暴をすると、容赦なく斬《き》るぞ！」

三九馬が一歩ひらいて、大刀の柄《つか》に手をかける。相模の鉄が――いま人足二人を手

玉にとった腕をみて、こいつ迂闊《うかつ》に寄れぬと思ったのであろう——ずいと出て、

「よし、いい分があるなら聞くとしよう、野郎共待て」

三九馬は苦笑しながら、

「お房どのがいたというのは仕合せだ、小牧へ帰るまでもあるまい。これから娘御のところへ行って、拙者が唆《そそ》のかしたものかどうかきいてみたらよかろうではないか」

「なるほど——」

鉄は七兵衛を振返った。

「どうじゃ、紙屋の旦那《だんな》どん」

「いいとも行くべえ」

「じゃあ、歩《あゆ》んで貰《もら》いやしょう」

相模の鉄の言葉に、人足共が道をひらく、三九馬は振返って、さっき投げた人足二人が腕をさすり膝《ひざ》小僧を揉《も》みながら、棒を拾って来るのへ、

「どうだ、痛むか」

「——」

「仲間同志の喧嘩《けんか》ならともかく、武士を相手にする時はもう少し用意してかからぬといかんぞ、ま、怪我《けが》がなくて幸いであった、参ろうかな」

人足共にぐるりと周囲をかこまれながら、三九馬は悠然《ゆうぜん》と歩きだした。

考えるとおかしかった、藤井右門が――あの娘は貴公の道の妨げとなる――といったが、勿論《もちろん》その場の冗談であったろう、それがこんなに早く実現してしまったではないか。

――つまらぬ八卦が当ったものだ。

苦笑しながら、中坂の杉並木にかかると、向うから馬をとばして来る者があった。

「や、彦めが――」

刺青の人足が馬の上で指さす向うから来た彦と呼ばれる男。

「お――い」

と馬上に手を振りながら、

「逃げたぞ、逃げたぞ」

大声に叫ぶ。

「何を――?」

相模の鉄が足を止める。

「お房坊が逃げてしまったぞ」

「や!」

七兵衛が仰天して、

「お房がどうした？」

馬を乗りつけて来た人足の彦、

「甚兵衛親方が、ちょっとの間眼をはなしたら、笠《かさ》も荷物も置いたまま脱けてしまった」

「どじを踏みやがって！」

鉄が喚く。

「それで今、手分けをして探しているが、そっちの侍を逃がしちゃあならねえからといって、いまもう五六人やって来るぜ」

鉄はじろりと三九馬を見て、

「よしこっちは引受けた、お前は早く帰ってお房坊を捜させろ」

「合点だ」

彦は直に馬を返して去る。

――いかん！

三九馬は左右を見た。

いずれも理非にうといあばれ者、娘の行方が知れぬ時は、どんな面倒が起るかも知れぬ、これはきりぬけるに如《し》かずと決心した。

「野郎共、気をつけろ！」

気配を察したか、相模の鉄がそう叫んで、ぱっと三九馬の前へ廻《まわ》った。

向うから増し人数の五六名が坂をまっしぐらに飛んで来る。

五

「少し休むか」

中村源次郎が、駕籠《かご》へ近寄ってきく。

「どの辺へ来た」

「左に見えるのが天目山《てんもくざん》だ、間道を通って笛吹《ふえふき》の上流を越し、田野郷《たのごう》へ出ようというのだが――」

駕籠の垂《たれ》をあげて甲斐又兵衛《かいまたべえ》が顔をだした。眼ばかり光った血色の悪い顔だ、頬にも瘦《そう》がみえるし、唇はまるで土気色《つちけいろ》をしている。

「良い景色だ、一休みせぬか」

「うん」

源次郎は先へ行く菅屋十郎太と、桃井《もものい》久馬に声をかけた。

「おーーい」

「少し休んで参ろう」

二人はうなずいて引返す。

「駕籠屋、おろさぬか」

「へい」駕籠が下りる。

十郎太と久馬も戻って来た。

「出て足を伸ばしたらどうだ」

「そうしよう」

又兵衛はうなずいて、源次郎と十郎太にたすけられながら駕籠を出た。

「薬を取替えるか」

十郎太がきくと、又兵衛は無言で頭を振った。

笛吹の上流を遥かに望んだ丘の斜面へ、又兵衛をおろして、源次郎と十郎太もその左右に腰を据《す》えた。桃井久馬は少し離れたところに立って、天目山の峰つづきを見ていた。

「おれは誤った」

又兵衛が低くいう、

「何を！」

「こんな片輪同様の体で、何の為《ため》に出て来たのだ、各々《おのおの》の足手纏《あしでまとい》になるばかりではないか、はやまった事をした」

「何をいうか、今更――」

十郎太が元気な声でさえぎり、

「片輪などと、つまらぬ事を、江戸へ出るまでには傷も癒《い》えるにちがいない！」

「愚痴々々」

源次郎もそばで明るく、

「甲斐にも似合わぬ、そんな弱音をあげるとはおかしいぞ、やめやめ」

「いや愚痴でない」

又兵衛は頭を振った。

「みんな気付かぬ風《ふり》をしていてくれるが、この傷は癒えぬよ」

「どうして――？」

「昨夜《ゆうべ》も小名木の宿で、巻木綿を替える時、ひどい膿《うみ》だった――医者が、膿んだら足を切らねばならんと云っておったではないか、斯《こ》うしていてもおれの鼻へは、肉の腐れる匂《にお》いがひどくこたえる」

「そんな事があるものか、拙者共には少しも分らぬで、のう中村」

「そうとも」

源次郎は唾《つば》をのんで、

「第一膿んだら足を切るなどというが、それは小幡あたりの藪《やぶ》医者の申すことで、江戸へ出れば名医もいる。たかが金瘡《きんそう》ではないか、手当さえ良ければ」

「有難う」

又兵衛は眉をしかめて、

「各々の言葉は嬉《うれ》しく聞く、だがおれには分っている、この片足はもう駄目だ！」

「おい、しっかりせぬか甲斐」

十郎太が叱《しか》るように、

「お家の奸物《かんぶつ》を除く大役を控えながら、そんな女々しい事でどうするのだ、例え片足両足なくとも、我等には烈火の意気があるはずだ、三九馬にひと太刀酬《むく》ゆるだけでも、そんな弱音を吐いてはいられまいが」

「残念だ、こ、この足が――」

又兵衛は呻《うめ》くようにいって、右の高腿《たかもも》を袴《はかま》の上からぎゅっとつかんだ。

小名木の方から、人足が二人、駄馬を駆って走って来たが、休んでいる駕籠舁《かごかき》を見ると大声に叫んだ。

「おーい、小牧の紙屋の娘をみかけなかったかや」

六

馬を駆って来た人足が、

「お房っ子を知らんかえ」

もう一度わめくのを、駕籠舁は首を振って、

「知らんが、どうしただあ」

「旅の侍におびき出されてつっ走っただ、みかけたらつらめえてくんろや」

「上条《かみじょう》の渡しを越すだで、みかけたら連れ戻るべえ」

「頼んだぞ」

二人は馬を煽《あお》って街道を走り去った。駕籠舁の一人が、

「困った病だぞ、お房っ子も」

と相棒に振返った。

「うん、これでもう三度目かだの、どうしてあ江戸へ行きてえこんだかや」

「紙屋に居れば立派な大宿の娘で、器量も良し利巧者だし、一生威張って通せるだによ、仕様のねえ娘っ子だ」

「参ろうかの」

桃井久馬が、声をかけた。

「うん」

又兵衛はちらと久馬を見て、源次郎の肩へ手をかけた。

――久馬め、己を邪魔にしておる、脱藩する時には一人でも仲間の多い方がいいので、口巧者に同行をすすめながら、いざ道半ばへ来ると厄介者《やっかいもの》扱いにしている。

そう思うと、足軽からつい最近に、士分へ取立てられた久馬の思いあがった態度が、ひどく憎くなって来た。

「済まぬ」

十郎太と源次郎に、駕籠の中へ援《たす》け入れられながら又兵衛の声は顫《ふる》えた。

「もうよい、済まぬなどと、いつまで遠慮だ、いちいち礼をいわれてはこちらが気詰りでならぬ、これからは挨拶《あいさつ》なしだぞ」

源次郎が荒っぽくたしなめた、駕籠はあがった。

又兵衛は眼を閉じて、来《こ》し方行末のことを思った。

青山主膳の自刃《じじん》、三九馬追手に向った面々の謹慎閉居、それを聞いた時には、逐《お》い詰められた獣のような怒りを覚えて、桃井、菅屋、中村と共に脱藩したが、今になって思えば無謀であった、片足を失いかけている自分を加えたこの四人で、江戸へ出たところがどうなるか。

又兵衛が改革派に加盟したのは、ただ江戸家老吉田玄蕃《げんば》を除いて、若き美濃守信邦の迷妄《めいもう》を醒《さま》させんが為であった。ところが、改革派の若手がいずれも一途に藩政改革を望んで立っているに反して、江戸邸《やしき》に於《お》ける用人松原郡太夫一味は、明かに玄蕃を駆逐して藩政を己の手に収めんとしているのだ。

かつて三九馬が、

——眼をあいて見ろ又兵衛、今度の事は老臣間の反目だ、老職の権勢を狙《ねら》う醜い私争に過ぎぬで、奸物と申せばむしろ松原郡太夫。

と云ったことがあった。あの時も又兵衛は三九馬の言葉が分っていた。

——郡太夫ばかりでない、その後で糸を操る大物がいる。

そうも云った。

糸を操る大物は誰か知らぬが、奸物郡太夫は間違いあるまい、しかし当面玄蕃を除かねばお家の危急は眼前に迫っている、奸物でも何でも危急の場合改革派の力となるならば、相策応じて事を成すに如《し》かず——と思ったのである。郡太夫の処置などは、その後でどうにでもなると考えていたのだ。

しかし、今こうして藩を脱し、傷ついた身で江戸へ出るからは、いやでも松原郡太夫の動きに加わらねばならぬ。自刃を前にして青山主膳がいったという、——江戸へ出たなら松原殿の言葉に従って働かれるよう。

その言葉も、菅屋、中村、桃井の三人と同様、主膳が何も知らぬからこそいえたので、何も彼《か》も察しのついている又兵衛には出来ぬことであった。

「ああ」

思わず呻く又兵衛、

「どうした、痛むか」

十郎太が外から声をかけた。

七

笛吹川の上流を越して新しく駕籠を求め、田野から柏尾へ出る裏街道を箕母《みのも》という

村まで来ると、

「中村、暫《しばら》く待ってくれ」

駕籠の中から又兵衛が呻くように声をかけた。

「駕籠屋、止めろ」

源次郎は駕籠をとめて、

「どうした」とのぞく。

「勝手を云って済まぬが、ひどく喉《のど》が渇く、水でよいがもらえまいか」

「心得た、探して来よう」

源次郎は走って行ったが、間もなく土瓶《どびん》と茶碗《ちゃわん》を持って戻って来た。

「かたじけない」

茶碗に水を受けて、喉を鳴らせながら呷《あお》る又兵衛の顔を源次郎はつくづく見たが、一刻前とは見違えるように頰へ血がのぼり、眼も充血しているし、呼吸も喘《あえ》ぐようで熱い。

「甲斐、気分が悪いのではないか、ひどく赫《あか》い顔をしているが」

「大丈夫だ、別状ない」

「どれ」

手を額にあてて見ると燃えるような熱。しかも体はぶるぶると胴ぶるいがしている。

「いかん、ひどい熱だ」

源次郎は振返って、

「桃井、萱屋、ちょっと——」

「何だ」

二人が寄って来た。

「甲斐の容子《ようす》が変だ、ひどく熱があるらしいのだが」

「いかんな、どうした甲斐」

十郎太が駕籠の中をのぞくと、むっと鼻をつく熱臭い呼吸、又兵衛は片手に茶碗を持ったまま肩息になっている。

「駕籠屋」

「へい」

「近くに医屋はおらぬか」

「へい、お医者といって——さあ、柏尾まで行けばなあ棒組」

「うん、正念寺《しょうねんじ》さまじゃあ仕様があるめえ」

「正念寺とは何だ……」

源次郎がきく、

「向うに見える森の中に、正念寺というお寺がありましてな、そこの和尚様《おしょう》がこの近辺の病人を診て下さるのだが」

「急場のことだ、兎《と》も角《かく》それへやってくれぬか、のう菅屋」

「それがよかろう」

「へい、それじゃあ」

源次郎は土瓶と茶碗を戻しに走る。駕籠はあがって道を左へきれた。

駕籠を守って菅屋と桃井の二人が、先に正念寺の門前まで来ると、山門の小蔭《こかげ》に旅拵《ごしら》えをした娘が一人、土の上へぺたりと座って、絶え絶えに呼吸を喘がせている。

通り過ぎようとして、ふとこれをみつけた桃井久馬が、二三歩戻って来て、

「どうなされた、御病気か？」

ときく。

娘はびくっと面《おもて》をあげた――紙屋の娘お房である。

「は、はい」

「このお近くか」

「いえ、悪者に、追われまして」

久馬は駕籠が庫裡《くり》の方へ行くのを見やって、娘の方へ近寄った。

「悪者らしい者はもうおらぬがいずれへ参られる」

「はい、江戸まで」

「お一人か」

「あのう、供がおりましたのですけれど、道にはぐれまして」

「それはお気の毒な」久馬は頷《うなず》いて、

「兎も角この寺へお寄りなさい、次第によってはお力になろうから」

「有難う存じます」

お房は、棒のように硬直した足をさすりながら、ようやく立上った。

八

駕籠から援けおろされた又兵衛、源次郎と十郎太にほとんど抱かれるようにして庫裡の内へ入った。

駕籠舁が先に知らせたのであろう、三人が土間へ入るのを、枯木の如《ごと》く痩《や》せた一人の老僧が出迎えて、

「そのまま、そのまま――」

と源次郎が挨拶しようとするのを抑え、

「この仁じゃな」

と又兵衛の側へ寄った。

又兵衛は上框《あがりかまち》に腰を据え、両手を畳について、肩で息をしていたが、老僧が近くへかがむと火のような呼吸をつきながら、

「御僧、こ、この足」

と右の高腿を叩《たた》き、

「斬《き》り放して下されい」

「足を斬れ？」

老僧は源次郎の方へ振返った。

「高腿の金瘡でござるが、手当を誤ったとみえて、ひどく膿みました容子――」

源次郎の言葉にうなずき、

「どれ見て進ぜよう」

老僧はずいと寄って、又兵衛の袴を捲《まく》りあげた。

裸の腿をきりきりと巻いた木綿に、薬と膿とが夥《おびただ》しく滲《にじ》み出てむっと鼻をつく臭気、

十郎太も源次郎も思わず顔を外向《そむ》ける、老僧は冷然として、鼻をその巻木綿へ押当て、しばらくその臭気を嗅《か》ぎ按《あん》じていたが、

「御両所、お手をかされい」

源次郎と十郎太に振返った。

「直ちに療治をする、彼方《あちら》の室《へや》へ連れて行っての、――武助《ぶすけ》、武助」

「へい」

厨戸《くりやど》を明けて、庭男とみえる頑丈《がんじょう》づくりの体がのぞいた。

「表の間へ急いで仕度せい、荒療治じゃ」

「へい」

男が去る。

老僧は手早く又兵衛の袴と羽織をぬがせ、源次郎と十郎太の手をかりて、表の間へ運んで行った。

その時、久馬がお房をたすけながら庫裡へ入って来た。

「どうした、病人は？」

上框に腰をおろして、くさい煙草《たばこ》をふかしていた駕籠舁に声をかける。

「へい、いま和尚様が療治をなさるといって、奥へお連れ申しやした」

「そうか」

うなずいた久馬、

「娘御、兎に角足を洗って入らぬか、ここで話もなるまい」

「はい」

「駕籠屋、寺の衆はおるか」

「いいえ、和尚様と下男の二人きりで、外にゃあ誰もおりませぬ」

じろじろ娘を見ながら、

「お連れ様で――？」

「うん、すまぬが洗足《すすぎ》をとってくれ」

「へい」

娘の旅合羽《がっぱ》に、しみがついたり、裂け目があったりするのを眼敏《めざと》く見やりながら、駕籠舁の一人が面《つら》ふくらせて裏手へ立った。

「怪我《けが》はないかな」

「はい、膝《ひざ》を少し痛めましたばかり、別に怪我と申すほどの事は――」

「草履をぬがれい」

お房は旅合羽をぬぎ、草履の紐《ひも》を解《ほど》き始めた。駕籠舁が裏手から、洗足の水を運んで来た。

九

部屋の中央に荒筵《あらむしろ》を重ね、白布を敷いた上に又兵衛が仰臥《ぎょうが》している。

老僧は傍《かたわ》ら へ薬箱を引寄せ、右手に持った外科用の小刀を香爐《こうろ》から立昇る香煙にいぶしていた。

「中村、菅屋――」

「おう」

又兵衛は眼を閉じたまま、「座を外してくれ」

「いや、居ろう」

「駄目だ、不浄の態見られたくない、行ってくれ」

「――」

「それがよろしかろう」

老僧もうなずいて、行けと眼配せをする。

「では」

源次郎と十郎太は次の間へ立った。

老僧は武助を眼で招いて、左側へ座らせ、又兵衛の着物をぐっとはいだ。

「何と仰《おお》せられるな、御姓名」

「甲斐又兵衛と申す」

「わしは正念寺の愚得《ぐとく》という、覚えておかれい、地獄へ参らるる折にわしの名を切手にすれば、駕輿《がよ》の接待がござろうぞ」

老僧は低く笑った。

巻木綿が切り裂かれた。血膿に汚れて、腐れ瓜《うり》のような傷口が現れた、又兵衛は両手を腹の上で組んだ。

老僧は小刀を腫《は》れ上った腐肉へずぶりと突き刺した。刃の動くにつれて、どす黒い膿液が、白布の上へ流れ落ちる、みる間に傷口の上下一寸余の腐肉が切り放された。

黒い断面と、血膿の下に、黄白い大腿骨《だいたいこつ》の一部が現れた。

「む――!」

腹の上に組合された又兵衛の両手が、風に吹かれる枯草のようにわなわなと慄《ふる》え、嚙《か》みしめた歯の間から鋭く呻き声がもれた。

「痛むか」

「――」

「痛くはないはずじゃ、総じて人間と申す者は、心神を丹田におさめておく時は、六悩を感ぜず五慾《ごよく》を知らず、ましてや痛痒《つうよう》など覚えるはずがない。この傷を受けた時、お許《もと》は痛みを感じたかな――感じなかったであろう」

言葉はゆるく、静かにさとすようであるが、老僧の両手は電光のように素早く、或《あるい》は肉を切り裂き、或は薬汁をそそぎ、或は瘡口《そうこう》を薬布で拭《ぬぐ》い、篦《へら》でこき、大胆細心、すばらしい手際《てぎわ》で療治を続ける。

「何故《なぜ》ならば、その時お許の心神は争闘の一念に懸っておったのじゃ、五官一統して痛痒を感ずる暇がないのじゃ――のう、痛みとは何ぞや、五慾六悩とは何ぞや」

老僧は濃紫色《こむらさきいろ》をした薬汁の小瓶《こびん》を取って、瘡面に注ぎながら、

「是《これ》みな心神の緩み、気魄《きはく》の弛怠《したい》に因るのみ、あさましいかな」

「――」

薬汁を注ぐと同時に、老僧は篦をとって、現れている大腿骨をぐいぐいとこいた。薬布で拭い、更に薬汁を注ぎ、再び篦を上下に動かした。

「武助、巻木綿！」

「へい」

老僧は石綿の幾塊かに薬汁をぬり、傷口につめると、上を桃葉珊瑚《さんご》と蟹仙人掌《かにさぼてん》の青皮で覆《おお》って、これに上から浄綿をあて、武助に手伝わせてきりきりと木綿を巻いた。

「さ、ようござるぞ」

老僧は微笑しながら、又兵衛の額に滲み出た油汗を拭《ふ》いてやる。

「足は大丈夫じゃ」

「助かりますか」

又兵衛の眼が輝いた。

「まだはっきりとは申せぬが、先《ま》ず切り放さずともすみそうじゃ、御苦労」

又兵衛は精根尽きた面に、それでも望みの悦《よろこ》びを現しながら、

「かたじけない――」

と云《い》って眼を閉じた。涙がひとつぶ、眼尻《めじり》から頬へ、つ――と流れた。

十

「わあっ、わあっ」

中坂の上と下とに、得物を手にした人足共が、ひしひしと三九馬を取囲んでいる。

「娘を返せ、お房を戻せ」

紙屋の七兵衛は、狂ったように喚《わめ》きながら三九馬の方へつめ寄った。

「さあ、小牧へ戻りなせえ」

相模の鉄が威嚇《いかく》するように、

「いやだといっても野締にされるが関の山だ、この街道は人足の気が荒え、冗談だと思ったら間違《まちげ》えだぜ」

三九馬、平然と、

「どうでも勝手にしろ」

といい放った。

「幾ら理《ことわり》を申しても納得できぬとならば拙者の方でももう何もいわぬ、貴様らのすきなようにするがよかろう」

「娘を返せ！」

七兵衛は口から唾《つば》をとばして、

「大事な一人娘を誘い出しやあがって、どうする気だ、返してくれ、お房を返してくれ、返せ返せ――」

殆《ほとん》ど半狂乱。

「面倒だ、やっつけろ」

「合点だ！」

円を縮めて、じりじりと人足共が寄る、三九馬はとっさにきらりと大剣を抜いた。

「やるか――」

じろり見て、

「さっきは加減をしていたが、今度は拙者も本気だぞ、斬るぞ！」

「野郎！」

一人が喚いて棒を横に、三九馬の胸をぱっと払って来る、三九馬左にひらいて、

「それ！」

かちん！　棒がふたつに切れて飛ぶ、同時にその人足は両手で頭をかかえながら、横っ飛びにつんのめった。

「洒落臭《しゃらくせ》え、たたんじまえ」

相模の鉄の声に、わっと喚いて二三人が、棍棒《こんぼう》をふるって殴りかかる、三九馬は一歩さがって大剣を右へ、

「えい！」

かちん、棒が切れて飛ぶ、白刃《はくじん》がきらり燕《つばめ》のように翻《ひるが》えると、二人は右と左へ、半

分になった棒を持ったままのめり倒れた。

「柔かい棒だの」

三九馬にやり笑って、

「柔かい棒、桐《きり》の棒か飴《あめ》ん棒か、持ったお人は木偶《でく》の坊で、相模の鉄どのごろん棒か」

「うぬ！」

相模の鉄が、腰の刀を抜いた。

「さんぴん奴《め》！」

無法に真向へ斬りつける、三九馬さっと右へひらいて無雑作に鉄の利腕《ききうで》を抱え込むと、

「それ！」

逆に取って突き放しざま、

「えい！」

腰をおとして薙《な》ぐ。

「あっ」

だだ！　と前にのめる鉄の髪、髻《もとどり》を切放されてばらりと散る。

「ははははは」

三九馬が笑って、

「鉄どの発心、願人坊《がんにんぼう》——」

「石だ石だ」

わっと遠巻に、相模の鉄を庇《かば》った人足の群、手に手に石塊《いしくれ》を拾い取ると、三九馬をめがけて無二無三に投げつける。

「窮策々々」

三九馬は笠《かさ》を脱《と》って、縦横に石をはたき落としながら、

「さあ精を出せ草鞋虫《わらじむし》、街道にどれだけ石があるか試してみるもよかろう、相手は一人だ、ここになくなったら甲斐一国、石飢饉《ききん》になるまで捜して来い、それ！　まだまだ」

小牧の方から、道を急いでくる長身の武士があった。

十一

「おお、やっておるな」

足早に近づいて来た長身の武士、中坂のさわぎを見るより大声に、

「百氏、助勢じゃ」とわめいた。

「やあ」

振り返る三九馬、見ると藤井右門だから、

「いや、つまらぬたわむれでござる、御見物々々々」

「なにこれが見ておられるものか、さあ人足共、半分はこっちで引受けたぞ、生命《いのち》のおしくない奴はかかってこい」

きらり抜いた、三尺余の大剣、人足共は思わぬ新手に、びっくりして円陣を割ると、相模の鉄が大声にわめいた。

「鯖太《さばた》！　加勢を頼みに走れ」

「合点だ！」

鯖太が、道ばたにつないでおいた馬に近寄る、
とみて三九馬が、

「藤井殿、馬を！」

と叫ぶ、

「心得た」

右門は横っとびに走って、今や馬の手綱を解こうとしている鯖太を、

「待て」

いいざま引き倒す。

「や、馬をねらっているぞ！」

「やるな！」

一同わっと、つないだ二頭の馬の方へ寄る、三九馬は大剣を振りかぶり、

「えい、やっ！」

きらり、きらりと威嚇の空打を入れながら、素早く馬を背に藤井右門と一体になった。

「野郎共！」

相模の鉄、やけくそになって、

「何をまごまごしていやがる、ここでさんぴん二疋《ひき》取逃がしたら、街道稼《かせ》ぎはお構いだぞ、さあやっつけろ」

「やれ、やれ！」

から元気でわっとつめ寄る。三九馬は、右門が人足共をおい払う間に、二頭の馬の手綱を斬り放した。

「藤井殿、馬！」

「おお！」

すきをねらって、ぱっと二人とも馬に乗る。

「うぬ、逃げやがるか」

鉄が刀を横ざまに、三九馬の足を払ってくる、ぱっと馬足をかえして、三九馬、馬上から一刀、峰打ちを鉄の肩へ、

「えい！」

びん！　と総身へひびく打撃、

「あっ！」

鉄が横ざまによろめく、右門が手綱を絞って、馬首を東へめぐらすと、

「百氏、拙者案内にたつ、ついて参られい」

「心得た」

杉並木の中へ馬を入れる。

「待ちやがれ——」

「馬泥棒《どろぼう》だあ！」

鯖太は自分の馬の後を、必死に追いながら叫ぶ。石や棒が、三九馬と右門の左右へ

飛んできたが、馬の足が速くなると共に忽《たちま》ちどよみの声も遠くなった。

「はははは！」

右門が、振返ってわらった。

「どうじゃ、百氏！　右門の観相は当っているであろうが」

「まるで、計ったようで——」

三九馬は剣を鞘《さや》に納めるために、馬足をゆるめながら苦笑した。

「だが」右門もそれにならって、

「あの宿の親爺《おやじ》め、どうやら狂気していたように思えるぞ」

「狂気——？」

三九馬は気がついていなかった。

十二

燈火を入れてから間もなく、

「御坊！　御坊！」

正念寺の庫裡の表に人の訪れる声がした。下男の武助が手燭《てしょく》を取って戸をあけると、

「御坊はおいでか」

声をかけた長身の武士、藤井右門だ、うしろに百三九馬もいる。

「あ、これは藤井先生」

旧知とみえて、武助が、

「どうぞお入りなされませ」

「百氏、しるべじゃ、遠慮なくずっと」

右門が先に、三九馬は笠を脱って土間へ入って行った。

声を聞きつけて、

「ほう、珍しい」

にこやかに笑いながら、老僧愚得が出て来た。

「御坊、久濶《きゅうかつ》じゃな」

「久濶じゃ、先ず座へ――」

「伴《つ》れがある」

右門は三九馬をかえり見て、

「百三九馬と申される、道中江戸への道伴れじゃ」

「御雑作になりまする」

「ようお立寄りなされた、さあ」

武助が洗足《すすぎ》の水を運んで来た。

右門が三九馬の名を披露《ひろう》した時、次の間で低く話していた人声がぴたりとやんだ。しかし三九馬は勿論《もちろん》そんな事を知る由《よし》もなく、足を清めると、右門と共に愚得の後から廊下を奥へ向った。

「むさい部屋じゃが――」

老僧は客間のひとつに二人を招き入れて、

「今日は妙な事で、他にも武家の客が四人あるじゃ故《ゆえ》、ま、この部屋で勘弁せえ」

「部屋などに文句は言わぬが、御坊――酒を頼むぞ」

どっかと座りながら右門が笑う。

「よかろう」

老僧はうなずいて、

「山県先生は、御息災か」

「益々《ますます》御健闘じゃ」

「竹内老は」

「――」

右門はちょっと躊躇《ちゅうちょ》したが、

「近く出府となろう、拙者、伊勢へ参った戻りじゃ」

「会われたか」

「五日頑張《がんば》ったぞ」

右門は快よさそうに笑って、

「到頭つかまえての、出馬を承諾させて来たよ！」

「ほう、動いたかのう」

老僧は一瞬眼を光らせたが、

「や、話は後のこと、先ず一盞《いっさん》仕度させよう」

「頼む、久方振りで今宵《こよい》は語り明かそうぞ」

愚得は部屋を出て行った。

「どうじゃ、あの僧」右門は三九馬の方へ、火桶《ひおけ》と共に体をすり寄せながら、

「あれは自然坊《じねんぼう》愚得と申してな、実は蘭法《らんぽう》医術に長じた老医じゃ、武蔵《むさし》の産で荒田得一と云ったが、宝暦の竹内式部事件に拙者同様連座した為《ため》、追われて斯様隠遁《かよういんとん》しておる、なかなかの傑物でのう、山県先生が事を起される場合には一方の旗頭たるべきの仁じゃ」

「――」

三九馬はうなずくのみであった。

十三

「どうだ――」

源次郎がきく。

「うん」

菅屋十郎太は部屋へ入ってあとを閉め、

「正に三九馬だ！」

「やはり！」

源次郎は桃井久馬をかえり見た、久馬はじっと膝の上に拳《こぶし》を置いたまま眼もあげなかった。十郎太は二人の前へ座って、

「どうする？」

「この家で斬る訳にはゆくまい」

源次郎が窺《うかが》うように久馬を見る。十郎太は隣室の甲斐又兵衛の寝息をうかがいなが

ら、

「しかし、表へ出るのを待つとしたら、伴れの者をどうするか、江戸まで一緒に参るような話しだったぞ」

「三九馬が助勢を頼むだろうか」

「頼まんでも伴れが黙ってはいまいて。三九馬一人でも面倒なところへ、余計な邪魔があってはのう」

源次郎は肩をあげて、

「桃井、どう思う」

「左様——」

久馬は冷やかに、

「拙者の考えは、ここで百三九馬などに係《かか》わっておる場合ではないと思う」

「——?」

源次郎は意外な言葉に呆《あき》れ、

「それはまた、どういう訳だ」

「我々は一刻《いっこく》も早く江戸へ参って、為《な》さねばならぬ大事な仕事を控えている、片々たる私憤で生命を危うするは」

「待て！」

源次郎が低くさえぎった、

「片々たる私憤とは妙なことを聞くぞ、三九馬は頼母一派の密使に立った者で、我ら改革派に取っては玄蕃同様の敵であるはず、しかも彼のために同志三名が死に、二人が重傷を負っている。之《これ》を斬るは我ら当然の責ではないか」

「拙者は厭《いや》だ」

久馬は頭を振った。

「主膳殿から江戸へ参って郡太夫様と共に働けとは聞いたが、改めて三九馬を斬れとはいわれておらぬ、第一――」

と声を低めて、

「斯様に病人と伴れだっていたのでは、何日《いっ》になって江戸入りが出来るか、それさえ心許《こころもと》なく思われる折柄《おりから》」

「なに」源次郎は思わずむかっとして、

「又兵衛と共に道中するが不服というか」

「――」

久馬は黙って外向いた。

「今更となって、病気の友を兎や角いうとは心得ぬ、不服なら不服でよい、貴公一人でどうとも好きにしろ、我らは我らでやる！」

「まあ、そう言ってもいかん」

十郎太が制しに出るのを、

「そうか」久馬は冷然と外向いたままで、

「好きにしろというなら、拙者だけは好きにさせて貰《もら》う」

「――」

十郎太もちょっと呆れたかたちで、冷やかな久馬の横顔をみつめた。

「又兵衛殿の傷は、五日や十日で本復は覚束《おぼつか》ないであろう、御両所はここに留《とどま》って折角介抱なさるがよい。拙者はひと足先に江戸へ参る」

「――」

「明早朝立つ積りなれば、先に寝《やす》ませて頂くとしよう、御免――」

久馬はつと立って、部屋の隅《すみ》にのべてある寝床の方へ行った。

源次郎も十郎太も、ちょっと手の出せぬ気持で、久馬の姿を見送るばかりだった。

十四

「どうする！」

十郎太は、寝床へ入った久馬の方へ、じろりと眼をやったが、

「やろう！」

「どこでやるか」

「和尚は知己らしいから、頼んで見ても無駄だろう。明朝道に待伏せをかけるか、今宵寝込を刺すかだが」

「寝込を刺すか！」

「と、して。我々はそのままここを退散してもよいが、又兵衛をどうする」

「置いて行く外あるまい、まさか病人に仇《あだ》をする事もあるまいが」

「そうだのう」

十郎太はうなずいて、

「よし、そう決めよう」

「では仕度をして」

「だが――」

十郎太が、

「これは一応又兵衛に話しておくがよくはあるまいか」

「それも悪くはあるまいが、何にしろ気が勝っている故、動きだされでもしては、面倒になろう」

「ありそうだのう、しかしこのまま一言も申さずに別れるのも心がかりだが」

「では余処《よそ》ながら別辞を――」

「うん！」

二人はそっと立上った。

又兵衛は眠っていた。同じ部屋の片隅に、もう一つ床がのべてある、そこには久馬が助けて来た旅の娘――お房が寝ていたのだが、厠《かわや》にでも立ったか、床の中は空だった。

「眠っておるか」

枕元《まくらもと》へ座りながら源次郎が静かに声をかけた。

その時――。

お房は、廊下を忍び足で、三九馬のいる部屋の方へ近寄って行った。

愚得の居間からは、声高に談ずる右門と老僧の笑い声が聞こえている、お房はその前をすりぬけて、障子に薄く燈火のさしている、はずれの客間へ忍び寄った。障子の隙《すき》からのぞくと、三九馬は一人、大剣の手入れをしている。

「御免なされませ」

囁《ささや》くように言って、お房はすっと障子をあけた。

「おう！」

面《おもて》をあげた三九馬は、素早く部屋へ入って来たお房を見るより、

「や、お房どの――？」

「お静かに」

お房は滑るように傍《かたわ》らへ寄って、

「御用心なさいませ、この家に――貴方《あなた》のお命を狙《ねら》っている人がおりまする」

「ほほう」

三九馬は剣を納め、

「拙者の命を狙う者は多勢ある故、いちいち用心しておられぬが、お房どのはまたどうしてここへ」

「いえ」

お房はすり寄って、

「私の事などは後でも申上げられまする、どうか一時《いっとき》も早くここをお立退きなされませ、相手は三人でござります」

「三人」三九馬は訝《いぶか》し気に、

「して、どんな人物で何の為に拙者を狙っておるのかな」

「よくは存じませぬが、桃井久馬、菅屋十郎太、中村というお侍――」

「え⁉」

「それに、甲斐又兵衛とかいう病人のお侍がおられまする」

「又兵衛まで――⁉」

三九馬は愕然《がくぜん》と膝を立てた。

春の巷《ちまた》

一

「奸賊《かんぞく》いるか！」

「出て参れ――」

江戸八丁堀《はっちょうぼり》長沢町、堀を前にした角構えで、門の外に老柳が一本枝をたれている、門を入ると玄関の柱にみごとな筆跡で「講習所山県《やまがた》昌貞」と看板が出ていた。

「出て来ぬか、国を紊《みだ》る奸物」

玄関先に立ちはだかって、さっきから大声に罵《のの》しりわめいている二人の浪士体《てい》の男、泥酔《でいすい》しているらしく右に左によろめきながら、

「山県大弐《だいに》、おるのか！」

「居留守を使って、の、遁《のが》れようとて、そうは行かぬぞ、出て来い」

「出て来ぬとあれば――」

髯面《ひげづら》の方のが、

「うぬ、踏み込んでくれるぞ」

いいながら、破れ草履で、ひょろひょろと式台へ踏み上ろうとする、その出鼻へ、

「何だ何だ」

引戸の蔭《かげ》から、ぬっと一人の書生が現れた、富永道雄である。

「貴公達、何だ何だ」

「何だ、――とは何だ、我々天下の武士に向って、何だという挨拶《あいさつ》があるか、さあ勘弁出来んぞ」

「勘弁出来んぞ、勿論だ」

蒼《あお》んぶくれの男も、刀の柄《つか》をたたいて、どういう積りかいきなりのめるような格好をした。道雄は思わず失笑した。

「や、笑ったな」

髯面が式台へ片足をかけて跳び上ろうとしたが、とたんに草履を踏み滑らせたから、だだ！　と横ざまに式台へのめった。

「うぬ、朋友《ほうゆう》を投げたな！」

蒼んぶくれの方が、ひょろひょろ！　と前へ出て、右手を刀の柄へかける。

「うるさいうるさい」

道雄は素早く相手の肱《ひじ》をつかみ、ぐいっと逆にかえす。

「あっ痛っつ」

髯面がようやく起上るところを、左足で腰を蹴《け》りわっと再びいくじなく顚倒《てんとう》する上へ、蒼んぶくれの男を突き放した、重なり合って転げる浪士二人、

「やったな！」

「もう勘、勘弁ならん」

芋虫のように這《は》い迷って、

「さあ斬れ、かく、かように辱《はずか》しめを受けた上は、生きておられる拙者共でない、斬れ、斬りおれい」

「さ、左様、勘弁ならんぞ、斬りおれい、ずばりっと斬れ、どうあっても、かくなる上は勘弁ならんぞ」

門を、旅装の山県大弐が、琵琶《びわ》を背に負うた東寿《とうじゅ》を供に、ずっと入って来た。

「あ、先生？」

道雄は急いで式台へ下りる。

大弐は、そこに喚《わめ》きたてている二人へちらと眼をくれると、つと足を止めて、暫《しばら》く冷やかにながめていたが、

「道雄！」

と低く鋭い声で、

「門を閉めい」

と命じた。

大弐の声に、はっと顔をあげた浪士二人、道雄が素早く来て門扉《もんぴ》を閉ざすのを見ると、さっと表情を変えて立上った。

「待たれい」

大弐は低く、

「御所望通り斬って進ぜる、それに控えておられるがよい」

「めめめ滅相な、何しろ、その」

二人は大弐の鋭い眼を見ると、身ぶるいしながら門扉の方へ後ろ退《さが》りにさがる。

「東寿――」

「はい」

「斬るかな」

「はい」

東寿は盲目の顔を振向けて、にやりと笑った。髯面がそれを見るや、

「あ、盲無念の東寿だ！」

叫んで無我夢中、潜戸《くぐりど》から外へ、蝗《いなご》のように跳び出して行った。

二

「おお咲いたな」

着換えを済ませて、庭に面した居間に入って来た大弐は、窓外に満開の花をつけている白桃の樹《き》を見て静かに微笑した。

「お帰りなされませ」

庭前へ老僕弥助《やすけ》が手をついた。

「爺《じい》か、健固であったか」

「有難う存じまする、お前様にも恙《つつが》なくお帰りなされまして、祝着《しゅうちゃく》にござりまする」

「うん！」

大弐は座について、

「作太郎はじめ、みな無事であったぞ、安心せいとの言伝《ことづ》てであった」

「は——」

弥助は大弐が郷里甲斐国《かいのくに》巨摩郡《こまごおり》篠原《しのはら》村の百姓で、幼少の頃から大弐を守育てた男であった。江戸へもついて来て、大弐の身の廻《まわ》りの世話をしているが、今度の帰郷には——大弐の志を知って江戸に残っていたのである。作太郎とは弥助の子で、郷里に農を営んでいる者であった。

「直に風呂《ふろ》の仕度を——」

「頼むぞ」

弥助が去ると、道雄が火桶《ひおけ》を運んで来た。

「御無事の御帰館、祝着申上げまする」

「うん！」

大弐はうなずいて、

「秩父路《ちちぶじ》はどうであった」

「わずかに雪にあいましたのみ、案外に楽な道中でございました」

「その折の娘、八千緒《やちお》とか申したが、どう致した」

「ずっとこの家に」

「そうか」

道雄は退座したが、間もなく手文庫を抱えて戻って来た。

「御留守中の書面にござります」

「うん」

大弐は引き寄せながら、

「その娘、呼んでくれぬか」

「は！」

道雄が去る、大弐は手文庫の蓋《ふた》をとって、中から十通余の書簡を取出した。次々と差出人の名を見て行くうち、三通だけを取除《とりの》け、余は封のまま引き裂いた。

縁先へ八千緒が来て、

「お帰り遊ばしませ」

と膝をついた。

「こちらへ——」

大弐は座を示して、

「お変りもなく重畳であった、さぞ待ち兼ねておられたであろう」

「はい」

八千緒は慎《つつ》ましく膝を進めた。

「江戸へは何日《いつ》着かれた」

「今日で——七日に」

「まだ玄蕃殿にはお会いなされぬのう？」

「はい、お帰りの上御相談をと存じまして」

大弐はうなずいて、

「明日にでもお会わせ申そう」

「——」

八千緒は黙って頭をさげた。

「それから」

大弐は顔をあげ、

「良い便りをお知らせ申そう、そこ許《もと》の兄者は、たしか三九馬と申されたはずだが」

「はい、兄が何か？」

「うん」

大弐は微笑しながら、

「碓氷《うすい》は無事に斬り抜け、甲斐へ入って、ここでも少々間違いがあった様子だが、別に怪我《けが》もなく立退《たちの》かれたようであった」

「甲斐の間違いと申しますのは、やはりあの同藩の方々とのことで？」

「いや」大弐は頭を振って、

「三九馬殿の泊った宿でな、一人娘が家出したとか申す騒ぎの中に巻込まれて、人足共の理不尽な乱暴に会われたそうな」

「まあ――」

八千緒は、甲斐又兵衛の名が出なかったので、ほっと安堵《あんど》の息をついた。

三

夜になると、街は濃い霧に包まれた。

夕方から集まった門人や知友が、十四五人ばかり奥の広間に酒を囲んで高々と談笑の声をあげている。

八千緒は、老僕弥助の部屋にある、小部屋へ早くから引籠《ひきこも》って、丸行燈《まるあんどん》のほのかな燈の下に旅着のつくろいを急いでいた。

半月あまりの間に起った幾変転――思えば夢のようである。

幼馴染《おさななじみ》から許婚《いいなずけ》になり、いつか忘れ得ぬ俤《おもかげ》の人となった甲斐又兵衛を、意外なことから不縁になった、あまつさえ、その人と兄とが敵同志となってしまったのである。

お家建直しという大きな仕事に、兄とその人といずれが正しい立場にあるか、娘の身で深く知る由《よし》もなかったが、

「善悪に拘《かか》わらず、女は良人《おっと》につくべきもの――」

と教えられて来た八千緒には、

「兄上様には済まぬけれど」

ともすれば、烈《はげ》しく又兵衛に心を誘われるのであった。

兄と別れ別れになってから、秩父路を江戸へ来る迄《まで》、それから大弐の留守宅に隠れて今日まで、八千緒の心は絶えず、

「兄につくがよいか――」

「それとも、甲斐さまにつくべきが道か」

とその事だけを思い悩んでいた。

父武右衛門が先殿に直諫《ちょっかん》して、屠腹《とふく》したのは、三九馬が十四、八千緒が八歳の秋であった。それより先母を喪《うしな》っていたので、それから十年の間、八千緒は兄三九馬の手で育てられたも同様である。泣いたり、むずかったり、幼い兄をどんなに困らせたか、

母よりも温く、父よりも優しく、三九馬は妹を守り、躾《しつ》け、今日までにしてくれたのである。

「兄に反《そむ》くことは出来ぬ」

八千緒はそれを思う毎《ごと》に、強く自分に云《い》い聞かせるのであった。

「若《も》し今になって兄上に反いたなら、父様も母様もあの世でさぞお怒り遊ばすことであろう――」

しかし、そう思う後から、

「でも、兄上様はあのように気軽な御気性、わたしがいなくとも御不自由ではあるまいけれど、甲斐さまは――」

又兵衛が自分と同様、早くから孤児になって、気性も暗く、表に強いところを見せているだけかえって心さびしさも深いのであろう、たより無げな眼で、よく自分を見た――あの弱々しい様子を思うと、

「やはり――良人として」

思い切れぬ執着がわいて来る。

碓氷で怪我はなかったか、そう思う気遣いが、この二三日は逆に、血の熱くなる程恋しさと慕わしさにまでつのって来ていた。

「八千緒どの――」

ふすまの外で低く声がした。

「八千緒どの、おやすみでござるか――」

八千緒ははっと我に返って、

「はい」

と答えながら、膝の上の物を下に、居住まいを直して、

「何ぞ御用でござりますか」

「御免下さい」

襖《ふすま》をあけて、富永道雄が、

「徒然《つれづれ》でござろうと存じ、些少《さしょう》ながらお裾《すそ》分《わ》けを持って参りました」

片手に白紙の包を持って、頰《ほお》を染めながら部屋へ入って来た。

「まあ――」八千緒は座を退って、

「何でござりましょう」

親しく微笑を見せる、道雄は襖際《ぎわ》に座ると、紙包を差出して、

「お口に合うか、どうか」

と固くなって、呟《つぶや》くように云った。八千緒は遠慮せずに包を取った。

四

「まあ、おいしそうな――」

八千緒はみごとな盛菓子を見て、

「でも、こんなに頂いては」

「いや、よいのです」

道雄は慌《あわ》てて、

「酒を呑《の》む者の方が多いので、菓子はまだ沢山余っているのです、お口に合ったらもっと持参しましょう」

「ほほほ、そんなに頂けませぬ」

八千緒は明るく笑った。

ふたりは、言葉を失《な》くしてふっと黙った。奥の広間から琵琶を弾ずるのが聞こえて来る、さえた撥《ばち》は東寿であろう、珍しや――朗々と平家を語りだした声は大弐であった。

「良いお声ですこと、先生でございましょう?」

「そうです」

八千緒は膝へ手を重ね、聴き澄ますように頭を垂れた。道雄は暫くその姿を見まもっていたが、やがて思い切った調子で、

「八千緒どの」

と云う。

八千緒は顔をあげた。道雄は娘の眼が濡《ぬ》れているのを見ると、けしかけられるような激しい心の動乱を感じながら、

「あなたは——」

と粘る舌をもつらせ、

「玄蕃殿に会われたら、それでもう故郷へお帰りになるのですか」

「それが、どうなりまするか」

八千緒は案じ顔に、

「兄に会えますまでは、江戸にいなければなるまいかと存じますけれど」

「すると玄蕃殿の邸《やしき》へ——」

「はあ、それも」

碓氷の事件で、自分の身上が小幡家にとってどういう事になっているか、八千緒に

は全く五里霧中であった。

碓氷の時、甲斐又兵衛は「御意討」といっていた。とすれば迂闊《うかつ》に藩邸へ近寄っては窮命に遭うかも知れぬ、津田頼母《たのも》から玄蕃への信書を、今日まで届け兼ねていたのも、それを懸念《けねん》していた為で、この後——兄に会うまでどうして過ごすか、自分でも見当がつかぬのである。

「もし——」

道雄は膝をすすめて、

「もし、なんでしたら、先生の方は拙者が引受けますから、この家においでなさいませぬか」

「はい」

「不躾《ぶしつけ》な申状かも知れませぬが、及ばずながら拙者お力になって差上げたいと存じます」

「有難う存じます」

八千緒はふいに、道雄の意がどういうところから出ているかを感じた。

そうだったのか——。

ふいっと眼をあげて見ると、道雄は慌てて外向いたが、心の動きは隠しきれなかった、道雄は秩父路の道中ずっと、親身も及ばぬ世話をしてくれたが、その時は有難く思っただけで、別に何の意味があるとも考えなかった。

しかし此家《この》へ着いて、ひとつ屋根の下に暮らすようになってからは、道雄の見る眼、挙措のうちに、何かしら訴えかかるような色がみえて来たことを、薄々は八千緒も感づいていたのであった。

これはいけない――。

八千緒はきっとこころを引きしめ、居住まいを正して、菓子のつつみを取りあげると、

「では頂戴《ちょうだい》いたします」

改まった口調でいった。

「はあ――」

八千緒の態度がぐっと変ったのを知ると、道雄は急いで、

「失礼仕《つかまつ》った」

といって片膝立てた。と――その時、酒宴の広間で、卒然として人々の罵り騒ぐ声が起った。

五

「お、待ち下さい！」

佐藤源太夫が、うわずった声で叫びながら、大弐の方へにじり出た。

「なるほど、わたくしは元右京大夫《うきょうのだいぶ》様の臣にて、諜者《ちょうじゃ》の役など仕った事もございます、しかしそれはその時のわたくしの役目、心から望んで致した儀ではございませぬ——、その後お暇《いとま》を賜わり、浪々の身となりましてから真《まこと》の心より先生の学風を敬慕仕りまして——」

「黙れ！」右門は怒気を発して、

「おのれは口巧者に云い遁《のが》れる積りであろうが、左様な曲弁に惑わされる我らと思うか、真に諜者でないとあらば、拙者に見露《あら》わされた折、何としてこの座を遁《に》げた！」

「それは、前身の事を思い——」

「問答の要ござるまい」

福島伝蔵と云う門人が、冷やかに源太夫を睨《ね》め据えながら、

「処置すべきだのう」

と云う。同時に若手の門人達の間から、最上《もがみ》六弥、今村弾次の二人が、

「拙者承ろう！」

と立上った。

「あ、し、暫く、暫く！」

源太夫は顔色変えて、

「身に覚えある事なれば斬られて死ぬも悔いはござらぬが、真にわたくし——」

「くどい！」

「構わぬ、やれ」

右門が言ってたつ。

「厭《いや》だ！　不当だ！」

源太夫が必死の声で叫んだ、

「罪なき者を、みだりに斬るとは無法だ、おれは諜者ではないのだ、検《しら》べてくれ、吟味してくれ、準曹殿《じゅんそう》」

「卑怯者《ひきょうもの》め、来い！」

今村弾次が衿髪《えりがみ》をつかむと、

「待たれい」

大弐が静かに制した。

「今村氏《うじ》お放しなさい」

「いや、此奴《こやつ》――」

「先ずお放しなさい、それからいずれも座へついて大弐の申す事を聴いて頂きたい」

右門が何かいおうとするのを知らぬ風に見流した大弐は、一同が席に直るのを待って、低いながら力の籠った声で言った。

「藤井殿がただ今申された通り、近頃門人衆の間に身分疑わしき人物を見かくる事、もとより大弐存じておる、また拙者この度の旅に当っても、はじめより二名の幕吏と思《おぼ》しき者が随行しておって、軽井沢の駅《うまや》にてはその一名の為に、覚え書を納めあった手箱を盗まれた事実もある」

さっと一座の面色が動いた。

「そこで御一同に申したいのは、これ等の事についてすこしも御懸念《ごけねん》なきよう願いたいのだ、諜者、隠密《おんみつ》何人何十人潜入いたそうとも、左様な事にお構いなさるなと申したい」

「仰《おお》せではござるが」

右門が鋭く、

「我等大事を志す者に、諜者隠密の者を懸念するなとは、如何《いか》なる御思案にござりますか」

「されば――」

大弐は膝《ひざ》を正して、

「さき程藤井殿が例にとられた橘正雪《たちばなしょうせつ》の事を取って申上げよう。由比《ゆい》の正雪は軍学者にて、宗徒の輩《やから》を翕合《きゅうごう》し幕府倒壊の事を企て申した、中途党中より事露《あら》われ、ついに大望空《むな》しく相果てたが、藤井殿の申される如《ごと》く、身中の毒虫を除き、規律を堅め、迅速良く処したならば、或《あるい》は倒幕の事を成就《じょうじゅ》したかも知れぬ――然《しか》し策謀密ならず、しかも処置を誤った為に、事は画餅《がべい》に帰し、同志の多くを刑場の土と化せしめ申した、しかして彼《かれ》正雪の大志もそれと共に亡《ほろ》んだのでござる」

大弐は暫時《ざんじ》言葉を切った。

六

「よく聴かれい」大弐は言葉を継いだ。

「正雪が事を誤って、同志と共に、自らの志をも喪失致したのは何故《なにゆえ》でござろう。正雪の事を企てた根本の心は、もとただ幕府を倒壊して己がその権威に代らんとした野望でござる、政権争奪の隠謀でござる。さればこそ事を計るに隠密を以《もっ》てし、術語を用い、火薬を埋めて人心を動乱せしむるなど、専《もっぱ》ら兵家の策に出《い》でたのでござった。然るに——翻《ひるが》えって我らの処志は如何《いか》に！」

一座は片唾《かたず》をのむ、

「我ら倒幕を志す根本のものはもとより王道宣揚の精神に出るところでござる、天は一《いつ》を得て以て清く、地は一を得て以て寧《やす》く、侯王は一を得て以て天下の貞とす、天に二日なく民に二王なし——翳《かざ》せる雲を払逐《ふっちく》して、権勢一に帰すべしと為《な》す仕事、誰に憚《はばか》るところ無き大義でござる！」

佐藤源太夫は、いつかその両手を畳へおろしていた。

「方今、武家の権威専らにて、律法之《これ》より起り、名教由《よ》るべきものなく、冠履顚倒《かんりてんとう》、尊卑の序を失い、礼楽怠る。妄濫《もうらん》の極、万民——畏《おそ》れ多くも皇室を忘却し奉《たてまつ》り、侯伯子大夫また大義の如何を識《し》らぬ有様でござる。不肖大弐がここに起《た》って大義のあるところを明かにする所以《ゆえん》のものは、実にただ、尊王の志を万民のうちに喚起せんが為のみで、倒幕の事は、随《したが》って起る問題でござる」

大弐は息をやすめた。

「もとより不惜身命《ふしゃくしんみょう》、万死は覚悟の上、むしろ尊王倒幕を企つる者として、幕吏に窮命されるこそ、大弐が本望と申すべきところでござる」

「それは、何故に！」

右門が低く反問した。

「幕政泰平を謳《うた》う世に、あえて尊王倒幕を志すの士あることを、天下に識らせんが為に！」

「――！」

「御同座の中に、万一にも諜者として入り込まれし御仁があったらば聴かれい、我らは刑吏の縄《なわ》を怖《おそ》れる者ではない、むしろ――一時も早く捕縛されて、限りある門人より外に、天下多衆の心へ、尊王の大義を銘記させたしと願っておる者でござる――とお分りかな」

「――」

一座は森《しん》として声なく、佐藤源太夫はそこへ平伏していた。

「お分りでござるか」

静かに一座を見廻して、

「隠密諜者のともがら、それ故にこれ懸念なさるまいと申したのでござる、我らの精神は白日の下公然と宣盟して憚らぬところのもの、何者をも怖れるの要ござらぬ。聴く者には敵も味方もなく、戯子《げし》雑戸《ざっこ》丐児《かいじ》非人《ひにん》を選まず、一人でも多きを望みと致すのでござる」

大弐は粛然と見遣《みや》った。

「ははははは」

大弐は軽く笑って、

「議論の間に酒が冷えてしまったぞ、道雄——酒を温めて来ぬか」

「は」

「さ、いずれもお楽に、弾奏中途にして琵琶をおいたれば、いま一度座興に——大弐が平家を語ると致そう」

東寿は静かに琵琶を取上げた。

「源太夫殿——」

大弐は温かな声で、

「遠慮なく、座へお直りなされい、御不快なれば帰られても差支えござらぬぞ」

「——」

「さ、東寿——頼む」

大弐は膝を正して、東寿をかえり見た、庭前で、白桃の花がひとひらふたひら音もなく散っていた。

七

五つ（午後八時頃）を過ぐると、客は思い思いに暇乞《いとまご》いをして帰り去った。

「席を替えて」

大弐は右門を促して立った。

離室《はなれ》づくりになっている書斎へ、茶を呼んで対座すると、右門は懐中から帛紗包《ふくさづつみ》を取出し、中から一封の書面を取って大弐に渡した。

「正庵《せいあん》老からの御手簡にございます」

「御苦労でござった」

大弐は受取ると、一礼して封を切った。六朝《りくちょう》風のみごとな筆跡で、

「――老麒《ろうき》脚を喪《うしな》って南辺に蟄伏《ちっぷく》す、倖《さいわい》にして東海に鸞鳳《らんぽう》の翔飛《しょうひ》するあり、日月輝き当《まさ》に鬼神を章《あや》かならしめんと聴く、老麒起つ可《べ》し起つ可し。竹内式部」

「ほう」

大弐は微笑しながら、

「いつもながら元気におわすよ。して――御健康はどうであった」

「老来益々御壮健にて、この頃は印西流《いんさい》の弓射《きゅうしゃ》をはげんでおらるるそうにございます」

大弐は、竹内式部が宝暦事件の後、京地を構われて伊勢国《いせのくに》宇治郡《うじごおり》に至り、鵜飼《うかい》又太夫の家に自適の日を暮すようになって以来、折に触れて信書を交わし相思の事を託していたのであった。ところが近来頓《とみ》に式部の熱意は昂《たか》まり、窃《ひそか》に江戸へ遁入《とんにゅう》して、大弐に参画して事を企てようと計っているのである。

「して――」

大弐は書面を引き裂いて、

「いつ頃出立なさる様子だったか」

「夏――過ぎということを申して居《お》られました、道次は海路をとり、おそければ紀州より蜜柑《みかん》の船に乗じて参らるると」

いいかけて、右門は大剣をひっつかんで、突然座を立つ、

「誰だ！」叫んで障子をひきあけた。

庭先に、黙って平伏している男があった。右門は縁先に出て、見るより、

「や、その方！」

「はい、源太夫にございます」

佐藤源太夫は蒼白《そうはく》の面《おもて》をあげた。右門は嚇《かっ》として、

「貴様、聞いたな！」

「――――」

「うぬ！」

左足を引く、刹那《せつな》、

「待たれい！」

大弐が立って出た。

「佐藤氏か、――」

「先生！」

「――――」

大弐はつと縁先に片膝おろして、佐藤源太夫の面をみつめたが、やがて低く、

「腹を切っておるな」

「は、はい」

「え⁉」

右門が愕然《がくぜん》として、縁から下りると、沓脱《くつぬぎ》へ片手をついている源太夫の肩へ手をかけた、ぷんと鼻をうつ血の匂《におい》。

「先生！」

源太夫はふるえる声で、

「準――曹を御、注意遊ばせ」

「……」

「御庭前を穢《けが》し、申訳ございませぬが、外へ出ては志を果し難く、慮外ながら」

「早まった事を！」大弐は叱《しか》るように云った。

「いや、これは疾《とく》より、覚悟にござりました、諜者を仕る身――もとより鬼畜ではござりませぬ、ただ人に仕うる者の命に反《そむ》けぬ道の苦しさ――御賢察」

「うむ」

「こ、これに、認《したた》めある覚書」

源太夫は、一綴《つづ》りの書物を差出して、呼吸をととのえながら、

「幕府の手配り、按察《あんさつ》の次第、わたくしに知れてある事だけは、認めてござります、これにてわたくしの罪を――」

源太夫はそれまでいうと、がばと沓脱へうち伏して了《しま》った。

けぶる雨

一

芝三田久保町を二の橋へ向った左の角、織田美濃守《おだみののかみ》の邸《やしき》の門番口へ、

「ごめんよ、ごめんよ」

と男の子が一人やって来た。

「何だ何だ」

門番が出ると、

「これをね」

子供は一通の封書を差出して、

「この人に届けてくんなって」

「生意気な口をきくな、どれ見せろ」

手に取って見ると、御使番《おつかいばん》福島伝蔵殿という上書裏には一字（啓）とある。

「福島様に女からの呼出状でもあるまいが、小僧――これを貴様に頼んだのは女か男か」

「余計なことをいうない」

子供はつんとして、

「お前は門番だろう、門番なら門番らしく黙って取次ぎゃあいいんだ」

「此奴《こいっ》、そんな憎まれ口をきくと刀で斬《き》ってしまうぞ」

「へ！　芝にゃお前なんぞに斬られるような、どじな餓鬼ゃいねえよ」

「これだ」

門番は苦笑をしながら、

「当節の子供は大人を何と思っているのかしらん、口喧嘩《くちげんか》ではとても敵《かな》わぬぞ」

「土地柄《がら》が悪いよ、この近辺の奴等はまるで牛方か火消人足の寄集まりのようだ」

「福島様は非番だったな」

「そうだ」

門番の一人は書面を持って出ると、子供の方へ眼を剝《む》いてみせ、

「小僧、待っていろ、いま戻って来たら縛りあげてお白洲《しらす》の砂利を嚙《か》ませてくれる

ぞ」

「美州様のお邸にお白洲があるって？」

子供はせせら笑って、

「へえ――そいつあ芋虫《いもむし》の滝登りだ」

「なんだ、芋虫の滝登りとは」

「ふん」

子供は唇をひん曲げて、

「洒落《しゃれ》をきいてりゃ世話あねえ、まだ見たことも聞いた事もねえというのよ」

「此奴《こいつ》！」

「はははは」

番所にいた二人が思わずふき出した。

「正にやられの図か」

「始末におえぬ小僧だ」

先の門番は呆《あき》れて、

「ちびの癖に洒落までぬかしおる、待っておれよ」

「返辞を聞いて行くんだい、待っていねえでどうするものか」

「勝手にしろ」

門番は邸内へ入って行ったが程なく戻って来た。

「御返事があったぞ」

「何ていうのだい」

「書面の趣たしかに承知致した、定めの時刻にお伺い申すと、分ったか」

「よく覚えて来たな」

「まだぬかすか、ふざけた小僧だ、分ったらさっさと帰ってしまえ」

「あばよ」

子供はばたばたと走りだしたが、ふと足を止めると、振返って大声に、

「おーーい、お前っち将棋を知っているか、知っていたら教えてやらあ、後手に廻って、右の桂先を突くなよ」

「何だと」

「突くとお前っちの口が干上るぜ、こいつも洒落だが分るめえ、分ったら牡丹餅《ぼたもち》進上、あばよ」

子供はそのまま、三田通りの方へいっさんにかけ去った。

「後手に廻ったら右の桂先を突くな、突くと口が干上るーー?」

「はははは、何をつまらぬ、子供のいったことだ、考える程のこともあるまい」

「そうでない、彼女も常々——」

門番の一人は将棋盤を持出して駒《こま》を並べながら、

「洒落のひとつも分るようになってもらいたい、というておるでの」

「これこれ、江戸の敵《かたき》を惚気《のろけ》で討つ法はないだろう」

「ま、待ちなさい」

門番の一人は、盤を前に、腕を組んで考えこんだ。

二

日暮れから、霧のような雨が降りだした。駕籠《かご》が一梃《ちょう》、本芝《ほんしば》の通りを西へ来て、三丁目海側に佐野屋と軒行燈《のきあんどん》を出してある宿屋の前で止まると、中から一人の武士が出て、

「許せ」と宿へ入った。

「へい、いらっしゃいませ」

「百三九馬《ももいさくま》と申される仁が宿を取っておらるるはずだが、拙者は福島伝蔵」

「へい、先程からお待ちかねでございます、どうぞお上りなされませ」

「許せ」

「御案内を申せ」

婢《おんな》が礼をして先に立つ、福島伝蔵は大剣を右手に取って、婢のあとから二階へあがった。廊下はずれの部屋、

「もし、お客様がおみえでございます」

「うん」

三九馬の声に、

「御免――」

といって伝蔵は障子をあけた、三九馬は燈火の近くで何やら筆写していたが、伝蔵を見ると急いで席を設けた。

「さ、ずっと」

「御勉強か」

「なに、貴公から借覧した柳子新論、いま少しで写し終る故」

「急がずともよいに」

伝蔵は座を取る、久闊《きゅうかつ》の挨拶《あいさつ》がすむと、三九馬が、

「貴公酒が好きであったな」

「飯をすましたばかりだが、久し振りで一盞《いっさん》くむかな」

「おれは相変らずいかぬが」

三九馬は手を拍《う》って、

「貴公の飲むのを見ていると愉快になる、近頃も旺《さか》んにやるか」

「うんやる」

うなずいて伝蔵が、微笑しながら、

「おれの酒も酒だが、貴公の剣も相当やるではないか」

「聞いたか」

「聞いた、碓氷《うすい》で五人、三人は即死ということで、実は驚いた」

「五人――？」

三九馬はいぶかしげに、

「おれのやったのは三人だが――」

「陣屋に行田《ゆきた》に渡辺が即死よ、又兵衛と荒木重吉が重傷というではないか」

「陣屋は斬ったが、行田鞍馬《くらま》と渡辺壮助は知らんぞ、碓氷でやられていたのか」

「そういう話だが」

「妙だな、それはおれではない」

「陣屋の弟源四郎な、あれと、鞍馬の妹に小菊というのがいたろう、あの娘とそれから渡辺の弟貞之助、この三人が貴公を仇《かたき》と狙《ねら》って、国許《くにもと》を出たそうだ」

「弱ったな」

やって来た婢に、酒と肴《さかな》を命じてから、三九馬は苦笑して、

「斬りもせぬ者に仇と狙われてはかなわぬが、といったところで、おれの申訳を信じもしまいしなあ」

「事のついでだ、仇討万事引受け処と、看板を掲げるも面白かろう」

「しかし、鞍馬の妹がのう」

「国許にいる時分、この伝蔵、小菊に惚《ほ》れてなあ、ははは」

「良い娘だった――」

酒肴《しゅこう》が運ばれて来た。

「うん、それから」

伝蔵は盃《さかずき》を持つと、婢の去るのを待って、

「物頭の死んだのを知っておるか」

「主膳が――」

三九馬ははっと面をあげた。

「国老からお咎《とが》めを受けて切腹したそうだ」

「――――」

「それと前後して、中村源次郎に桃井久馬、菅屋十郎太と甲斐又兵衛が脱藩した」

「脱藩か」

正念寺で偶然会った一行のことを思い浮かべながら、三九馬は、漸《ようや》く身辺に迫って来る、ぶきみな足音を感じた。

三

「ところで――」伝蔵は盃をおいて、

「貴公の出府は？」

「実は、国老から吉田玄蕃殿への託命で来たのだが、江戸表では、改革派の連中は騒いではおらぬか」

「御家老がしっかり殿を押えておるので、いまだ表立って騒ぎもせぬが、兎《と》に角《かく》もうひと波きそうだのう」

「殿は大丈夫か」
「今のところは大丈夫だが、何しろ体も気も弱いお方だからのう、それに——知っておるかもしれぬが少将様のう」
「うん」
「近頃まるで邸へ入りびたりだ」
「やりにくかろう」
「癇癖《かんぺき》が売物だから始末にいかん、こちらの方からもひと荒れありそうに思われる」
「そこから始まるな」
三九馬はうなずいて、
「で——貴公に頼みたいのだが、玄蕃殿に手引して会えるよう計らってくれぬか」
「心得た、明日にでも」
「その上で、おれも何とか身の振方をつけねばならぬが」
「迂闊《うかつ》に動いてはならぬぞ」
伝蔵は声を低めて、
「貴公は碓氷の事で追捕《ついぶ》を命ぜられているのだ、邸の廻《まわ》りへ近づいてはいかんな」
「そう思うが」

三九馬は暗然と、

「お家の変革を前に、ひと働きする積りで出て来たのだから、安閑と町住居《ずまい》をしておるのも苦痛だ」

「それについて話すことがある」

伝蔵は膝を正した。

「話しとは――？」

「貴公、こんどの事が、どこまで深く糸をひいているか知っておるか」

「というと？」

「玄蕃殿が山県大弐先生を殿の賓師に招こうと計られておる事、金山を試掘しておらるる事、黜陟《ちゅっちょく》を厳にして藩政を固めらるる事、何に由来しているか、申すまでもなく山県先生の経綸《けいりん》に俟《ま》つのだが」

「うん」

「根本はいま少し凄《すご》いぞ」

伝蔵は言葉を切って、しばらく三九馬の眼をみつめていたが、

「のう百！」と力のこもった声で続ける、

「貴公も柳子新論を読んだなら山県先生の思想がどうであるか分っているはずだ」

「うん」

「尊王倒幕！」

と伝蔵は切って、

「先生は学者として、これを口に唱えられるだけではない！」

「と申すと」

「実行だ、兵をあげるのだ」

「――」

「国体の非違を正して、建武中興を再びするのだ、知る通り織田家は信長公以来、朝廷に忠勤篤《あつ》い家柄だ、山県先生の事に参画して、王政復古の旗をあげるもの、先《ま》ず織田と指を屈すべきではないか」

三九馬の眼が光を増した。

「家中の紛糾、改革派云々《うんぬん》の事など取るに足らぬ業だ、三九馬！　一働きすべしとは思わぬか」

「うん、考えてみよう」

三九馬はうなずいて、

「お家の内紛についても、おれはおれなりの考えがある、先ず御家老に会った上で」

「よかろう」

伝蔵は大きく首肯し、

「もとより御家老も御同心のことだ、貴公が加われば、同志百人にまさる味方だぞ」

「煽《おだ》てではいかぬ」

三九馬は笑いながら酒徳利《さかどくり》を取上げた。

「さ、いま一盞」

四

同じ夜——。

織田美濃守邸、構内にあるひと棟、家老吉田玄蕃の家の書斎では、玄蕃を中に、三人の勘定方役人が集まって、机を並べ、算盤《そろばん》と筆と帳と、燈《ひ》をかき立てながら仕切を急いでいた。

玄蕃は肥《ふと》り肉《じし》の体に、黒っぽい綿服、紬《つむぎ》の袴《はかま》という質素な身なりで、半白になった髪を小さく結び、時々低く嗽《せき》をした。

「山屋よりの書出しは、如何《いか》が仕《つかまつ》りましょう」

「こちらへ」

玄蕃は帳を繰りながら、片手を出して、ひと綴《つづ》りの書類を受取り、「守屋《もりや》」と傍《かたわら》へ振返った。

「は」

「御台所《みだいどころ》の御用の締《しめ》は幾らになっておるな」

「前月の分でございますか」

「見よう」

守屋健吉の差出す帳を受取って、前へ繰り、後をひろげていたが、自分の帳へ何やら書込んで、

「去年の入費に比べると二百両近くも節約になっているぞ、狭間《はざま》」

「は」

「まだ出来ぬか」

「ただ今」

狭間助二郎は、筆を口にくわえて、算盤をはじき始めた。

「宮田将監《しょうげん》の江戸入りは明後日であったのう、西村」

「左様承わりました」

「将監殿、来て見て、さぞ」

　いいかけて、玄蕃は筆を朱に替えた。

「驚くであろうよ」

「やはり？」

　守屋健吉が顔をあげて、

「宮田様の江戸入りは、勘定方改めという、お役目にございますか」

「云《い》わんでもの事じゃ」

　朱筆を帳の表に加えながら、

「玄蕃を陥《おとしい》れる手じゃ、記帳仕切に穴を探し出して、政治向き不始末と、首の根を取って押える算段に相違ない」

「終りました」

　狭間助二郎が綴冊《ていさつ》を差出す。

「うん」

　玄蕃は受取って、

「御苦労。西村はまだか」

「は、いま暫《しばら》く」

「御勘定方を、家老が兼ねる、なるほど一概に之をいえば変則じゃ、しかし、そうせねばならぬ場合もあるのう」

玄蕃はゆっくりという。

「かように、お家の事が、一時に紛糾して参った時期に、愚物の勘定方などを頼んでおられるか、ましては少将様と申す難物がおる、迂闊にしておれば、どうかき廻されるか知れたものではない」

狭間はすり寄って来て、玄蕃の前にある燭台《しょくだい》の蠟燭《ろうそく》の芯《しん》をきった。

「誰かおるか」

玄蕃が呼んだ。

「茶を持って参れ」

「は」

襖《ふすま》の向うで答える声がした。

「守屋」

「は」

「物産検所の書出しを読み上げてくれぬか」

「は」

「狭間はこの分を見てくれ」

「は」

狭間助二郎は、玄蕃の渡す綴冊を取り上げた。雨の音はないが、静かに雨だれのするのが、聞こえて来た。

「申上げます」

五

襖をあけて若侍が平伏した。

「うん」

「梅叟《ばいそう》様がおいでにござります」

「御用中なれば失礼仕ると申せ」

「は！」

若侍はさがって行ったが、直に戻って来た。

「何だ」

「お国もとの事につき、至急お耳に入れたきことがござりまするそうにて、是非——

と」

玄蕃は眉《まゆ》を寄せたが、

「よい、通せ」

といってから、

「守屋――」

と振返り、

「構わぬ、読み上げを続けてくれ」

「は」

再び読み合せが始められた。

四半刻《しはんとき》あまり続いて、漸くそれが終ると、三名に改めて茶と菓子を運ばせ、

「では、今宵《こよい》はこれまで」

と云って座を立った。

客間へ来ると、崇福寺の僧梅叟が、これが吉田邸のならわしである、敷物もなく茶も運ばれず、ぽつねんと座っていた。

「無礼仕った」

「や、これは」

玄蕃を見ると、座をすべって、

「夜中押かけて、恐縮に存じまする」

「いや」

玄蕃は座につくなり、

「して、お話しの趣は？」

「は、それでござるが――」

梅叟は、いきなりきり出されて、ちょっと出端《でばな》をくじかれたか、空嗽《からせき》をして、

「実は、国老の御身上につきまして、な」

「どういう？」

「御存知あるやも知れませぬが、国許に於《おい》て改革派と唱うる若者共、この頃しきりに事を構えて、ともすれば国老のお命をも狙いかねまじき様子――」

「うん」

「もし左様な間違いが出来たあかつきは、公儀に聞えて――」

「いや」

玄蕃が制して、

「要点だけを伺うと致そう、で――つまりそれについてどうせいと云われるのか」

「は」

　玄蕃のぶっきら棒は常のことで、梅叟も多少は馴《な》れていたが、今宵の態度はいつもより少し厳しいので、いささか梅叟の舌も渋って来た。

「かようの事、拙僧などが口に申上ぐべき筋でないこと、よく存じておりまするが、実は国もとにおいて、主馬様のお話しを承わり、その節――」

「いや、左様なことはいずれでもよろしゅうござる、要点を承わりたい、要点を」

「要するに」

　梅叟が膝をすすめて、

「事を未然に防ぐ法として、この際一度、国老に職を退《ひ》かれるよう、お願い申し」

「待たれい」

「いや、お聞き下さい」

「待たれい」

　慌《あわ》ててあとを続けようとする梅叟、玄蕃はきっぱりこれを抑えて、

「崇福寺殿、改めて申上ぐるまでもござるまいが、御政治向きについて、とかくの評判を申されるは曲事《まがごと》でござるぞ」

「さ、それは前もって」

「よろしゅうござる、玄蕃聞かぬことに仕る、以後再び左様な事を口にされまいぞ、御用多ければこれにて――」

立とうとするのを、

「ま、しばらく」梅叟はあわてて押えた。

六

「まだ何か御用か」

振返った玄蕃の眼はきつかった、梅叟はつと膝をすすめて、

「お叱《しか》りを押して申上げたき事、国老頼母様お身の上について、いまひとつお耳に入れ申さねばならぬ儀がござります」

「申されい」

「頼母様、頃日《けいじつ》御病気勝ちのこと、御承知と存じまするが」

「――」

「その病気については、毒害があるといううわさが専《もっぱ》らひろまっておりまする」

玄蕃はさすがにぎくっとしたが、直に低く笑ってうち消し、

「つまらぬうわさじゃ、国老を毒害いたして何とする、若輩共いかに迷妄《めいもう》なりとて、そこまで是非の差別を知らぬはずもあるまい、もし己等の意見を通す為《ため》に、誰かを除かんとするなれば、国老はおいて、先ずこの玄蕃の首をねらうべきではないか、崇福寺殿――」

「如何にも、それでござるよ」梅叟はうなずいて、

「頼母様について申上ぐると同時に、拙僧の思按《しあん》としては、同じことを御家老にも申上げとうございます」

「聞こう」

「お聞き及びかも知れませぬが、お国許において、若手の人々六七人が脱藩仕りました」

「うん」

「多くは改革派の一味、目的は江戸へ参って御家老を狙うと――たしかに拙僧聞いておりまする」

「それで――?」

「御政治向きについて申すのではなく、御家老並びに頼母様御一身の危きを未然に防ぐため、逼迫《ひっぱく》せる藩の勢いを撓《たわ》めるため、ここで一時老職を退かれ」

「同じこと同じこと」

玄蕃は冷やかに、

「例えどのように憎まれ、讒誣《ざんぶ》波瀾《はらん》の如《ごと》くあろうとも、いま暫くは玄蕃、お家になくてならぬ人間なのだ、いま暫くはのう」

「しかし世評如何ありましょうか」

「くどい」

「それに宮田将監様江戸入りも」

「もう分った」

玄蕃は大声に、

「誰ぞおるか」

「は！」

「崇福寺殿お帰りじゃ」

襖があいて、若侍が平伏した。梅叟は暫く玄蕃の横顔をみつめていたが、

「では、これにて――」

「無礼仕った」

「いずれ近々、いま一度お眼にかかった上にて、改めて」

「――」

玄蕃は無言で、会釈《えしゃく》するとそのまま、さっさと居間の方へ立去った。

梅叟は座を立つと、立去って行く、玄蕃の後姿へ鋭い一瞥《いちべつ》をくれながら舌打ちをした。

「この頃ぐんと我慢になりおった」

と口の内で呟《つぶや》く、

「だが、今にみておれよ、その我慢の鼻柱みごと打ちくじいて進ぜるで、その折梅叟の面《つら》を見直すがよかろう」

梅叟は静かに笑いながら、玄関へと出て行った。外はけぶる雨――。

七

――おまえの袖《そで》と
　わしの袖
　ふたつ合せて四つの袖

隣りで唄《うた》う声が、酔っているのであろう、襖ひと重のこちらへびんびんと響いて来る。

「やかましいな」

桃井久馬は、つつましく箸《はし》を運んでいるお房を、労《いた》わるように呟く。

「これでは宿屋か料理茶屋か分らぬではないか、江戸では田舎から出た者を、在郷者と申して卑《いやし》めるとか聞いたが、江戸者の方が礼を知らぬ野人だ」

——露路の細道

こま下駄《げた》で

久馬は自分で、盃へ酒を満たした。

品川八ツ山下の宿、木賀《きが》屋の下座敷、久馬はお房を連れて二人、今しがた着いたところである。

もともと久馬は、中村、菅屋、甲斐達と一緒に行動する積りはなかった。自分が足軽から成り上ったという事実は、どんなに剣や学問について自信があっても、やはり同輩に対してひけ目を感じなければならぬ。大体かれは今度の事件では、自分から進んで何事をしようと思ったのでもない、すべて自分をひき立ててくれた青山主膳の為に、いわば巻添えを食ったも同様であったのだ。

元来久馬は、自分の立身の為以外には、大抵の事は知らぬ顔ですます事の出来る男で、主膳のお蔭《かげ》で武士にはなったものの、その義理で碓氷の事が起った時は、つまらぬ目に会うぞと思う外には何とも感じなかった。ところが続いて起った変事、主膳の自決に次《つい》で三名と共に脱藩、江戸へ出ることになった時は、

「しめたぞ、好機到来！」

と独り案を打ったのである。

江戸へ出て、国許に於ける改革派を代表して、江戸邸の同志と往来する、これだけでもはや出世の蔓《つる》をつかんだも同じことである。江戸の同志にならば、小者《こもの》あがりというひけ目も感ずるには及ばぬし、誰に遠慮もなく充分に腕を見せて、自分の地位を確実にすることも出来る。

「ここでひと踏張り！」

勇躍して国を立ったのであった。さればこそ、久馬には病臥《びょうが》の又兵衛もなく、中村、菅屋の二人もないのだ。

足を腐らせた又兵衛に何が出来る、源次郎、十郎太の二人、また高の知れた男だ、こんな連中にいつまで掛かり合っていることがあろう、一日も早く江戸へ出て、好機を握るに如《し》かず、と、夙《はや》くより心に決していた。

それともう一つ、正念寺で紙屋の娘お房を助けた時、久馬の胸中には既に、

「こいつ、うまいぞ」

と、早くも一計うまれていた。山家《やまが》住いを嫌って江戸の華やかな生活にあこがれる娘、気も盛んに器量も美しい、これを上手に使ったら、——と、こうして江戸まで連れて来たのである。

——わしを殺して

あいつを入れて

炬燵《こたつ》やぐらに酒徳利——

「ええ、いつまで騒ぐのだ」

久馬は盃を呷《あお》った。日頃、とんと嗜《たしな》まぬのだが、今宵は飲まねばならぬ酒である。

「もうおしまいか」

「はい」お房は飯茶碗《ぢゃわん》をおいて、

「御馳走《ごちそう》さまでございました」

「充分にあがられたか」

「沢山頂戴《ちょうだい》いたしました、お酌《しゃく》をいたしましょう——」

お房は膝《ひざ》をすすめた。

「かたじけない、頂こう」

「あ、もう少のうございましたこと」

「もう一本呼ぼうかの」

久馬は手を拍《う》った。

八

「お隣がやかましゅうござりましょう、どうぞ御辛抱下さりませ」

酒を運んで来た婢《おんな》と共に、番頭とみえる男が愛想を云った。

「もうどちら様へも御迷惑でございますが、大山《おおやま》講の定客様で、へい、戻りのお祝いをなさっての騒ぎ、いえもう直《す》ぐにお帰りでございますから、どうぞ御勘弁を」

「よいよい」

久馬は大様にうなずいて、

「こちらも酒だから、隣の唄を聞いておるのもまた一興じゃ」

「申し訳ござりませぬ、どうぞごゆるりと」

酒肴を置いて婢と去る。

隣ではどうやら踊りだしたらしく、だみ声と、手拍子と、足音とが、わっわっと入乱れて、部屋をゆするありさまだった。

「まあ、ひどうございますねえ」

「大山講と申したが、恐らく町人下司《げす》の輩《やから》であろう」

盃をほして、

「そこ許《もと》も一盞《いっさん》合をせぬか」

「はい」

お房はあっさり受けて、

「恐れ入りまする」

「ほう」

娘がきれいにあけて返すのを、久馬は好ましげに見やりながら、

「みごとではないか」

「まあ厭《いや》でございます、家におりました時分、お客様のお相手で、無理に馴らされてしまいました」

「さては」

お房の酌を受けながら、

「厭な酒を飲み馴れる程、気に入った男がいるとみえるな」

「ま、お人の悪い」

お房は軽くにらんで、

「そんなにおっしゃるなら、もうお合を致しませぬ」

「や、赤《あこ》うなったぞ」

「憎い口」

久馬の膝を打つ、お房の手をぐっと握って、

「憎いとは拙者の方で申すこと、この可愛《かわい》い娘に酒を飲み馴らせた男め、存じていたら唯《ただ》はおくまいに」

「もうもう存じませぬ」

「なかなか存ぜぬと云う顔ではないぞ、どれ――こちらを向いて見せい」

「こうでございますか」

お房はぐっと、久馬の顔を見た。

「ほほう、書いてあるぞ」

「何でございます」

「練絹《ねりぎぬ》のような可愛い頬に、ありありと男の名が書いてあるぞ」

「おや」

お房は身を乗り出して、

「それは知りとうございますこと、何と書いてありましょう」

握られた手を拒みもせぬ、酒も飲む。道中ずっと頼りきった娘の容子《ようす》にも、充分に自信をもつことが出来た久馬、既に疾《と》くからお房の心は自分にありと思っていたので、漸《よう》やく酔いにほぐれて来た軽い気持に誘われて、

「読んでみるか」

と眼を近づけて、

「ええと――上は何やらかすれているが、下の一字は馬とある」

「ま！」

お房はぎくっとして、一時に血が顔へあがるように思った。

三九馬さま！

「どうだ、思い当らぬか」

さっと赤くなるお房の顔を、久馬は快げに見やりながら、もう間違いなし！　と心の内に呟いた。

九

強くなった雨の音が、狂うばかりの頭へ、しみ込むように聞こえて来た。

「どうしよう」

お房は夜具の襟《えり》を、破れよと噛《か》みしめながら、はちきれそうな胸をひしと抱きしめた。

油断であった！

正念寺で助けられて以来、久馬にそんな野心があろうなどとは、いささかも気づかなかったが、今にして思えば、ひとつひとつ思い当ることばかりである。

ただ一筋に百三九馬の俤《おもかげ》を追っていたお房、江戸へ出て、三九馬様をたずね当てて――と、それだけを思いつめていたお房には、桃井久馬の親切を疑ってみるゆとりがなかったのだ。

「早いなあ、もう空が白んでいるぞ」

ぬけぬけと、何事があったかという顔で呟きながら男が戻って来た。

「どうした」

お房が夜着を額までひきあげ、身動きもせぬのを見ると、久馬は声をやわらげて、

「案ずるでないぞ」

と枕元《まくらもと》へすり寄った。

「かくなる上は、即《すなわ》ち、そちは久馬の妻となったのだ、久馬は今こそ浪々の身だが、ひと仕事済ませば江戸邸で、三百石、五百石は思いのままだ」

お房は、久馬の声を聞くさえ汚《けが》らわしく、夜着の中で耳をふさいでいた。

「田舎宿の娘から、五百石取の武士の妻、なかなかの出世ではないか、多くの若党下婢《かひ》に、奥様とかしずかれて」

お房の啜《すす》り泣く声が、久馬の言葉をさえぎった、久馬は苦笑しながら、

「よいよい、泣かぬでもよい」

夜着の襟に手をかけたが、お房は潔癖にそれを払いのけて身をずらした。久馬は独りうなずいて、そっと自分の寝床へと戻った。

恥ずかしいのであろう、泣くだけ泣けば、あとはさっぱりと気が晴れるに相違ない。

「つまらぬ心配はせぬがよいぞ、久馬は武士だ、そちに泣きをみせるような男ではない、必ず家の妻にする、よいか」

「――」

「よい程に眠るがいいぞ」

そういうと、床へ入った久馬は、間もなく快さそうに再び寝入ってしまった。

お房は、両の手でひしと胸を抱き、かたく唇を嚙みしめながら、

「どうして、この恨みを！」

と身もだえした。

五百石の武士が何であろう、奥様とかしずかれるのが何であろう、国にいる頃、江戸へ出ようと思う心の底には、なるほど、そういう生活を望んだこともあった。しかし一度、三九馬に会ってからは、そんな事は煙のように消え、

「このお方に一生を！」

と思う外には、どんなことも望みはしなかったのだ。それを、こんな、獣のような男に、もうどうして三九馬さまに顔が合されようぞ。

雨の音は、嘲《あざけ》るように、寒々と春の夜明けを降りしきっていた。

十

もの憂《う》い朝、そして疲れ果てた心――。

「起きぬか」

強い声を耳元に聞いて、お房は泥沼《どろぬま》のような眠りの中から醒《さ》めた。

「起きて手洗を使ったらどうだ、拙者はとうに海辺を歩いて来た、腹がへってならぬ」

「はい」

男のきつい眼と、言葉の荒い調子に、お房はぐいと圧《お》しひしがれる弱さを感じながら、静かに起き直った。

「もう一刻《いっとき》ばかりすると客がある、拙者にとっては大切な客だから、身仕舞を丹念にして、粗忽《そこつ》なきよう振る舞わねばならぬぞ」

「はい」

「今までと違って、今日からは桃井久馬の妻も同様の身分、田舎宿の娘の気でいては困る、分ったか」

「はい」

「早く着換えをして」

ともすればこぼれ落ちようとする涙、噛み殺すようにして着換えをすまし、外へ出ようとすると後から、

「手拭《てぬぐい》を持たぬか」と棘《とげ》のある声がした。

一度そういうことがあれば、それで女は身動きが出来なくなる。そういうことは、かねて耳にしていた、そんなばかな事が——、とお房はわらっていたのに。

さて、自分の身上になってみると、その言葉の動かし難い力を、こんなにも強く感じなければならないのだ。

——この恨みをどうして！

眠りも出来ず、明け方まで、狂人のように思いつめていた、怒りも呪《のろ》いも——朝になって、男の眼を見、声を聞いたとたんに、まるで幻のようにお房の心から消えてしまった。

もうすっかり安心しきって、昨日までせっせと御機嫌をとっていた態度ががらりと変り、見る眼も言葉にも、ずけずけと不遠慮になった男の態度をみると、胸の奥ではさすがに憤《いきどお》りを感じたが、どうした事か、それを反撥《はんぱつ》してゆくだけの心の張りが無くなっていた。

「遅いではないか」

洗面から戻って来ると、久馬は膳拵《ぜんごしら》えのすんだ前に座っていた。

「すみませぬ」

「飯《めし》をつけてくれ、腹がへって眼がくらみそうだ」

「はい」

お房はうつむいて、久馬の顔を見ないように努めながら給仕にかかった。

飯々と、武士のようにもない、なんという下品な人であろう。

三九馬さまなら――と思った。

「お前も一緒に始めたらどうだ」

「はい、わたしは後に」

「言葉に気をつけなくてはいかんな、わたしなどということはいわないで、わたくしと申せ、武士の妻たる者は――」

お房はあとを聞きたくなかった。武士々々といっても、弱い女を力ずくで我が物にするような男に、武士の体面があるであろうか。

「客があるから一緒にせいというのだ、ぐずぐずする間に客が来たらどうする」

「頂きたくございません故《ゆえ》」

「それなら、そうと申せばよいに、もう少しはきはきせぬと、笑われるぞ」

「気をつけまする」

「飯だ！」

久馬は愉快に食った。生れて以来、こんなに愉快に飯を食ったことはない、足軽時代から小身者に成り上ってこの方、いつもいつも四辺《あたり》に気兼ねをして、一杯の汁も遠慮をせずに咽喉《のど》へ通したことはなかった。ところで今は――今は彼が主人である。眼の前にいるこの美しい女は、久馬が焼こうと煮ようと思いのままである、彼は支配することが出来るのだ。

「お前、美しいぞ！」

久馬は微笑しながら云った。

十一

「お客様がおみえでございます」

久馬が飯を終って、茶を啜っているところへ、宿の婢が知らせて来た。

「や、それは早い」

久馬は慌《あわ》てて茶をおき、

「直に御案内申せ」

「はい」

「あ、待て待て」

久馬は口早に、

「この部屋ではちとむさ苦しいが、ほかに客を招くような部屋は空いておらぬか」

「ちょっときいて参りましょう」

「そうしてくれ、早くして貰《もら》いたい、茶代ははずむからと申しての」

「はい」

婢は薄笑いをしながら退《さが》った。

田舎宿でもそんなことを云う客は笑われる、まして江戸の宿で——お房は、いやが上にも久馬がうとましく思われて来た。

婢が引返して来て、

「では、あちらへ御上げ致しましたから、どうぞ」

「かたじけない」

久馬は立って、

「後に迎えをよこすから、その時はすぐ来るように、分ったか」

お房にいって部屋を出た。

一間の本床に地袋をつけた違棚《ちがいだな》のある十畳あまりの立派な部屋、別棟になっているので、泊客の為の部屋ではないらしい。久馬が入って行くと、色の浅黒い細面《ほそおもて》の武士が一人、床間を背に端座していた。

年は四十前後であろうか、なで肩で、眉が濃く、唇の薄い眼の犀利《さいり》な、見るからに冷厳な感じのする男だった。ひと目みた刹那《せつな》、久馬は心の内で、

これはひと仕事する奴だぞ！　と思った。

「これは、御遠路のところ」

久馬が両手をつくのを、じろり見て、

「挨拶《あいさつ》はぬき、拙者松原郡太夫じゃ」

「恐れ入りまする、書面を以《もっ》て申上げました如く、私は国許におりました時分、御槍《おやり》組《ぐみ》に仕えました桃井久馬にござります」

「前以て、主膳殿より便りがあった故、待ちかねていた、他の三名は？」

「途上ちと支障ござりまして、私一人先へ推参仕りました」

「ふむ」

郡太夫はうなずきながら、じっと久馬の面を見まもった。

青山主膳の書面には、明かに桃井久馬こそものの役に立つべき奴と書いてあったし、足軽の出であるということが郡太夫には気に入っていたのである。今現に会ってみる

と、足軽という前身にはひけ目を感じている様子もなく、江戸邸用人という重い格式をもった自分に対して、大胆に振舞う態度。

なるほど、こいつ使えるかも知れぬぞ！

という気持がはっきりして来た。

「まて、初めにたずねるが」

郡太夫は、ひどく特色のある女のような細い声で言った。

「は！」

「江戸へ参って、我等と共に事を行なうに当って、成就《じょうじゅ》の暁には何か望みがあるであろう。口では美しくいうが、人間にはそれぞれ欲《よく》がある、それ故に生命《いのち》を賭《か》けた仕事もするのだ、そうではないか」

久馬、さすがに虚を衝《つ》かれた。

「改革派の主義は主義、お家建直しも建直しだが、それは旗幟《きし》であって、動く本原はみな人々が己の望むところと、周囲の状態とを合致させんが為のものに過ぎぬ、申してみい、事成就の上は何が望みだ」

「申上げまする」久馬は微笑しながら、

「私、納戸《なんど》役《やく》を所望にございます」

「ふむ――」

郡太夫は狡《ずる》くうなずき、

「そちも用人職が望みだな、しかし器量によるぞ」

「お試し下さい」

久馬は更に大胆になった。

十二

「よかろう」

やがて郡太夫はうなずいて、

「二三日内、改めて会おう、その折必要な人物にもひきあわせをするとしよう」

「それにつきまして」

久馬は声を低め、

「江戸にお人も多うございましょうが、拙者ひとつ土産を持参仕りました」

「土産――？」

郡太夫は、静かに笑《えみ》を含んでいる久馬を見ると、興を覚えたらしく、

「それは見たいのう」

「唯今」

久馬は一礼して座をすべり出たが、待つ程もなくお房を連れて現れた。

「この者にございます」

「ふむ」

郡太夫は、障子際《ぎわ》に座って平伏するお房の、みずみずしい容貌《ようぼう》、艶《つや》やかな体の線を、刺すような眼でみつめていたが、

「ふむ！」

と久馬にうなずいた。

「松原様と申上げる、拙者のお世話になる方だ、御挨拶申せ」

「はい」

お房は、ちらと眼をあげたが郡太夫の鋭い眸子《ひとみ》に会うと、身がすくむように思われて、はっとうつむいたまま低く、

「房と申します、何分よろしく」

「ふむ」

郡太夫の眼は既に宙を走っていた、胸中はやくも成算するところあるらしく、薄い

唇はかすかにゆがんで、何か歯の内に呟いている様子だった。

「退ってよいぞ」

久馬の言葉を聞くより、お房は罠《わな》をのがれる獣のように、部屋をすさり出て行った。

「如何《いかが》にござります」

「左様」

郡太夫はおもむろに、

「土産という意味が、どこまでをいうか未《いま》だ分らぬが、実は一人欲しい折であった、素性は——？」

「田舎宿の娘でござりますが、みめかたちは御覧の如く、頭も相応に使えるやつかと存じます」

「久馬がそう申すなら間違いはあるまい」

郡太夫は遠慮もなく相手を呼びすてて、更に無作法な調子になる、

「で、郡太夫にくれるか」

「と申すと？」

「側女《そばめ》にしたら、どうする」

「それはいけませぬ」

久馬は苦笑しながら、

「最早《もはや》、私の妻も同様に――」

「ふむ」郡太夫は、心中少なからず驚かされた。

「そう致しませぬと、とかく、女は使いにくうござりますで」

「やるのう」

郡太夫は薄ら笑いをもらして、

「よいよい、そこまで分っておれば申す事はない、いずれ改めて使い道を定めると致そう」

「お役に立てば重畳《ちょうじょう》に存じます」

「では――」

懐中から帛紗包《ふくさづつみ》を取出して、郡太夫は、

「今日はこれで帰るが、宿住まいは悪い、明日にでもこちらから居を定めて知らせるで、当分そこにいるがよかろう」

「は！」

「これは当座の入用じゃ」

「いや」

久馬は帛紗包には手も触れず、

「半年一年の入費は用意がございます。これはどうぞ御無用に」

「――」

郡太夫はじっと久馬を見た。使えるぞ！　という気持が、強く感じられたのである。

心ごころ

一

西両国の水茶屋に灯《ひ》が入った。

黄昏《たそがれ》の色を含んで、とろりとぬるむ大川の水《み》の面《も》を、北へ急ぐのは蕩児《とうじ》の舟であろう、広小路《ひろこうじ》の掛小屋も木戸を打って、まだそぞろ歩きの人出には早く一刻《とき》の間のひっそりとした盛り場に、つばくろの飛ぶのが侘《わび》しい景色である――。

駕籠《かご》が二梃《ちょう》、本柳橋を渡って来て、舟入堀《ふねいりぼり》を前にした柳屋という料理茶屋の軒先で停《と》まった。

「お宣様《せんさま》――」

駕籠屋がいって、垂《たれ》をあげる、先のから出たのは八千緒、あとのからは山県大弐。

「いらっしゃいませ」

茶屋の女が迎える、賑《にぎ》やかな声に、二人が中へ入ろうとした時。

表を通りかかった侍が二人、

「あっ」

と一人が足を止めて、

「三九馬の妹ではないか」

「うん!」

連れの男も、さっと眼《め》を光らせて見送る、その間に、大弐と八千緒は上へあがってしまった。

絃歌《げんか》の聞える部屋の前を通って、二階の奥まった一室、女が先に立って襖《ふすま》をあけると、吉田玄蕃《げんば》が一人、

「これは、ようこそ」

座を下りて迎えた。

「お待たせ申した」

「さ！」

八千緒は、大弐の後から、つつましく下座に座る。

「早速ながら」

大弐は八千緒へ振向いて、

「かねて申上げて置いた、こちらがお国許の、八千緒と申される——」

「いや、数々の御配慮」

玄蕃は目礼して、

「先生をお煩《わずら》わせ申して、まことに恐縮でござります。八千緒か」

「はい」

八千緒は両手をついて、

「百三九馬の妹にござります」

「この度は使の役目大儀であったな、わしが吉田玄蕃じゃ、ずっと寄るがよい」

八千緒は膝行《しっこう》する。

「——」

「途中いろいろ難儀をみたそうな、良き勉強であったぞ、お家の事、急をはらむ折柄《おりから》、女とてお役に立たねばならぬ時じゃ、これからはいま一層難儀な仕事を果さねばならぬやも知れぬ。百といえば織田家にとって代々忠勤をぬきんでた家柄じゃ、父武右衛門の諫死《かんし》——覚えておるであろう」

「はい」

「父の名をはずかしめぬよう、よく覚悟せねばならぬぞ」

「はい」

「顔を見せい」

八千緒は静かに面《おもて》をあげた。玄蕃はじっと娘の眼をみつめていたが、二度、三度うなずいて、

「良い眼じゃ、幾つになる」

「十八でございます」

「わしの膝《ひざ》に抱かれて、粗相したことなど覚えてはおるまい」

「はい」

八千緒は頬を染めた。玄蕃は笑って、

「冗談を申した罰として、玄蕃からそなたへ贈り物を進ぜよう」

と立上った。

八千緒は大弐の顔を見る、大弐も解《げ》せぬ面持《おももち》で待っていると、玄蕃は出て行ったが、直に一人の若者を連れて戻って来た。

「あっ！」

八千緒は見るより、

「兄上さま」

「八千緒か！」

玄蕃は、三九馬を押しやって、

「玄蕃が贈り物、気に入ったであろうが」

と笑った。

二

玄蕃と大弐は、用談にことよせて座をはずした。

三九馬はすり寄って、

「よく、無事で――」

というと、さすがに涙が溢《あふ》れて来て、頓《とみ》にはあとが続かなかった。

「お兄さまも御無事で」

「おれは大丈夫だが、世馴《よな》れぬお前が、どうしたかと思うと、おれは、随分案じたぞ、だが、よかったなあ」

「はい」

八千緒は袖《そで》を眼に、

「碓氷《うすい》で、山県先生に助けて頂きまして、秩父路《ちちぶじ》を江戸まで参りましたけれど、お兄さまがどうなったかと思うと、悲しい事ばかり夢に見たり、幻にみたり、本当に――」

「苦労したであろう、おれの未熟さがさせたことだ、勘弁してくれ」

「いえわたくしこそ」

「体は、達者であろうな」

「風邪ひとつひきませぬが、お兄様は碓氷で、お怪我《けが》をなさいませんでした？」

「見くびってはいかん」

三九馬は拳《こぶし》を出して、

「お前の兄貴は小幡《おばた》随一の男だ、五人や八人を相手に傷を受ける程弱法師《よろぼうし》ではないぞ、日頃《ひごろ》かれ等は、一放《いっぽう》流など実地の用をなさんなどといっておったがどうだ――」

云《い》いかけて、三九馬はふっと言葉を切った。甲斐又兵衛《かいまたべえ》を思い出させて、妹に悲しみを与えることを怖《おそ》れたのである。

「つまらぬ自慢は止《や》めにして」調子を変え、

「お前、ずっと山県先生の許にいたのか」

「はい」

「不自由であったろう」

「いえ、みな様が親身になってお世話くださいますので、本当に勿体《もったい》ない位でございました」

八千緒は兄の眼を見上げて、

「わたくしただ一つ、お兄様に伺いたいことがございますけれど」

「何だ」

「あの――」

と面を伏せて、

「碓氷の時、甲斐様は――」

「――」

「如何なさいましたでしょう」

「それを聞いてどうする」

「伺えば、それで気が済みまする、どうぞ本当のことを」

「斬《き》った」

「――」

八千緒の唇が、わなわなとふるえた。三九馬は静かに、

「斬ったが、死にはしなかった。真《まこと》の気持を話そう、八千緒、あの時おれは又兵衛を傷つけまいと、随分あいつを避けたのだが、外の者と違って、お家の為にも斬るには惜しい男だ、しかし又兵衛は逸《はや》っていた、避け切れなくなった、仕方がない――高腿《たかもも》を一刀」

「あ――」

「その時おれは、二の太刀を斬り込もうとしていたが、ふと、お前を考えたのだ」

「――」

「おれは心にかくしておくのがいやだから、何も彼《か》も話してしまうが、又兵衛を斬らなかったのは、お前という者を考えたからだ」

八千緒は袂《たもと》で面をおおった。

「おれはお前に、又兵衛のことは諦《あきら》めろ、何度もそういった。しかし、お前はたった

一人のおれの妹だ、お前の気持がどうあるか、分らぬような三九馬ではない、おれは斬らなかった、同時にこれからお前にも、もう又兵衛を諦めろとはいいはしない、八千緒」

「はい」

「おれは、お前がどんな事をしても、叱《しか》ったことはないはずだ」

「――」

「これからも、叱らぬぞ！」

大川を遡航《そこう》する蕩児の舟が、絃歌なまめかしく過ぎるのが聞こえて来る。

三

「御免下さりませ」女が障子をあけて、

「あちらに用意が出来ました故、どうぞおいで下さいましと仰《おお》せられますが」

「そうか」三九馬はうなずいて、

「参ろう」

と八千緒を促した。

「案内頼むぞ」

「どうぞこちらへ」

女が先に立つ、廊下を右へ、はずれの部屋に大弐と玄蕃が、酒肴《しゅこう》を前に待っていた。

「さ、遠慮なくそれへ」

「八千緒も寄って」

兄妹が座を取ると、

「先《ま》ず先生から」

玄蕃が女に酌《しゃく》を命じた。大弐から、盃《さかずき》は玄蕃へ、それから三九馬へ来たが、三九馬は押えて、

「拙者はなりませぬ」

「ま、よい」

玄蕃が、

「兄妹が久方振りの対面じゃ、一盞《いっさん》あけて八千緒にもやるがよい」

「しかし、本当にいけませぬので」

「ほう飲めぬのか」

「とんと、不調法にて」

「おかしな奴じゃな、では真似《まね》だけにせい」

盃を取って、酌の真似だけするのを、唇につけて八千緒に与えた。

「三九馬、八千緒も聞け」

八千緒が盃を唇へ寄せた時、玄蕃が膝を正していう。

「無理に強《し》いたが、その盃、久方振りの対面を祝う意と、もう一つ——実は兄妹が当座の別れという意味もあるのだ」

「は！」

三九馬は玄蕃を見る。玄蕃は女を退《さが》らせて静かにいいだした。

「準備のつき次第、三九馬に大阪表まで出向いてもらわねばならぬ、用向は改めて申聞かせるが、秘中の秘を要する大事な仕事、場合によっては生命を捨てねばならぬやも知れぬ、江戸邸に人物無きではないが、この事ばかりは三九馬を措《お》いて他の者に頼めぬ儀じゃ——承知してくれるであろうな」

「身にかないまする事なれば」

「八千緒」

「はい」

「会わせたばかりで、その兄、また暫《しばら》く玄蕃が借りねばならぬぞ」

「はい」

八千緒は微笑して、

「お役に召されますれば、兄もわたくしも、本望にござります」

「うん」玄蕃はうなずき、

「そう申しても、会《お》うてすぐ別れるはさぞ寂しいであろう、が暫くの辛抱じゃ、辛抱してくれ、のう」

「はい」

「そこで八千緒の体だが」

玄蕃は三九馬に向って、

「ただ今先生ともお話し申し、当分長沢町のお邸において頂くことにした、三九馬も出立までは共に御厄介《やっかい》になるがいい」

「私は宿住まいにても――」

「いやいや、宿では人の出入りで眼がうるさい、そう願うがよいであろう」

「それではお言葉に甘えまして」

「これで話しは先ず区切じゃ、馳走《ちそう》はないが、揃《そろ》って箸《はし》をとるとしよう」

玄蕃は手を拍《う》って女を招いた。

四

本柳橋の袂《きわ》——。

若い武士が二人、それに武家の娘らしいのが一人、さっきから料亭柳屋の店先を窺《うかが》いながら、行ったり来たりしている。

前髪立の若者は渡辺貞之助、もう一人は陣屋源四郎、娘は、——行田鞍馬の妹小菊である。

「落着いて、落着いて」源四郎は、貞之助と小菊に、しいて平気を装いながらいった。

「向うにとっては不意、こちらは待ち構えている、位置からいえば、充分に先を取っているのだから、少しも慌《あわ》てることはない」

「大丈夫です」

「八千緒がいる以上、必ず三九馬もいるに相違ない。ただ、——ひとつの難は、かれ等が駕籠を雇った場合だ」

源四郎は自分の気を鎮《しず》めるように、落着きはらった声で続ける。

「もし駕籠に乗ったら、今宵《こよい》は止《や》めるより致し方がない、よいか貞」

「しかし、ここで逃がしたら」

「後を跟《つ》けるのだ、かれ等の住居をつき止めて、良い機会を待つのだ、焦《あせ》って事を仕損ずると後がむずかしくなる。よいか、今宵は源四郎の云う通りにしてくれ、小菊どのも」

「はい」

小菊は蒼白《あおざ》めた唇を嚙《か》みしめながら、低く答えてうなずいた。

「や見えた」貞之助が上ずった声で、

「三九馬もいる」

「うん」

源四郎はぐいと貞之助の腕をつかんで、橋を南へ渡った。

「落着いて落着いて」

「――」

小菊は袖にかくしていた小太刀を、ぐいっと抱え直す。

「よいか、必ず急いではいかんぞ、手筈《てはず》はかねて定《き》めて置いた通り、小菊どのが先ず三九馬に名乗りかける、これが一番、三九馬がこれに応対する隙《すき》に、貞が八千緒を斬る、必ず三九馬が動乱するに相違ない、これが二番、その虚を取って拙者が出る、分ったな」

「分った」

「小菊どのもよいな」

「はい」

「自信だ、大事なのは、必ず斬れるという自信だ、我々は先を取っているのだぞ、それを忘れずに、落着いて！」

玄蕃と大弐を先に、三九馬と八千緒がつづいて柳屋を出て来た。

「源四郎がよしと云う迄《まで》、どんな事があってもかかってはならぬ、さ！　こっちへ」

三人は暗がりへ避けた。

柳屋を出た四人は、低く話しながら本柳橋を渡って来たが、辻《つじ》駕籠をみつけると、玄蕃がそれを招いた。

「では私はこれにて」

「御老体はのう」

大弐が寛闊《かんかつ》に笑って、

「春暖月もある好夜、河岸《かし》伝いにわれらはひろって参る」

「若衆達はのう」

玄蕃は笑って駕籠へ――。

「ではいずれ後日」

「無礼仕《つかまつ》った、さらば」

三九馬と八千緒が辞儀をするのに答える。駕籠はあがって舟入堀を北へ、飛ぶように去って行った。

大弐と三九馬が並んで、八千緒はひと足後から、大川に添った片側町を、川下へと歩きだした。

「あの舟をみい」

大弐は、川の面《おも》を北へ上る、三五の小舟を見やりながら三九馬に振返った。

「吉原へ、深川へ、酒と歓楽に頭をしびれさせに行く人達の舟だ。一日の稼《かせ》ぎを一夜に蕩尽《とうじん》して、これを泰平と謳歌《おうか》する。大名富豪、競ってこれにならい、一人明日をおもう者なき有様だ、三九馬君これをどう思うか」

水面《みなも》を低く啼《な》いて行く鳥があった。

五

「一人明日を想《おも》う者なし、あれば除かれる、一人国家を憂《うれ》うる士無し、あれば斬られる、学芸は林家之《これ》を壟断《ろうだん》し、新説を述ぶれば即《すなわ》ち罰せらる、財篤《あつ》うすれば没収され、労渇きざれば課役さる。——政府の与うるところは今日、唯《ただ》ここに今日あるのみだ」

大弐の語調は水のように澄む、

「酒戸娼楼《しょうろう》専《もっぱ》ら殷賑《いんしん》し、人みな遊民蕩児たらんとする、何が故であろう、即ち人々の手足撓《たわめ》られるが為《ため》である、出《い》でて積めば簒奪《さんだつ》される、誰が好んで積むか、入って蓄うるもまた強掠《ごうりゃく》される、誰が蓄えるか。無事に如《し》かず、いずれも今日だけに生きる外はない、酒に酔い女に痴《し》れておる外に、鬱《うつ》を散ずる術《すべ》がないのだ」

一橋殿の下邸《しもやしき》を通り過ぎて、三人はいつか、両国橋と新大橋の中間にさしかかっていた。半丁あまり後れて——。

「さ、かかるぞ！」

源四郎が、低く囁《ささや》く。小菊も貞之助も、源四郎に続いて足を早めた。先を行く三人の間近まで来ると、小菊一人がさきへ抜け、二人は塀《へい》へ身を寄せた。

「兄の敵《かたき》！」

小菊が、三歩、三九馬を走りぬけると、ふり返りざま抜いた。

「なに！」

三九馬と大弐が足を止める。

「碓氷で討たれた、行田鞍馬の妹、小菊、勝負！」

「おお小菊どの！」

三九馬は、その刹那《せつな》、ぱっと後へとんで、妹を背後に、抜いた！

小菊が一人で来るはずはない、源四郎と貞之助、三人で国許を出たと聞いていたから、必ず他の二人が近くにいるとみたのだ。

「しまった！」

塀際《へいぎわ》で、源四郎が呻《うめ》く、
三九馬は大弐と八千緒を背にじりじりと塀をうしろへ、位置をかえながら、

「小菊どの待たれい、申す事がある、待たれい！」

「卑怯《ひきょう》！」

小菊は唇をかみしめながら、

「お傍の方に申上げまする、兄の敵を討ちまする者、お手出し下さいまするな！」

「お待ちなさい」

大弐が前へ出る、刹那！

「えい！」

塀伝いにすり寄っていた貞之助が、八千緒へ一刀薙《な》いで来る。

「おっ！」

三九馬が右足を転じて、かっ！　貞之助の剣を払う、同時に飛礫《つぶて》の如《ごと》く源四郎が、刀を構えて体ごと突っかかって来た。

「あっ！」

八千緒は思わず叫んで寄る、と——もつれた体が左右にひらいて、

「えい！」

三九馬の剣が宙に躍る、源四郎は、反《そり》ざまにだだだだだ！

よろめいて、剣は大きく鳴りながら地に落ちた。

「先生、妹をお願い申します」

「心得た」

大弐は八千緒を抱くように、新大橋の方へ遠のく。小菊と貞之助は、源四郎をかばいながらつめ寄った。

「渡辺に、陣屋だな」

源四郎が、起き上って剣を拾う、三九馬は大剣をさげて、

「おれを敵と狙《ねら》って国を出たことは知っていた、だが——三九馬は討たれんぞ、碓氷

のことはおれの責任ではない、お前達の兄貴どもが、自分から斬られにやって来たのだ、恨むなら青山主膳を恨め」

「聞かぬ！」

源四郎が叫んだ。

「事情いずれであろうと、当の敵は百三九馬だ、無益の言申されず斬られてしまえ！」

「おれがか？」

三九馬は笑った。

六

「この三九馬が、お前達に斬られるというのか、はははは」

三九馬は半歩ひらいた。

「陣屋、藤田似相《じそう》の道場で、お前は若手組の三羽烏《さんばがらす》随一といわれていたそうだな、兄の左次郎もよく使ったが、お前はかねて兄を凌《しの》ぐと聞いていた。――実はそれでお前の初の太刀をおれは案じていた位だぞ、だが、今の態《ざま》は何だ、あの突きは必死必殺で自分を殺し相手を斃《たお》す至極法、あれを仕損ずるようでは、まだ三九馬の相手は出来ぬ、渡辺——」

と貞之助に振返り、

「おれはな、自分でお前達の敵と納得がゆけば討たれてやる事を忌《い》むような男ではないぞ、だが、今もいう通り、お前達の兄を斬ったのは私闘ではないのだ」

「私闘だ！」源四郎が苛立《いらだ》って叫んだ。

「国老は私闘だと断ぜられた、さればこそ主膳殿は自刃《じじん》、参与した者は蟄居《ちっきょ》閉門を命ぜられておるではないか」

「それにはまたそれで別に仔細《しさい》があるのだ」

「云うな！」貞之助も上ずった声で、

「仔細はどうあろうと、藩を脱《ぬ》けて来た我ら三人、貴様を討たねば再び帰藩の出来ぬ身上だ、勝負しろ勝負！」

「駄目だ！」

三九馬は頭を振った。

「勝負をすればおれが勝つに定《きま》っている、源四も貞もおれの相手ではない、これ以上は同輩の血を流したくない、退《ひ》け」

「退かぬ！」

「いや退け、どうでもおれを敵と狙う積りなら、改めてやって来い、闇討《やみうち》をかけろ、寝首をねらえ！　正面からかかって斬れる三九馬ではないぞ！」

「斬れるか斬れぬか――」

源四郎は剣を青眼に、血走った眸子《ひとみ》をひたと三九馬の眼に向けて、

「貞、出るな！」

叫んで、爪《つま》ずりに出た。

「どうでも斬る気か」

「無論だ！」

「――」

無言で、じっと源四郎の体をもとめていた三九馬、突然つと一歩退《さが》る、間髪をいれず、源四郎の剣がのびる。

「えい！」

「とう！」

入身《いりみ》に、寄る、源四郎の利腕《ききうで》が逆にとられて、剣は既に三九馬の足下に踏まれていた。同時に源四郎左手に脇差《わきざし》を抜く、

「ばか者！」

と三九馬が突っ放す。

「くそっ！」

のびをうって脾腹《ひばら》を狙う剣、びゅっ！　と峰打をくらって、小剣もまた——地へ。

「あっ！」

貞之助が叫んだ、二度めの峰打を肩にくって、源四郎はそこへ、すわってしまった。

「残念だ！」

「いうまでもないこと」

三九馬は剣に拭《ぬぐ》いをくれて納め、

「だから闇討をかけろといったのだ、小菊どの、貞も分ったか、おれの首が欲しかったら不意を衝《つ》け、計略を設けろ、義朝《よしとも》公のように討ち奉《たてまつ》れ、分ったか」

源四郎は口惜《くや》しさに、腕で面を蔽《おお》いながら嗚咽《おえつ》していた。

「泣くな源四、勇気を出せ、そして三九馬の首を狙え、おれは近いうちに西国へ旅に立つぞ、おれを見失うなよ」

「——」

「それから一つだけ言っておく、今宵はお前達を斬らなかったが今度、闇討をかけられた時は斬るぞ、その時は貞、お前だとて小菊どのだとて容赦せぬ、遠慮なく斬るからその覚悟で来い、では、さらばだ」

三九馬は踵《きびす》をかえして去る。春月の下に三人は暫《しば》し茫然《ぼうぜん》と居竦《いすく》んでいた。

遠雷

一

「どうする」

「さあ」

十郎太は笠《かさ》をあげて、不安そうに織田美州邸の門を見やりながら、

「顔を見知られてはいないが、もし我等の事が分ったらのう」

「国許《くにもと》から通知が来ていることは疑いあるまいからな」

中村源次郎も、落着かぬ眼で街の左右を見やった。

「しかし、今日明日の薬料にも差支えているのだからのう、宿料もなし――」

「当って砕けるか」

邸の門から誰か出て来た。二人は本能的に笠を傾けて、足早に四ノ橋の方へ通り抜けた。まるで罪人のようではないか、――源次郎は身内が熱くなるように感じながら、

「菅屋、行ってみよう」

と足を止めた、

「もし捕われたら――」

「致し方あるまい、山賊夜盗ではなし、お家の為に身を投げ出した我等だ、無下な扱いもすまいと思うが」

「国老、江戸家老、ともに一筋縄《ひとすじなわ》でゆかぬ人物だからのう」

「といっても、薬治をせねば又兵衛の足は腐ってしまう、我々二人は水を飲んでも五日や十日は過せるが、又兵衛の足が駄目になるのを見てはおれぬ」

「――」

「それに、主膳殿からかねて書面が出してある故、郡太夫殿も我等の出府は御存知のはずだ、兎《と》に角《かく》当ってみよう」

「そうするか」

十郎太はうなずいて、

「では拙者が叩《たた》いてみよう」

「いや貴公は残ってくれ、万一にも捕えられるようなことがあったら、又兵衛のことは頼む――」

「いかん」

十郎太は強くさえぎって、

「貴公こそ残ってくれ、拙者と違って貴公は又兵衛と年来の朋友《ほうゆう》だ、後の事は貴公に頼む、残ってくれ」

「菅屋にも似合わぬ、こんな事に譲り合っている場合でもあるまい、頼むぞ」

いいすてると、源次郎はそのまま足早に門の方へ引返して行った。

「中村！」

声をかけたが、もう止まる様子もない、騒いで邸の者に見とがめられては悪いと思ったから、十郎太は一丁あまり通り過ぎて、竜見寺の築地《ついじ》の蔭《かげ》へ身をかくした。

門番口へ来た源次郎、笠を脱《と》って、叮嚀《ていねい》に一礼してから、

「御用人松原様にお目通り願いとう存ずる、お取次お頼み申す」と声をかけた。

「御用人？」

門番の士《さむらい》は、旅埃《たびぼこり》にまみれた中村の姿をじろじろ見やりながら、

「御用人は御煩多《ごはんた》で、めったに御面会はかなわぬが、如何《いか》なる御用かな」

「拙者——大村源之丞と申し、——か、加賀藩士にて、御用人縁辺の者でござる」

「加州御藩士？」

門番の士はいぶかるように、改めて源次郎の風態《ふうてい》を見やった後、

「お伺い申そう」

といって傍《かたわ》らの若い士に振返った。若い士は立って邸内へ入って行ったが、やや暫く経《た》ってのち戻って来ると、

「こちらへ——」

と源次郎を招いた。

「お会いなさると申す」

「かたじけのうござる」

源次郎は薄氷を渡る思いで、門を入り、若い士の後から邸内へ進んだ。

二

源次郎の導かれたのは、松原郡太夫の家の庭前であった。

「これへ」

家士と見える若者が、縁先まで案内すると、

「暫くお待ち下さい」といって去った。

――庭前へ入れるなどと、我等と知らぬ扱いにしても無作法な！

源次郎は不平に胸をふくらませながら、凝った庭の造りを見廻《みまわ》した。

「お帰り！」

突然うしろで声がしたので、源次郎は驚いて振返った。広縁のはずれに朱塗の鳥籠《とりかご》があって、体色の黒い喙《くちばし》の赤い鳥が一羽、ききき！と鋭く啼いたと思うと、

「お帰りお帰り、はははは」

と叫んだ。かねて聴いたことがある南蛮鳥と云うのであろう、そう思いながら、源次郎は今の言葉を不吉なものに感じて眉《まゆ》をひそめた。

足音がしたので、向直ると、細面《ほそおもて》の柔らかい眼をした武士が、一人で縁先へ出て来

るところだった。

源次郎が小腰をかがめると、

「加州藩士といったのはお前か」

女のような声で訊《たず》ねながら、上から源次郎を見下した。

「は」

「松原はわしだ」

「私、かねて国許お物頭より書面にて申上げございますはずの、中村源次郎にございます」

「国許の者か」

「は」

郡太夫の眼が光った。

「何しに来た」

「は——？」

「その方脱藩して、何の為に江戸へ参ったかと訊ねておるのだ」

「——」

中村は思わず郡太夫の顔を見上げた。初め見た顔とは既に違って、松原の面には一瞬冷酷な色がまざまざと現れていた。

「お物頭より何ぞ御書面が――」

「来ておる、来てはおるが、最早それから三十日に近いぞ、今頃やって参って、何をしようというのだ」

「途中朋友が重病にて――」

「お家の為に起《た》つべき者が、友の三人五人なんだ、遅い遅い、もうその方共の与《あずか》る用はないから帰るがよい」

「しかし」

「第一、かように白昼邸へ押しかけて参るなど、軽々しい致し方ではないか、左様に心得なき者が大事のお役に立つと思うか」

「それにつきましても、一応申上ぐべき仔細ございます」

「もうよいもうよい」

郡太夫は手を振って、

「聞いたとてどうなるものでない、国許からの達しで、その方共が参ったら捕縛するよう厳重な手配が出来ているのだ、縄目の恥を受けぬうちに立去るがよかろう」

源次郎は怒りが胸元までこみあげて来るのを感じたが、ここで怒ってはならぬと、

怒りを噛み殺しながら、

「私共行届かぬ点は幾重にもお詫《わ》び仕ります る。出府致しました以上、外に頼る処《ところ》もなく、志す事もなく、一途に御用人を――」

「金に困っておるのか」

「――」

「そうであろう」

源次郎は思わず拳《こぶし》を握った。そうだ、金に困っているのだ、明日の宿料、今日の薬料にも差支えているのだ。

「これをやる」庭先へ小粒が三つ、

「何をなさる！」

源次郎がさすがに我慢しかねて、睨《ね》めあげる顔へ冷然と一言、

「帰れ、帰れ」

というとそのまま、足をかえして郡太夫は奥へ。

三

待ちかねていた十郎太、源次郎の姿を見ると、寺の築地の蔭から走り出るように迎えた。

「どうだ？」

「会ったか」

「うん」

源次郎は三田通の方へ足を向けながら、いっぱい涙の溢《あふ》れている眼を友に向けて、

「菅屋──、我々は考えなくてはならんぞ」

「何かあったのか」

「おれは、乞食《こじき》のように扱われた」

「え──？」

「郡太夫という男、お物頭が申されるような人物ではない、おれは、江戸へ出て来たことを後悔する」

「何をいう！　そんな気弱な」

「気弱ではない」

源次郎は頭を振って、

「残念で、残念で――」

「どうしたというのだ、話してくれ、何があったのだ」

「怒らずに聞けるか」

源次郎はそういって、郡太夫との応対を仔細に語った。

「そうか」

十郎太は唇を嚙んで、

「だが、用人が我々を試みているのではなかろうな？」

「試みる？」

源次郎は心外そうに、

「眼だ、あの奸譎《かんけつ》な、狐《きつね》のような眼を見れば一目瞭然《りょうぜん》だ、試みるにも場合がある、こんな時に何の要あって人を試みる必要があるか」

「それで――」

十郎太は低く、

「その金は？」

「持って来たよ」

源次郎の唇が悲しく歪《ゆが》んだ。

「今日の薬料もないからなあ――」

「すまぬ」

「怒らんでくれるか」

「すまぬ、さぞ辛《つら》かったろう」

源次郎は笠の前をひきさげた、十郎太は暫くの間圧《お》されるように黙って歩いたが、やがて、明るい声をあげた。

「元気を出そう中村、こんな事で挫《くじ》けている場合ではない」

「郡太夫、同志の士たらずんば、我等三人だけでも事を行なわねばならぬ」

「同感だ」

「どうせ生命《いのち》を投げ出してかかった為事《しごと》だ、多少の困難は覚悟すべきではないか」

「うん」

「我等の事は奸物を除くにある、他人をたよるのがそもそも誤っていたのだ、郡太夫には郡太夫の事をさせよ、我等はなすべきをなすべし！」

「え！　寄れ」

突然喚《わめ》く声に、はっと二人が避ける、馬を駆って武士が二人、無遠慮に傍を走り去った。そんな事にも、ともすると憤《いきどお》りがわいて来るのを、抑え抑え、二人は芝露月町《ろうげつ》の宿へ帰って来た。

野田屋という、みじめな小宿の、奥まったうす暗い部屋、

「いま戻った」

二人が調子を張った声でいいながら入って行くと、甲斐又兵衛は、床の上に半身を起して、大剣の手入れをしていたが、

「御苦労」

と吉報を待つ眼をあげて、

「どうだ、会えたか」

「会えた」

源次郎は元気にそこへすわりながら、懐中をたたいて見せていった。

「当分の入費をもらって来たぞ、安心して医者にかかってくれ」

「そうか」

又兵衛は剣を鞘《さや》へ納めた。

「いつも医薬の心配ばかりさせてすまぬ、さあ飯にしよう、待っていたのだ」

二朱銀三枚、いつまで続くものでない、宿料はとも角、又兵衛の薬治代に早速さしつかえて来た。

四

「どうしよう」

源次郎は又兵衛の寝込むのを待って、十郎太と額を寄せた。

「弱った」十郎太もほとほと策尽きて、

「この上は、拙者がいま一度訪ねてみる外に致し方あるまい」

「誰を――？」

「郡太夫」

「いかん、それはいかん」

源次郎は強く頭を振った。

「貴公まで同じ辱《はずか》しめを受けに行く要はない、第一行っても門前払いは知れていることだ」

「だが外に思案もあるまいが」

「桃井はどうしているか――」

正念寺で別れて以来、とんと音沙汰《おとさた》のない桃井久馬、世渡り上手で弁口の旨《うま》い彼がいたら、こんな時こそ何かの力になったろうに。源次郎は太息《といき》をつきながら腕をくんだ。

「拙者、ちょっと出て来る」

十郎太がふと膝《ひざ》を立てた。

「何だ？」

「思い出したことがある、直《す》ぐに戻って来るから待っていてくれ」

「菅屋！」

源次郎は急いで、

「貴公なにか、無茶をやるのではなかろうな」

「心配するな」

十郎太は苦笑した。

「辻斬《つじぎ》り追剝《おいはぎ》をする位の度胸があれば、こんなに窮迫するまで待ってはおらん、直ぐに帰って来るよ」

「――」

大剣を腰にすると、十郎太はしずかに宿を出て行った。

春宵《しゅんしょう》――。

近くの烏森明神に宵祭《よいまつり》があるので、着飾った娘や若者達が、気も浮き浮きと、灯の街を往来している。

恥を忍んで、二三度尋ね廻った後、柴井町《しばい》の杵屋《きねや》という質店へ、十郎太は入った。

「いらっしゃいませ」

「預かってもらいたい物があるが――」

十郎太は自然と頬の熱くなるのを感じながら、店格子《こうし》の前へ立った。

「お住居《すまい》はどちら様で？」

番頭らしい男が、じろじろと十郎太の風体を睨《ね》めつけながら口だけは叮嚀《ていねい》に訊《き》く、

「実は宿住いで、路用を費《つか》い果し、朋友の薬料に差支える次第故《ゆえ》――」

「いずれか御藩中でいらっしゃいますか」

「浪々の身上だ」

「――」

番頭は、窺《うかが》うように帳場の主人をかえり見た。

「うろんな者ではない、三田の織田美州家に縁辺の者もおるが、かような不始末を聞

かすも面目ないで頼むのだ、どうであろう」

「何をお預かり申しますか」

主人が進み出た。

「これを――」

十郎太は大剣を取って渡した。主人は一度押し戴《いただ》いてから、

「手前共ではお刀の鑑定が出来ませぬが、拝見だけ致しましょう。お作は？」

「近江光包《おうみみつかね》在銘だ」

「ほう、光包在銘は珍しゅうござりますな」

主人は鍔《つば》をみて、

「明寿《みょうじゅ》でござりますか」

「うん、父が自慢の鍔であった」

「拝見仕ります」

主人は鞘を払った。

五

「有難うございました」

主人は剣を鞘に納め、

「御入用はどの位――？」

「幾ら貸して貰《もら》えるか」

「申上げましたように、手前共では、お刀の鑑定が出来ませぬ故、或《あるい》は失礼になるかも知れませんが、至急御入用とのことですから、銘を拝見致しませんで――五両ほどに」

「五両――」十郎太は唇を嚙んで、

「明寿の鍔だけでもそれ位はあろうが」

「いえ、明寿もとんと偽物《にせもの》が多うございまするで」

「偽物だと？」

「お怒りでは困ります、是《これ》が偽物だと申すではなく、偽物が多いとしたがって値も乱れまする、光包の作に致しましても、折紙があれば格別、鑑定を頼むとなればなるで、又それ相応の物入りが――」

「いま少々貸して貰えぬか、せめて十両位にと思って参ったのだ。例え百両二百両でも手放すことの出来ぬ品、必ず迷惑はかけぬ、都合つき次第取りに参るから」

「ではもう二分だけ」

十郎太は歎息《たんそく》した。重代の光包を入質して、いつ出せるか当があるか、――広い江戸に頼るところとても無く、志を果したところで死が待っているばかり、

「ごめんよ」

格子をがらりとあけて、職人らしい男が威勢よく入って来た。

「ではそれだけでよい」

十郎太は低くうなずいた。

五両二分、――受取って出ようとしたが、振返って、

「この付近に道具屋はないか」

「何をお求めなさいます」

「無腰では歩けんで、かたちだけの刀を求めたいと思う」

「それなら」

番頭の教えてくれるのを聞いて、十郎太は外へ出た。

店の横を、表通へぬける、右へ、宇田川町を志して行くと、程なく品川の方からとんで来た三梃《ちょう》の駕籠《かご》、

「あ！」

しんがりの駕籠の中から、

「駕籠屋、止めろ」

と云《い》って、駕籠のおりる間ももどかし気に、出て来たのは、百三九馬だった。

「どうした」

先の駕籠から覗《のぞ》く藤井右門、中の駕籠にいた八千緒も垂をあげてかえり見るのへ、

「直に、追ついて参る、お先へ」

と言い置いて、大剣を左手に半丁あまり行過ぎた十郎太の後を追った。

「萱屋、萱屋ではないか」

「――？」

十郎太はぎょっとして足を止める、振向くと三九馬だから、

「あ！」

顔色を変えて脇差に手をかけた。三九馬は走り寄って、

「待て待て」

と大きく叫んだ。

「会いたかった、話があるのだ、いま何処《どこ》にいるか」

「それを聞いて何《ど》うする」

「貴公達が藩邸へ行ったことを伝聞した、それについて篤《とく》と話したいことがあるのだ、又兵衛は無事か」

「要らぬ世話だ！」

十郎太は憎悪《ぞうお》をこめて呶鳴《どな》りかえしたが、ふと自分の無腰に気づいて、左を灯蔭《ほかげ》にしながら、

「奸物《かんぶつ》の手先を働く貴様など、言葉を交わすさえ汚《けが》らわしい、寄ると斬るぞ！」

「まだそんな事を考えているのか」

三九馬は一歩出て、

「源次郎が用人を訪ねて、辱しめを受けたことをどう思う、菅屋――貴公達まだ郡太夫を忠の人と考えることが出来るか」

六

三九馬は十郎太が、大剣をもっていないのに気づいた。

——売ったな。

と思った。見れば見る程、垢染《あかじ》みた衣服、破れ草履、髪も乱れている。

「中村も甲斐も一緒か」

「——」

「郡太夫についても、また改革派についても、とっくりと話したいと思う、宿へ伴《つ》れて行ってくれ、のう十郎太」

どうしよう、十郎太は躊躇《ためら》った。今は奸物の手先を憎んでいるが、心の底に残っている尊敬はこうして対面していると湯のように身内へひろがって来る。

「おれがもし」

と三九馬は続けた。

「真に奸党であるとしたら、碓氷《うすい》では勿論《もちろん》、正念寺の折にでも失敬だが貴公達を斬っているぞ、自慢をいうと思うのは勝手だ、事実を考えてくれれば分るだろう、菅屋」

「──」

「見れば貴公大剣がないではないか、我慢も時によるぞ、剣を売るまでになって何が出来るか、なあ、──中村と甲斐に会わせてくれ、貴公達を味方につけようというのではない、一途不惑の貴公に、不条理な苦痛を嘗《な》めさせるのが辛《つら》いのだ、どうだ苴屋」

「案内しよう」

十郎太はさびしくうなずいた。

「甲斐が、会うというかどうか分らぬが」

「有難い」

振返ると自分の駕籠がひとつ残っている、帰ってよしといって三九馬は、十郎太のあとから、道を戻った。

三九馬を外に待たせておいて十郎太は部屋へ通ったが、ややしばらくすると中村源次郎が出て来て、

「会わぬ、帰れ!」

いきなり大声にいった。

「まあ待て、源次郎──」

三九馬が前へ出ると、中村は左手にさげた剣の柄《つか》へ手をかけた。

「しようのない奴《やつ》」

三九馬は舌打ちをして、

「そう自分達の痩《や》せ思案にばかり頼らず、少しは他人の意見も聴くものだぞ、そんな狭い量見でこの広い江戸をどう生きようと云うのだ」

「生きる？」

源次郎は叩きつけるように、

「ばかな！　我々は死場所を探しに来たのだ」

「――」

三九馬はじっと相手をみつめたが、やがて肩をひとつ揺りあげ、

「そうか、では致し方ない、改めてまた来るとしよう、亭主」

「へい」

帳場からこの有様を、どうなることかと案じていた宿の亭主が、揉《も》み手をしながら出て来るのへ、

「この方達の入費だ、預けるぞ」

紙入を投げ出すと身を翻《ひるが》えして表へ、源次郎が嚇《かっ》となって紙入をつかむや、裸足《はだし》の

まま後を追って出たが、三九馬の姿は、宵祭の人混《ひとご》みにまぎれて、既になかった。

「無念だ、――」

が、しかし、郡太夫の投げ与えた金に比べて、温かい心遣《こころや》りは痛かった。

「三九馬め、憎い奴」唇を嚙《か》みながら戻る、と、宿の土間に娘が一人立っている、三九馬の妹。

「中村さま」

「あ、八千緒《やちお》どの」

重なる意外に、裸足も忘れて呆然《ぼうぜん》と立つ、八千緒はすり寄って、

「甲斐さまに、お会わせなされて」

「――」

「傷のためにお悩みと伺い、御看病に参りました、どうぞお会わせなされて――」

八千緒の声は、必死だった。

七

どう拒みようもなく、源次郎が先に立って入るあとから、八千緒はおどる胸を抑え

ながら、――廊下を行当って左側の部屋、

「帰ったか？」

噛みつくように、中から又兵衛の叫ぶ声、

八千緒は廊下へ膝をついた。

「菅屋」

中村が外で叫んだ、

「おうちょっと来てくれ」

菅屋が言下に出て来る、八千緒を見て、あっ！　と低く叫ぶのを、源次郎が慌《あわ》てて制し、手を引かんばかりに帳場の方へ去った。

又兵衛の低く嗽《せ》く声がする、夢に現《うつつ》に、憧憬《しょうけい》していた人の、八千緒はとび立ちたい衝動を辛《かろ》うじて耐えていた。

「誰だ」

又兵衛が鋭く、

「そこにいるのは、誰だ」

「――」

八千緒は廊下へ両手をついた。

「八千緒でございます」

「なに八千――？」

がばと起き上がる気配、八千緒はさっと部屋へ入って後を閉める。

「おお！」

「おなつかしゅう」

ひたと縛りつけられる眼と眼――頬がこけて、髪が乱れて、髭《ひげ》が伸びて――げっそりとやつれのみえる又兵衛の顔、これがあの甲斐さまか――これが。

胸がつぶれて、つきあげて来る悲しさ、八千緒はそこへ片手をついて、耐えきれぬ咽《むせ》び泣きを袖《そで》に包んだ。

「何しに、来た」

又兵衛は、外向《そむ》いて、

「ここは、そなたの来る処ではない筈《はず》、帰られい」

「いえ、帰りませぬ」

八千緒は、しめった声で、然《しか》し強く頭を振りながら、

「どのように、おっしゃいましょうと、わたくしにとって貴方《あなた》は生涯《しょうがい》の良人《おっと》、もう――お側《そば》を離れはいたしませぬ」

「ならぬ！」

又兵衛は烈《はげ》しく、

「そなたの兄と又兵衛とは敵同志《かたき》、奸党《かんとう》に与《くみ》する者の妹を妻にできるか」

「わたくし、兄を棄《す》てました」

「なに？」

八千緒は涙を拭《ぬぐ》って、

「兄がどんな覚悟をもちましょうと、女は良人につくが道、八千緒は兄と、――縁を断っております る」

「――」

「幼い頃から、父とも母ともなって、わたくしをこれまでに育ててくれました兄、かりそめ事で縁を断ったなどと申せまするか、どうか、――貴方には一番よくお分り遊ばすと存じます」

「――」

「母が形身の鏡一枚、懐剣、それより外には百の家より紙一枚持っては参りませぬ、甲斐さま――どうぞお側に」

八千緒は胸がつまって、あとを続けることが出来ず、そこまで言うと、袖で面を押えながら忍び泣いた。

「若《も》しそれでも」

又兵衛が嗄《しゃが》れた声で言う、

「拙者が拒んだらどうする」

言下に八千緒は懐剣を取出し、鞘を払って切先を左の乳房の下へ押し当てた。

「待て」又兵衛とっさに利腕《ききうで》をつかんだ。

「お側に、——」

八千緒は、とられた腕に、冷たい、——しかし胸のおどるような、男の血を感じながら、ぬれた眸子《ひとみ》でひたと又兵衛の面を見上げた。

八

老中松平右京大夫輝高の邸《やしき》である。

咲きはじめた庭前の桜のまえに、書院の障子をはらって、主人輝高と対座している二人、麻裃《あさがみしも》を着けているのは同じく老中秋元但馬守凉朝《あきもとたじまのかみすみとも》——少しさがって平伏しているのは、本町三丁目に住む医師宮沢準曹《じゅんそう》だった。

「すると」涼朝が見かえって、

「源太夫の死は確実だな」

「は！」

準曹は面をあげ、

「即夜、麻布日ケ窪《あざぶひくぼ》の法泉寺へ埋葬仕りましたまで、たしかに見届けてござります」

「たしかに自害か」

輝高が訊《たず》ねた。

「寺社奉行お手を以《もっ》て密々裡《り》に墓所をかえし、屍体《したい》を検《あらた》めましたれば、相違なしと存じまする」

「解《げ》せぬ」

輝高は眼を閉じて、

「源太夫は余が京都所司代の折より側近に使って、竹内式部問罪の節にもよく働いた奴だ、何を血迷って自害などしたか——」

「私、愚案仕りまするに」

準曹は膝をすすめ、

「藤井右門に諜者《ちょうじゃ》なることを発見され、一時はそこで斬られるばかりになりましたところ、大弐にこれを遮《さえぎ》られて危く助かり」

「いやいや」

輝高は聡明《そうめい》な顔を横に振った。

「あいつ左様に、些細《ささい》な情に脆《もろ》く挫《くじ》ける程、気弱な男ではない、それは余がよく知っておる」

「追捕《ついぶ》仔細《しさいしょ》書は？」

涼朝が輝高に振返った。

「留守宅をさがさせたが無い、恐らく持っておったものであろう」

「とすると大弐の手に――」

「渡っておるであろう」

輝高は眉を寄せて、

「だが、あのような物を手に入れたところで、大弐は別に騒ぎもすまい」

「何故《なにゆえ》？」

「かれは追捕を怖《おそ》れていないのだから」

「その事でござります」

準曹は我が意を得たりと、

「源太夫の捕われました時にも大弐はこう申しております。我々は夜盗山賊ではない、また幕府と党を構えて争闘するものでもない、一天万乗の君に政《まつりごと》を還《かえ》し奉《たてまつ》り、建武の中興を再せんが為《ため》、身命を賭《と》して天下に尊王倒幕を宣弘《せんこう》するのみである、もし幕府に捕えられたとせよ、泰平の世に敢《あ》えて王政復古を唱うる者ありと、万民の耳目に伝わるだけでも本懐これに過ぎぬではないか――と」

「如何?――但馬侯」

輝高は微笑しながら涼朝をかえりみた。秋元涼朝は静かにうなずいて、

「老中評議において、貴殿が、大弐捕縛のこと固く反対なさったのは、この点を按《あん》ぜられてであったか」

「左様、――」

輝高は低く、

「準曹、退《さが》ってよいぞ」

「は!」

準曹は平伏した。

「この後とも諜者の動静、怠りなく見張っておるよう、沙汰《さた》あれば追って申し遣わす」

「は、では是にて」

準曹は、涼朝にも礼をすると、滑るように広縁へ出て、退出した。

「竹内式部についても」

輝高は続けた。

「今こそ申上げるが、江戸表よりの差撥《さはつ》は斬れとあった、もとより証拠がためは出来ている、斬るは雑作のないことであったが、輝高には斬って良いとは思われぬ」

「無罪、所払いであったのう」

九

輝高はうなずいて、

「無罪であった」

「江戸表では輝高が堂上に気を兼ねての致し方と、思《おぼ》し召《めし》も香《かんば》しくなかったそうであるが、輝高の怖《おそ》れたのは堂上ではない、世間の眼だ、万民の耳だ――幕政是にして民その堵《と》に安んじておるとせば、一学者、尊王の論を唱うるが何の痛痒《つうよう》、唱えさせておくがよい、一生かかって教化する数、幾許《いくばく》か？」

「もし、捕えてこれを斬るとする、畏《おそ》れ多けれど朝廷の思し召はおいて、第一に幕府の威信を傷つけるではないか、――」

「うん、――」

「それが分らぬ所だが」

凉朝は顔をあげた。

「分らぬことはない、尊王の大義は、幕府においても充分に存じ奉るところ、将軍家御代替りに当っては、上洛《じょうらく》して勅許を仰ぎ奉ること、いささかも変らず、御奉公の誠は禁廷にあって夙《つと》に御認め之有《これあ》るではないか。それを、――市井《しせい》に尊王の論を唱うるが故に斬るとなれば、措置順逆を誤るの謗《そしり》はともあれ、幕府の政治が一学者の論にもたえぬということを自ら表白するようなものだ、そう思われぬか」

「一論だ！」

「一論ではない、至上法だ」

輝高は澄んだ眸子を輝かせ、

「大弐の件も同じく、不用意に彼を捕うることは、彼のかけた罠《わな》に堕《お》つるも同然、うかと捕えて、之を斬れば、幕府自ら尊王の至誠を披瀝《ひれき》しながら、尊王学者を斬るという矛盾に到《いた》るではないか、どう思う？」

「それは疾《と》く
より、――」

「まあ聴かれい」

輝高は次第に熱を加えて来た。

「刑罰を正すには、根本を断って枝葉を枯らすとあるが、この根許《ねもと》は断つことは出来ぬ、彼等が倒幕を企《くわだ》てるも、根本は尊王の大義にある、慶安の変が無事に納まったのは、正雪一味の目的が幕政を顚覆《てんぷく》して、己之に代らんとした叛逆《はんぎゃく》に過ぎぬからだ、しかし――大弐一党を斬ったところで、皇朝二千四百余年連綿たる尊王思想を斬り尽くすことは出来ぬ、考えなければならぬのはここだ、根を断つこと能《あた》わずとすれば」

「と――すれば？」

「枝葉を撓《たわ》めるのだ、大弐の周囲を撓め、之を腐らせ、害虫を大幹に及ぼすのだ」

「策は？」

「一年、いや半年お待ちなさい、輝高の投げた網がどうあがるか――」

広縁に若侍が平伏した。

「何だ」

「観山先生、御来邸にございます」

「これへと申せ」若侍は平伏して去った。

「観山？」

「うん、程朱学を講ずる松宮主鈴《まつみやしゅれい》という儒者だ、七十余歳の高齢だが、元気いっぱいの老人で、説くところもなかなかみどころがあるから、旧冬大弐の柳子新論《りゅうししんろん》の検討を命じておいたのだ。それが出来たのであろう」

「手ぬかりの無いことよ」

「輝高は名君だ」

そういって右京大夫は明るく笑った。

「わしはこれで御免を蒙《こうむ》ろう」

「まあよい」

輝高は涼朝の立とうとするのを抑えた。

「観山にも一度会っておかれるがよい、これから屢々《しばしば》対面せねばならぬ男だ」

「会おう」広縁を若侍が観山を案内して来た。

十

書院へ入って来た松宮観山、輝高のひきあわせで但馬守涼朝と初対面の挨拶《あいさつ》を済ま

す。直《す》ぐに、如何《いか》にも狡猾《こうかつ》らしい赭顔《あからがお》をあげて、

「御中付の新論の検討、漸《ようや》くおわりましてございまする」

「御苦労であった、くわしくは改めて聴くとしようが、さきに申した余の趣意から視《み》て、非違指摘すべき点があったかどうか」

「その儀でござりまするが」

観山はごほりと咳《せき》をして、

「基より彼は儒学を本領とし、愚老は程朱の学を講じまする者、愚老の論拠を以て批判致しますれば、幾多の誤解謬見《びゅうけん》を摘発仕ること敢えて難事ではござりませぬが、思召の如《ごと》く尊王の思想に触れざるという条件より致しました為、かように時日を要した次第でござりまする」

愚老なかなか衒気《げんき》いっぱいである。ここでまた勿体《もったい》らしく咳をして続ける。

「そこで概論だけここに申上げまするが、第一に非違を指摘すべきは序文でござります。次は本論中第二章の得一篇。三は第五章の文武篇。四は第十三章の富強篇、以上四篇と、これら本論を通じて唱うる両都向背の論でござります」

「もっとも主要とすべきは」

輝高が低く訊ねる。しかし観山はそれに答えず（何しろ鼻息の荒い愚老だ。素人《しろうと》の

いうことなどに一々耳を藉《か》してはいない)、ずいと膝《ひざ》をすすめて、

「序文の非は如何《いかん》と申しまするに、新論を以て畝間《ほかん》偶々《たまたま》一石函《せきかん》を獲《え》、中に銭刀を蔵す、皆元明以上鋳《い》るところのものなり、函底《かんてい》一古書あり題して柳子新論と曰《い》ふ、腐爛《ふらん》の風披閲《ひえつ》に便ならず、先人乃《すなわ》ち一本を謄写《とうしゃ》す、——と述べてござります、しかも嗤《わら》うべきは大弐自ら考証して、耶蘇《やそ》幾許《いくばく》の類を斥《しりぞ》けるより観《み》れば、蓋《けだ》し織田氏時代の書なるか——と記してござりまするが、本論中屢々時代に矛盾する議論あって明かに石函中より発見したる事実の虚妄《きょもう》なることを表白しておりまする」

「うん！」

輝高はそんな事には大して興味がわかぬらしい。観山は咳一咳。

「書冊出土の事はじめて虚妄、本論の奇矯《ききょう》過激なる皆この虚妄より出《い》でましたるにて、人を毒し世を害する事これより甚《はなは》だしきはなきかと愚考仕りまする。第二に得《い》一篇の論点を以てこれを証しますれば——衰乱の国は君臣その志を二にし、禄位《ろくい》其本を二とす。故に名を好む者は彼に従い、利を好む者はこれに従い、名利相属せずして情欲分る、——とござります。衰乱の国とはいずれを指しましたるか、禄位其本を二とすとはいずれを指しましたるか、これ明かに、——」

「申上げまする」

広縁に若侍が来て平伏した。

「うん」

「宮沢準曹、吃急《きっきゅう》の儀にていま一度お眼通りを願いたしと申出でおりまする」

「準曹が？」

輝高はちらと涼朝を見て、

「よい、数寄屋《すきや》へ通しておけ、直ぐに参る」

「は！」

若侍が平伏して去る。

「御老」

輝高は振向いて、

「中座をするぞ」

「は」

平伏する観山をしりめに、涼朝へ挨拶して輝高は広縁へ出た。

十一

「どうした」

　輝高が座につくと、準曹は喘《あえ》いでいた呼吸をととのえながら、

「少々、吃急の聞き込みにございました故、無礼を憚《はばか》らず、――」

「辞儀はよいぞ」

「は、実は」

　準曹は膝行《しっこう》して、

「大弐一味のさる浪人が、今夕刻、密々に江戸を出発、長崎表へ出掛けまするそうで」

「それが――？」

「用向は鉄砲、ことに火薬の買入れとござりまする」

「鉄砲火薬の買入れ」

　輝高はいぶかしげに、

「それは大弐の指図か」

「資金は別途にござりまする」

「分っておるか」

「それが――」

準曹は云い淀《よど》んだ。――かれは、右京大夫が反間の策として大弐一味に蔭《かげ》から手を廻《まわ》して、金を注《つ》ぎ込んでいることを知っていた。しかし、輝高が何故に金をやっているかということは、準曹にはその理由がはっきり分っていなかったから、迂闊《うかつ》に資金の出所を言ってよいか悪いか、迷わざるを得なかったのである。

「分らぬか」

「は、その点につきましては、改めて篤《とく》と探査仕りまする」

と逃げた。輝高はうなずいて、

「注意怠らぬよう頼む、して、――その炮薬《ほうやく》を買入れに参る人数は？」

「百三九馬《ももいさくま》と申す若者、一人にござります」

「一人か」

「帰途は海路との事に」

「――」

輝高は静かにうなずいた。

「依田豊前《よだぶぜん》には知れたであろうな」

「町奉行邸へは、高橋文仲が参りました趣でございます故、後れてはならじと、私、取急ぎお眼通り願いましたるにて、——」

「豊前のあわて者に、ここで手出しをされては大事を誤る、誰ぞおるか」

「は」

「甚弥《じんや》か、栖川《すがわ》が出ておるかみて参れ、おったらここへ来るよう」

「は」

準曹が窺《うかが》うように見る。

「栖川六弥を存じおるな」

「は、——」

「いま呼ぶから、これを連れて行って、その百三九馬と申す浪人を教えてやってくれ」

「仕りましょう」

「帰ったらなおよく監視の程頼む、火薬鉄砲買入れの件、万一他へもれるようなれば、直ぐさま余に知らせてくれ」

「かしこまってございまする」

「退ってよいぞ、栖川は後からやる」

「は、ではこれにて、――」

準曹は倉皇《そうこう》と退出した。

間もなく若侍に案内されて、栖川六弥が入って来た。年二十七八、髪を総髪にむすんで、色黒く眼大きく、且《かつ》七寸にあまる偉丈夫である、一放流の剣を以て右京大夫に仕える男だ。

「お召にござりまするか」

「近《ちこ》う」

六弥は膝行した。

「直に仕度をして、長崎表まで行ってもらいたいのだ」

「長崎へ、――？」

「或《あ》る人物が今夕、江戸を立って西行する、その人間に町奉行の追捕《ついぶ》が掛かるに相違ない。ところで彼を奉行の手に捕わせてはならぬのだ、分るか！」

「は、分りまする」

「宮沢準曹がその人物を教えるであろう、直に仕度をして、万一、――途中に於《おい》て奉行の追捕烈《はげ》しく、之を遮《さえぎ》る術《すべ》がなくなった時、その人物を斬ってくれ！」

「斬りまするか」

六弥は微笑した。

十二

宮沢準曹と栖川六弥が、揃《そろ》って右京大夫邸を出て行った。

程なく、――横手の通用口から、すっとぬけ出た端女《はしため》が一人、用ありげに飯倉《いいぐら》の通りまで小走りに走ると、辻駕籠《つじかご》をひろって、

「八丁堀《はっちょうぼり》まで、急いで――」

身軽に乗った。

宙を飛ぶように八丁堀まで来る。岡崎町の通りで駕籠をすて、足早に曲る。柳横丁薬種屋の裏へ入って二軒めの家を訪れた。

「御免下さいませ」

「誰だ」

「片町から、――」

聞くより、中から出て来た桃井《もものい》久馬。

「おお房か」

右京大夫邸の端女は、お房であった。

「入れ」

「はい」

粗末ながら久馬らしく、きちんと片づいた居間に――松原郡太夫が来ていた。

「輝高殿へ入れ込み置きました女でございます」

郡太夫へいって、

「さ、此方《こちら》へ――」

お房を促す。お房は膝をすすめて、郡太夫へ挨拶をすると、

「何かあったか」

という久馬の言葉に、

「百三九馬様が」

いきなり云いかけて、ふと郡太夫を見た。久馬が促すように、

「三九馬がどうした」

「はい」

うつむくのを、郡太夫が低く、

「話してみい」

針をもった柔かい声で云う。

お房は暫《しば》したためらっていた。

(邸を出る時は、百三九馬の大事と思って、前後を忘れてとび出して来たが、さてこの二人に話して、果して三九馬が安全を保てるかどうか)

「どうした」

「はい」

郡太夫の細い、細い眼が、ぐい！　とお房の眸子《ひとみ》を貫いた。

(とに角話してみてから)

心を定めて、

「今日、宮沢準曹というお医者が、お館《やかた》様への密談にこの夕刻、——三九馬様がお一人で長崎へいらっしゃると」

「三九馬が長崎へ」

久馬はいぶかしげに、

「して、何の用で」

「仔《し》細《さい》は分りませぬが、なんでも鉄砲やら火薬やらお買入れのためとか」

「——」

「お館様は直ぐに、栖川六弥という御家来をお呼びなされまして、三九馬様の体を長崎まで護《まも》って参れと仰《おお》せつけでござりました」

「待て」

郡太夫が静かに、

「三九馬を護れといったか」

「はい、なんでも町奉行方で、三九馬様を追捕なさるそうで、まだ奉行方へ捕らせる時期ではないから、もし護りきれなかったら斬ってしまえと、仰せられまして、

——」

「いかん」

郡太夫は膝を撫《な》でた。

「桃井」

「は」

「三九馬を長崎へやってはいかん、彼が右京大夫の手に入っても、町奉行の手に捕われても、お家の大事だ」

「と、申しまするは」

「鉄砲火薬の買入れ、今にして初めて分った、その資金は織田家より出ている、勘定改め役宮田将監《しょうげん》の江戸入りを前に、玄蕃め必死に仕切をしておったが、いぶかしき点数々――まして是《これ》には殿の御裁可がある、公辺の手に押えられたらお家の破滅だ」

十三

「どう仕りましょう」久馬が膝をすすめた。

「斬らねばならぬ」

お房は仰天して、そこへついた両手をわなわなふるわせるばかりだ。

「お前、やれるか」

「さあ――」

久馬は首を傾《かし》げて、

「まだ手合せを致したことはござりませぬが、かねて御承知の如《ごと》く、碓氷《うすい》において三人を斬り二名を傷つけました腕前、私一人位ではなかなかむずかしかろうと存じます、その上栖川なにがしと申す者もおること故」

「事は急じゃ、誰彼というている暇はないが、では――邸へ出入りする剣道指南で、蛭田不倒軒《ひるたふとうけん》と申すがおる」

「梶《かじ》派の名手でござりますな」

「蛭田を付けて、それに」

　ふと思いついたらしく、

「いつか邸へ参った国許《くにもと》の男両名」

「――？」

「中村に菅屋とか申した奴、あれを呼び出して加えたらどうか」

「いかさま」

　久馬は苦笑して、

「さほど腕の立つ奴ではございませぬが、そんな事より外に使い道の無い男共、計らうと致しましょう」

「住居は分っておるな」

「芝露月町、野田屋」

「よし、機宜の指図はお前に任せる、斬るは早いがよいな」

「かしこまりました」

　郡太夫は立とうとして、

「中村と菅屋は、先日手酷《てひど》う当っておいたから、旨《うま》く申さぬと動かぬかも知れぬぞ」

「なあに」

久馬は微笑して、

「お家お家で凝りかたまっている奴等、金を見せてお家の大事を持出せば、一議に及ばず乗出しまする」

「お房」

久馬が振返った。

「はい」

「そなたは邸へ帰っておれ、当分ここは留守になる故、万一その間に密報あらば、かねて申し渡してある飛脚問屋の手で、御用人まで申し送りするよう」

「――はい」

「拙者は戻り次第知らせる、ぬかりなく勤めていてくれ、では帰ってよい」

「御苦労であったな」

郡太夫は色白の顔に、女のような微笑《ほほえ》みをみせてやさしく、房を労《いた》わった。

「御免下さいませ」

お房は逃げるように外へ――

「やはり二人とも三九馬さまの味方ではなかった。味方でないどころか、生命《いのち》を狙《ねら》う敵なのだ、いけない、このままでは三九馬様は三方攻めになる」

柳横丁を表へぬけると、街――通りには多勢の人集《ひとだか》りがしていて、子供達が手を拍《う》ちながら囃《はや》したてていた。

気違い爺《じい》さん

犬っころ猫の子

お稲荷《いなり》さんの団子米の粉

爺さんお房っこ――

「わぁ――い、わい」

人混みの中に襤褸《ぼろ》をまとった老人、髪も髯《ひげ》も茫々《ぼうぼう》とのび、垢面《あかづら》に――、眼を光らせ、よろよろと道を行きながら、

「わしの娘を返せ――」

と嗄《しゃが》れた声で叫ぶ。

「お房っ子を返せ、わしの娘をどこへやった、返してくれ」

「あっ！」

お房は人集りのうしろで、水を浴びたように立竦《たちすく》んだ。

「ととさま!」

狂老人は、紙屋の七兵衛であった。

十四

気違い爺さん
犬っころ猫の子――

「こいつ等」

七兵衛は眼を剝《む》いて、右手に持った棒切れを、空《むな》しく左右へ振廻《ふりまわ》した。

「わい等も娘の敵じゃぞ、江戸だ都だ、となんじゃいこのざま、さ、――お房を戻せ、娘を返してくれ」

(父さん!)

お房は胸もつぶれて、石のようにそこへ立竦んだ。

何という姿、何というめぐりあわせであろう、故郷の小牧村を脱けて来る時は、知人のそしりは勿論、親の歎《なげ》きも承知であった。だが是は――このざまは?

「わあい気違い爺《じじい》め」

「石を投げろ」

「童《わっぱ》めら踏み殺してくれるぞ」

七兵衛は棒を振り上げて、子供の方へ襲いかかった。どっと散る群集。

「えっへへへへへ」

あさましく笑って、七兵衛は道のまん中へ仁王立ちになった。

「どくさらもごくさらも、親と名のつく奴は聞きおれ、娘はな、娘という奴は拾って来た猿子《さるご》も同然だぞい、飼い育てて大きくしても、山で雄猿のなく声を聞けば、鎖を嚙み切って逃げて行くのじゃ、おらがのお房っ子も、おお——」

狂老人は両手で顔をおおった。

「おお、——行ってしもうた。が待たっしゃれよ、おらが娘は猿子でも何でもない」

「犬っころだろ」

子供が叫んだ。

「ええい！」

七兵衛は突然、棒を捨てて、両手で茫髪《ぼうはつ》をかきむしった。

「どうなるのじゃい、おらが娘を掠《さら》いくさって、ど畜生めら、この年寄に泣きの目をみせてどうなるのじゃい、可哀相《かわいそう》にお房め、生血を啜《すす》られて、胆《きも》をしゃぶられて、おお、——返しおれ！　畜生めらが！」

お房は耳をおおって、悪夢から遁《のが》れるように、夢中で街を西へ走った。

走っても、走っても父の声は耳について離れない。餓鬼のような眼、朽木のように枯瘦《こそう》した手足、それが今にも自分の体に摑《つか》みかかるような、怖れと苦痛とが入り混って、悩乱せんばかりに頭をしめつけた。

(父《とと》さま、赦《ゆる》して)

心の中に叫ぶ。走りながら、

(赦して、——)

「危い！」

誰かの声が耳許でして、体と体が烈しく突き当った。

「あ！」

よろめいて、立直ると、色の薄黒い長身の武士がしっかりとお房の袂《たもと》をつかんでいた。

「お、お赦し遊ばして」

「赦すも赦さぬもないが」

と武士はお房の顔を見て、

「やあ、間違ったら詫《わ》びるが、そなたは小牧の隠し温泉の宿、紙屋の娘ではないか」

「え——？」

びっくりしてお房が振り仰ぐ、

「あ、あなた様は？」

「その節の客、藤井右門じゃ」

「百三九馬さまと御一緒の——？」

仰天してお房が寄る。

「人のついでに覚えられたのでは役不足だが、如何にも百と同宿の縁であった、変った様子をしておるがどうした？」

「はい」

お房は後へ振返って、

「いろいろと仔細ござりまするが、実は」

「実は？」

ためらっているお房の有様をみて、右門はうなずきながら、

「いや立話もなるまい、刻《とき》はずれではあるが、行きつけの料理屋が近くにある、そこへ参って何かと聞こうではないか」

「はい、でも――」

お房が迷っているのを尻目《しりめ》に、右門は街を左へ切れて行く。

十五

――父のあさましい姿をみつけた時、どうして自分は抱き付いて行けなかったのだろう。

藤井右門の後に随《したが》いながら、心も宙にお房は思い悩んだ。

――気が狂うまで自分を思ってくれる父。あの有様で、人にわらわれて、石を抛《なげう》たれて、どこまで迷い歩くことであろう。

お房は袂を嚙《か》んだ。

――夜はどこで寝るか、どうして飢をしのぐか。雨の降る時は、風の日はと、思いを繰るほど胸苦しく、避けることのできぬ呵嘖《かしゃく》が、ひしひしと身を緊《し》めつける。けれど、どうしたことかお房には、如何にしても父のそばへかえる気持が起らなかった。

親子相憎む心、経文の教える因果であろう。父を憫《あわれ》む思いよりも、強い嫌悪《けんお》の情が、深く鋭くお房の手足を縛って、呵嘖の烈《はげ》しさと同じ程に、心を父から引き離すのであった。

——ここでわたしが出たところで、父の狂気が本復するかどうか分りはしない、それより今は、三九馬さまのお身上が大事。

無理にそう自分を納得させた。

「あがるぞ」

右門が声をかけながら、ぬっと入る炭町河岸《がし》の小米《こよね》という料理茶屋へ、あとからお房も、慎《つつ》ましく入って行った。

小座敷へ通ると、

右門がどっかと座りながら訊《き》いた。お房は婢《おんな》の眼から外向《そむ》きながら、

「何か食べるか」

「いえなにも——」

「ま、よかろ、拙者は飲む」

「御酒を」

「肴《さかな》はよき様に、頼むぞ、ははは、どうだ、お末」

と婢に笑って、

「右門が美しい娘と伴立《つれだ》って来るところは、又格別だろ」

「お色の黒いところがねえ」

婢は睨《にら》んで立つ。

「ばかを申せ、これは浅黒いといってな、専《もっぱ》ら玄人《くろうと》の胸を焦《こ》がすやつだ」

「藁店《わらだな》のお花さんがね、へえ――」

「けころは玄人の内に入らぬ」

「その筈《はず》ですよ、白っ首と申しますもの」

笑いながら婢は去る。

「さて、――」

右門は振返って、

「意外な対面だったが、その風俗はどうしたことだ、いつこちらへ――？」

「はい」

正念寺の泊りで、一緒だったことは知らぬらしい。お房は膝をかためながら、

「知辺《しるべ》がございまして、お江戸へ参り、唯今《ただいま》ではさるお邸へ」

「武家奉公か、やれやれ」

右門は肩を揺って、

「家にいれば立派な宿の娘でいられるのに、何を好んで江戸など へ来るやら、この頃《ごろ》

はどこの山家《やまが》へ行っても、若い者は江戸へと心を迷わし、田畑を棄《す》てて出奔するが、遂《つい》には身も魂も損われ、亡者《もうじゃ》のようになって帰るが落ちだ、——知辺というのは、縁者か」

「はい、いえ、——」

「邸とはどこだ」

「——」

「いえぬか、いえずばいわんでもよい、もし心にある心配事でもあったらばと存じて訊《たず》ねたまで、信濃の山奥で知り合って以来、珍しい再会だからつい要もないおせっかいを申したのだ、気にするな」

「いえ、とんでもございりませぬ」

婢が酒肴《しゅこう》を運んで来た。

「早いぞ早いぞ」

右門は大きく反って、

「いつもは半日もかかるのに、美しい娘がいると思ってやヽヽヽっぺしはずんだな、はて さて年増《としま》の嫉妬《しっと》は恐ろしいものだ」

「その口だから、女子衆《おなご》に嫌われるのですよ、ねえあなた」

お房の方へ愛想笑いをして、婢は酒肴を揃えた。

十六

「さっきは大変慌《あわ》てていたようだが、何か急用でもあったのではないか」

右門は盃を取った。

「いえ、――」

お房は頭を振って、また父の姿が濃く甦《よみがえ》ってくるのを押えながら、

「あの」

と顔をあげた。

「何だ」

「もしあなた様は、百三九馬さまと、御昵懇《じっこん》ではございませぬか」

「三九馬と――？」

右門は盃を呷《あお》って、

「それを訊いてどうする」

「実は、――」と言ったが、お房は口をつぐんだ。

旅を同行した右門、三九馬の敵とは思われぬが、たったいま桃井久馬の例もある、迂闊に話して禍《わざわい》の上に禍を重ねてはならぬ、みたところ豪腹そうな右門の容子《ようす》だから、弱く縋《すが》って探るに如《し》かずと、お房は俯向《うつむ》きながら、

「お会いして、是非とも申上げたいことがございますゆえ」

「取持ちをせいと言うのか」

右門は笑って、

「止《よ》せ止せ、三九馬はあのように暢気《のんき》そうに見えても、女に眼をくれるような男ではない、それに今は——」

右門はあたりをはばかるように、

「今は、ある大事な仕事の為《ため》に江戸を遠く旅立つところだ」

「何処《いずこ》へ、——？」

「遠国《おんごく》だ」

この人は三九馬さまが長崎へ行くことを知っている。然《しか》し敵としてか？　味方としてか？

「もうお立ちなされましたか」

「あ、うん」

右門は自ら盃に酒をつぎ、

「もう立ったであろうよ」

「道は？」

急《せ》きこんで訊くお房を、右門は振返ってつくづくと見まもった。

「道を訊いてどうするのだ、追ってでも行く気か」

「――はい」

「執心だのう、然しそれは無分別だぞ、前にも言ったように、三九馬は女などに心を外らす男では」

「いえ、いえ！」

お房は強く頭を振って、

「三九馬さまがどのように思召《おぼしめ》されましょうと、是非お眼にかからねばならぬことがございます――東海道でございますか」

「知らぬ」

「あなた様も御同道ではございませぬか」

「拙者はここにこうして飲んでいるではないか、右門は――」

額をあげて、

「そんな些細《ささい》な仕事をする男ではない」

お房はようやく、どうやら右門が三九馬の敵でないことを知ってほっとすると同時に、罠《わな》のあるのを三九馬に知らせるのは、やはり自分でする外にないと思った。

（追いついて）

と心にきめると、

「あの――」

お房は手をついて、

「邸へ帰りが遅れますゆえ、これで失礼させて頂きまする」

「現金だのう、思う男のことを訊くだけ訊けば、もう拙者には用なしか、ま、よかろ、くれぐれも申すが三九馬などに迷っても益ないことだぞ、勤めを大切にして早く故郷へ帰るがよい」

「はい」

低頭した時、表でわっわと言う騒ぎ、子供達の声で遠慮もなく、

気違い爺いさん

犬っころ猫の子――

囃したてるのが聞こえて来た。お房はそこへ両手をついたまま居竦《いすく》んでしまった。

狙《ねら》う人々

一

燈《ひ》が入って間もなく――
鮫洲《さめず》の料理茶屋、大橋屋の離れ座敷で百三九馬を中に吉田玄蕃と福島伝蔵が別盃《べっぱい》をあげていた。

「さて、――」

玄蕃は容《かたち》を改めて、

「別れに臨んで申すべき事がある、伝蔵！」

「は」

「四辺《あたり》に注意せい」

伝蔵は立って、廊下へ出る。風が出て、波のざわめきが高くなった。

「この度の炮薬《ほうやく》買入れについては、かねてその方も不審に存じていたであろう、その仔細《しさい》を話す、近う寄れ」

三九馬は座を進めた。

「その方も平生山県《へいぜいやまがた》先生の教えを仰いでいるからには、尊王の大義の忽《ゆるが》せならざるは存じおるであろう。改めて申すまでもなく幕府諸侯、また万民一人としてこの大義をしらぬ者はない、が——しらぬ者がないだけであって、大義を本道にかえさんとする者はない」

玄蕃は少し言葉を切って、

「徳川家代々の閣老、基より尊王を口にし、将軍また形式においては、禁廷を尊崇しておるが、実之《これ》に伴わなければ、秩序のみだれるもまた自然の数《すう》だ。寛永の所司代板《いた》倉重宗《くらしげむね》が上皇の鳳輦《ほうれん》に箭《や》を射かけ奉《たてまつ》ると御威《おんおど》し申し上げ、行幸を止め奉った不敬——これ程の不忠不義に対して、幕府は何の措置をとったか、畏《おそ》れ多くも皇室の式微は益々《ますます》増し、賊臣重宗は名奉行として喧伝《けんでん》されておる。本衰えて末全《まった》きはない、見ろ、幕府は日を追って暴を逞《たくま》しゅうし、外様《とざま》大名は続々と改易、親藩を以《もっ》てこれに替え、全土を葵《あおい》の園に化さんとしつつあるではないか」

玄蕃は静かに呼吸をととのえ、

「小幡一藩の存廃何するものぞ、遠からず幕府の餌食《えじき》となるは必定だ、如かず大幟《たいし》を翻《ひるが》えして尊王倒幕の先鋒《せんぽう》となり、警世鐘鼎《しょうてい》となって消えんには！」

「――」

三九馬は唇を噛みしめた。

「買入るる炮薬は、碓氷の嶮《けん》を要して一戦を交うるの資だが、勿論その成否は問わぬ、事前に摘発されても世を驚破するには足る、大弐《だいに》先生の教えは他力をたのまず、自ら身命を抛《なげう》って大義の存するところを宇内《うだい》に宣明せよとある。一石を投じて波紋の描くところ、やがては澎湃《ほうはい》たる怒濤《どとう》となって、回天動地の勢いを来《きた》すべき疑なしだ、分ったか」

「は、――」

「我等は捨石となるのだ、幕府の眼、刑吏の鼻を怖《おそ》れるな、堂々と大義の本道を行け。と申しても猥《みだり》に命を危くするではないぞ、幸いにしてその機を得れば、碓氷に立籠《たてこも》って華々しく一戦しよう。一放《いっぽう》流の剣の冴《さ》え、その時こそはよくよく見ようぞ」

玄蕃は静かに笑って、

「是《これ》は――」と懐中から帛紗包《ふくさづつみ》を取出し、

「殿より、特に旅用としてその方へ下されたものだ、頂戴《ちょうだい》するがよい」

「は、かたじけのう――」

三九馬は膝行《しっこう》して受取った。

「御家老！」

伝蔵が戻って来て、

「塀外《へいそと》に不審の人影が動いております」

「大勢か」

「二人、三人ほどのように」

玄蕃はうなずいて、

「では邪魔の入らぬうち立つがよい」

「左様なれば、これにて」

三九馬は両手をついた。

「無事に帰れとはいわぬぞ、或いはこれが今世の別れとなるやも知れぬ、元気で行け」

「御家老にも、――」

三九馬は立上った。

二

福島伝蔵は川崎まで見送り役であった。玄蕃に別れて大橋屋を出る。

「いるぞ」

伝蔵が低く囁《ささや》いて眼をやる。家並の暗がりに三人の影が、じっと此方《こちら》を見まもっていた。陣屋源四郎に渡辺貞之助、それと、行田《ゆきた》鞍馬《くらま》の妹小菊である。――三九馬は低く、

「小菊がいる」

と伝蔵に囁いた。

「貴公執心の娘が――」

「小菊、本当か？」

「黙って行こう、灯のあるところへ出れば分るだろう」

三九馬は歩きだした。

「すると、二人は源四に貞之助だな、厄介《やっかい》な者に跟《つ》けられたな」

「なに、おれが教えたのだ」

「どうしてまた――?」

「道中賑《にぎ》やかでよい、というのは冗談だが、今度の旅はいつ何処《どこ》で命を捨てるか知れぬ、いざとなったら彼等に首を取らせてやろうと思うのだ」

「つまらぬ事を！」

「そうでない」

三九馬は強く、

「あんな若い身空で旅の苦労をなめるのも、三九馬の首がほしいばかりのことだ、おれを討つことが出来なければ、あの三人生涯《しょうがい》藩へは帰れぬ、金が続く訳はなく、身寄りをたよることもできず、食いつめるのは眼に見えている、可哀そうな身上だよ」

「三九馬の本性だなあ」

伝蔵は苦笑して、

「貴公幼い時分、泣き虫という綽名《あだな》がついていたのを覚えているか」

「覚えている」

「ところでそいつが普通の泣き虫とは違っていた。或る時――誰だったかなあ、又兵衛かも知れぬ、たしかに甲斐だと思ったが、あれと喧嘩《けんか》をしてなあ、貴公みごとに勝ったと思うと、これがわっと泣き出した、負けた又兵衛は平気でいるのにさ」

「つまらぬ事を覚えている」

「いや」

伝蔵は後を振返って、

「おれも忘れていたのだが、江戸へ役替えになって来てから、貴公のことを思うとあれが想《おも》い出されたのだ、しかし、──のう三九馬、喧嘩に勝った以上は、後から泣いたところで、負けてやったことにはならぬぞ」

「──」

「取るに足らぬ若輩共に討たれてやる位なら、初めから人を斬らぬがよい、斬った以上はあくまで斬って通るのでなければ、折角の慈悲も女々しい未練と同じことではないか」

「しっ──！」

三九馬が低く制した。

「またひと組いるぞ」

「何が？」

「おれを狙っている奴《やつ》だ」

三九馬が顎《あご》をしゃくったところ、東光寺という寺の門前に、身をひそめていた二人の男が、三九馬と伝蔵の通り過ぎるのを待って、そっと後を跟けはじめた。

「違うか」

「正に跟けている」

伝蔵は左手で大剣の鯉口《こいぐち》を切りながら、

「どういう奴等だろう」

「幕府の手か、でなければ松原郡太夫の一味か、何方《どちら》かであろうな」

「百！」

伝蔵は声をひそめて、

「街並を出はずれたら、何方かひと組片付けよう」

「止《よ》せ止せ」

「いや、このままで貴公一人はやれぬぞ、やってしまおう」

伝蔵は足を早めた。

三

「いかん！」

三九馬は強く制した。

「こんな所で騒ぎを起しては早速大森宿を止められる、五人や六人の追手にびくつくような三九馬ではない」

「小幡の田舎剣法と違って、江戸には達者な者がいるぞ」

「面白いではないか」

三九馬は微笑して、

「おれの一放流がどの位のものか、そのうちゆっくり試みることが出来ようというものだ」

「やあ」

伝蔵が振返って、

「大分近づいて来たぞ、どんな奴らか顔をみてやりたいが」

「止せ止せ、なるべく気付かぬ風《ふり》をしていてやろう、こちらで要慎《ようじん》すれば彼等も要慎するに違いない、急ごう」

足を早めた。

「川崎までの見送りは、何か他に用事があるのではないか」

「ある」

伝蔵はささやき声で、

「大師河原の木屋と申す茶屋で、明日の夕刻から改革派の密会があるのだ」

「ほう」

「これには少将様が出るということだから、もし本当ならばぶちこわさなければならぬのだ」

「段々逼迫《ひっぱく》して来るな」

「我々が何を企てているか、彼等もそろそろ核心を摑《つか》んだらしい、郡太夫は犬のように鼻の利《き》く奴だ、ここらでひと荒れ来ずにはいまいて」

「何故《なぜ》片付けてしまわぬのだ」

「おれ達もそう思うのだが、御家老から固くお差止めが出ている、いずれにしても時機は迫っているから、郡太夫如《ごと》きがどう足掻《あが》こうともうどうしようもあるまいが」

立会川を越した。

風は海から、しっとりと雨を含んで、並木の松に松籟《しょうらい》の声をたてている。

「それから、なあ福島」

「うん」

「留守中、頼みたいことがある」

「何だ」

「妹のことだ、八千緒め、――いま露月町の野田屋という宿にいる」

伝蔵は意外なという顔で、

「どうして、また？」

「甲斐又兵衛の許《もと》に」

「――」

「又兵衛は病臥《びょうが》している、金はない、不憫《ふびん》なのだ、又兵衛もはたの奴も」

三九馬は悲しげに、

「幼く両親を失って、おれの手で育てて来たが、幸薄いやつだ、又兵衛から縁を断られた時には、黙っておれのいうなりにしていたが、重傷で臥《ふ》していると聞いてから、あいつ――操《みさお》を立てる決心になったらしい。一徹な又兵衛の気持を知っているのはやはり、自分一人だと思ったのだなあ」

「縁だのう」

「兄を敵《かたき》とする良人《おっと》へ、兄を棄《す》ててはしった、あいつの心を思うと、辛《つら》い、――」

三九馬は懐中から、

「これは」

と云《い》って、帛紗包を取出し、

「殿から頂戴したのだが、おれの路用は充分、済まぬがこれを又兵衛に」

「預ろう」

伝蔵は躊躇《ちゅうちょ》せずに受取った。

「伝蔵が引受けるといいたいが、他人に貢《みつ》ぐ程の力はない。折をみて八千緒どのにお渡しする」

「頼む」

三九馬は帛紗だけを取って、

「この帛紗を殿の御意として行く、妹のことも頼んだし、これで三九馬の胸は日本晴れだ、何でも出来るぞ」

明るく微笑した。

四

「誰だ?」

戻って来た源次郎に、十郎太が訊《き》いた。

「ちょっと――」

源次郎がこちらへと招く。――十郎太は眠っている又兵衛の方へちらと眼をやると、枕許《まくらもと》に座っている八千緒に会釈《えしゃく》して立った。

廊下へ出ると、

「久馬が来たのだ」

「え――？」

十郎太が眼をみはる。

「改革派の使者として、我々に頼みがあるというのだ」

「一人か？」

「見知らぬ男が一緒だ」

「で、――用件は」

「いまだ聞いておらぬ、貴公に相談して、それから又兵衛にも同座をしてもらう方がよくはないかと思うが」

「とにかく会ってみよう」

源次郎は十郎太と共に店先へ行って、番頭に部屋をひとつ求めた。もとより広くはない旅籠《はたご》の、二階裏座敷をあけて、桃井久馬と蛭田《ひるた》不倒軒《ふとうけん》を招じた。

「御無音《ごぶいん》でござった」

久馬は十郎太の前に慇懃《いんぎん》を見せて手をおろす。十郎太が制して、

「お互に挨拶は措《お》くと致そう、用件はどういうことか承わりたい」

久馬はうなずいて、

「拙者の方とても、事を急ぐ折柄《おりから》でござる、それでは挨拶は措くとして、要用のみ申上ぐることに致そう、で、――話す前に、お引き合せ申しておくが、こちらは――」

と、如才なく座をすべり、

「江戸藩邸の剣道指南蛭田不倒軒殿でござる、こちらの御両名は」

不倒軒をかえりみ、

「国許改革派の仁で、中村源次郎、菅屋十郎太と申される」

「宜《よろ》しく」

髭《ひげ》の剃《そ》り跡青々とした不倒軒、怒《いか》り肩を揺って低頭した。源次郎、十郎太は軽く会釈したまま、

「用件は？」

と膝《ひざ》を寄せる。

「実は、お家の大事、吃急《きっきゅう》の事でござる」

久馬は容《かたち》を正し、

「御存知の百三九馬、今宵《こよい》江戸を発足、長崎表へまかり越すが、用件は鉄砲、火薬の買入れでござる」

中村も菅屋も黙って聞く。

「予《か》ねてお聞き及びでござろう、家老吉田玄蕃一味の者、殿を騙《だま》かし奉って公儀に憚《はばか》る学者を招聘《しょうへい》し、藩政をこれに聴かんとする企て、然《しか》もその学者山県大弐とこれが一党、尊王に名を藉《か》って公儀に弓をひかん謀計まさに進んで、この度の炮薬買入れとまで相成った」

「それがお家とどういう――？」

「即《すなわ》ち、炮薬買入れの資金が、吉田玄蕃の手から渡っておるのでござる、玄蕃一人の金でなく小幡《おばた》藩織田家の金として」

「どうして、それは――？」

「奸党《かんとう》、殿の眼を眩《くら》まして、お家を叛逆《はんぎゃく》の渦中《かちゅう》に巻き込む野心」

「――――」

十郎太は中村に振返った。

――そんな事があり得るか？

如何《いか》になんとしても、幕府を相手に炮薬を買込む、そんな大きな事が出来るのか。

「刻《とき》は早きを要する」

久馬は強くいった。

「既に幕府の目付方捕吏は、百を追って、江戸を発足したのでござる、幕吏の手に捕わせてはお家の破滅、その前に、――是が非でも斬《き》ってしまわねばなりませぬ」

五

「どうするか」

又兵衛に相談するからといって、廊下へ出た中村と菅屋、人気《ひとけ》のないところへ来ると立停《たちどま》った。

「百が我々に示してくれた好意、それからあの妹が又兵衛につくす態度、――いずれも偽りでないことは疑うまでもない、松原郡太夫が我らを辱《はずか》しめたのは、心得を験《ため》すためだといっているそうだが、これは何としても本当とは思われぬ気がするがどうだ」

十郎太がいった。

「拙者もそれを思うのだが」

源次郎は低く、

「三九馬の容子《ようす》が誠実であるからとて、吉田玄蕃が奸党でないということは出来ぬ、また郡太夫の扱いが怪《け》しからぬとて今更改革派の仕事を疑う訳にもゆくまい、――それに、又兵衛には八千緒という介抱人も出来たことだ、このままこうして宿にくすぶっていたところで、我々だけでいつ志を果すことが出来るか知れぬしのう。拙者の考えでは、ともかく久馬と共に百を追って真偽をたしかめた上、その場で善後の策をとるとも遅くはあるまいと思うが」

「同行するか」

「とすれば、又兵衛には知らせぬがよいな、八千緒の為《ため》にも――」

「仔細《しさい》は秘めて、改革派の仕事とだけいっておけばよかろう」

「では久馬へは貴公返辞をしてくれ、そのうち拙者は又兵衛に知らせるとする」

「頼む」

十郎太は久馬のいる方へ、源次郎は部屋へ戻って来た。

又兵衛は八千緒から薬湯を貰《もら》って呑《の》んでいるところだったが、源次郎を見ると、

「どうした」

すっかり神経質になった眼を振向けた。

「実はいま松原郡太夫殿から使者で、拙者と菅屋の両名に、四五日頼まれてくれとのことなのだ」

「何の用だ」

「大した事ではないらしい、早く済めば明日にも帰れるという事だから、気の毒だが留守にさせてくれ」

「気の毒などと、――何を」

又兵衛は面《おもて》を外向《そむ》けて、

「長いこと迷惑をかけ、大事の場合に役に立つことも出来ず、おれは――」

「愚痴々々」

源次郎は強くさえぎって、

「大事の場合が来るまでには、必ず貴公の足も本復するに相違ない、まあ我々は陣頭の露払いだ、留守中も八千緒どのの申すことをよく聞いて、苛々《いらいら》せずに養生を頼むぞ」

「かたじけない」

「では使の者が待っているから、仕度をして出掛ける」

「今夜行くのか」

「直《すぐ》に同行してくれというのだ、八千緒どの、後はお願い仕《つかまつ》る」

「はい」

八千緒は取換える巻木綿へ塗薬を布《し》きながら、

「どうぞお心置きなく」

十郎太が戻って来た。

二人は手早く仕度をしたが、十郎太はふと自分の剣を措いて、

「甲斐に頼みたいが」

「何だ」

「貴公の剣、貸して貰えまいか」

「――?」

又兵衛はいぶかしげに顔をあげた。

「実は拙者の光包《みつかね》、研ぎに出してあるのが、まだ出来て来ぬ、こんな差替えの鈍刀を持って出るのでは心細い」

「よいとも」

又兵衛はうなずいた。

「役に立つなら、持って行ってくれ」

「済まぬが頼むぞ」

「柄糸《つかいと》がほんの少々緩んでいるから、それに気をつけてくれ、切れ味は充分だ」

八千緒は胸へ盛上ってくる不安を押えながら、ちらと、十郎太の手許へ眼をやった。

(もしやあの剣が、兄の体へ迫るのではあるまいか――)

六

生麦村へ入る前で夜が明けかかった。

見張りに出してあった者とは大森の宿はずれで会った、それによると三九馬は一人の伴《つれ》と共に一刻ばかり前に通ったという。しかも、――二人の後をつけているらしい、ふた組の男女があったと知らせた。

「後れてはならぬ、――」

と道を急いだが、ここへ来るまでにはついに三九馬に追いつくことは出来なかった。

「休んで行くか」

久馬が街道の上下を見やりながら、急ぎに疲れたらしい膝頭を撫《な》でていう。

「休むもよいが、とにかく追いつくまでは緩めずに行こうではないか」

十郎太がさえぎった。

「それがよかろう」

蛭田不倒軒は一番元気で、

「追越したものなら、来る途中そのふた組の男女というのに会っていなければならぬ筈《はず》だ。初めに間を詰めて置かぬと機会を取るに不便だから、是非とも一度追いつかなければなるまい」

「では――」

久馬は仕方なくうなずいて、

「そうするとして」

いいかけた時、鶴見《つるみ》の方からとばして来た一梃《ちょう》の駕籠《かご》。

ほい！　ほい！

通り過ぎようとするので、ひと足退《ひ》いてやる桃井久馬、駕籠の中を見るより、

「あ！」

と低く叫んだ。

「お房ではないか」

「あっ！」

駕籠の中の女は固くなって、

「早く、駕籠屋さん急いで下さい」

「待て！」

追う久馬。

「急いで、急いで」

ただならぬ叫びに駕籠昇《かき》は更にとぶ足を早めたが、相手は身軽だ。一丁も行かぬ間に、久馬が追いついて前へ廻《まわ》った。

「停めろ！」

喚《わめ》いて剣を抜く。

「な、何だ」

駕籠を下すと、人足両名、息杖《いきづえ》を取直し、呼吸をはずませながら駕籠を庇《かば》って立つ。

「何だ、何だ、刀なんぞ抜きやがって、どうしようてんだ」

「お見廻りか宿役人なら知らず、朝っぱらからだ、ん、び、ら、捻《ひね》くって、おれっちの駕籠を停めやぁがるなんて、道中の作法も知らねえさんぴんだ、どけどけ」

「貴様達に用はない」

久馬は息を鎮《しず》めながら、

「駕籠の中の女、拙者の知合で今頃出歩く筋の者ではない、不審をただすまで待ってもらいたいのだ」

「お前さんのお知りあい？」

「嘘《うそ》です！」

お房は必死に叫んだ。

「そのお人は悪人で、今日までさんざんわたしは虐《いじ》めぬかれました、故郷に待っている父親の許へ帰ろうと、こうして脱《ぬ》け出て来たのです、駕籠屋さんどうぞ、わたしをお救い下さいませ、ここでつかまってはまた地獄の責苦に会わねばなりませぬ──」

意外な言葉、虚を衝《つ》かれた久馬が、思わず怒りを発して、

「お房、それは──」

「おっと、待った」

駕籠昇はぐっと息杖を張った。

「どうせそんな事だろうと思っていた。なり風情《ふぜい》から女衆一人のむやみに先を急ぐ様子、訳がなくちゃあならねえと思ったが、そこまでは気がつかなかった、棒組」

「おいっ！」

「きいたような訳だ、ここでお客人を渡しちゃあ海道人足の名折れだぞ」

「そんな事は分ってる、おい、お侍さん」

後棒がぬっと出て、

「例え鐚《びた》一文のお客でも、駕籠にいる内ゃおれっちの御主人様だ、指一本触っても承知しねえ、海道の人足三宿合せて小百人、ひと声呼べば集まって来るんだ、下手に動くと野詰にして潮っ辛《かれ》え行水をお見舞い申しますぜ」

七

蛭田不倒軒が追いついて来て、

「桃井氏、どうした」

ときく。

一方、宿の方からとばして来る駕籠、二梃、――三梃。

「お――い、停まれ停まれ」

こっち駕籠舁の声に、いずれも客へ挨拶して駕籠を下すと、手に手に息杖を取って集まって来た。

「何だ何だ」

「ここにいる侍がの、おいらの乗せた客に文句をつけやがるんだ、客は娘一人、あの侍に悪さをされて苦しいから、脱けて帰る途中だというんだ、おれっちの顔にかけても、可哀《かわい》そうな娘一人を渡せるかってえんだ」

「太《ふて》え侍だ！」

「渡しちゃならねえぞ」

いずれも命知らずの人足共、殺気立ってお房の駕籠を取囲んだ。

不倒軒は手短かに久馬から事情を聞くと、

「よいよい」

うなずいて、

「逃げて帰るというなら、自儘《じまま》にさせておやりなさい、こんな処《ところ》で人足を相手に、例え一人の怪我《けが》が出ても暇つぶしだ」

「と申してあの女をやっては、われらの内情をどこでもらすか知れぬ故《ゆえ》」

「とにかくここは見逃すより外にない、是非始末をするというなら、折を改めて遣《や》らねばならぬよ、駕籠舁ども」

と人足達の方へ、

「足を停めて済まなかったのう、仔細ない、行ってよいぞ」

「当り前よ」

先の駕籠昇は態《ざま》あみろという顔でうそぶいた。

「掟表で堂々と行く駕籠だ、良いも悪いもお世話にゃあならねえ、これからもあることったからいって置くがの、無法な駕籠止めなどをやってみろ、問屋場《といやば》の定でうるせえことになるぜ」

「棒組、行こうぜ」

「合点だ、兄弟、――足を停めて済まなかったな、いざこざぁ片づいたから行ってくんな」

「おいよ、大事にやんねえ」

「可哀そうに、良い娘が慄《ふる》えてるぜ、罪な野郎もあったものよなあ」

お房はつきあげて来る涙に、恐怖を忘れて人足達の方へ感謝をこめて会釈する、駕籠はあがった。

「御免よ」

久馬の脇《わき》をすりぬけて、生麦宿へまっすぐに、再び駕籠はとびはじめた。

「有難う存じました」

お房は久馬達から遠ざかると、うるんだ声で礼をいった。

今日まで、世と、人と、どんなに荒く自分をもみさいなんだであろう、才があって、立派な武士の久馬が、郡太夫が――弱い女の身を虐《しいた》げ、威《おど》して自分達の手先に用い、まるで道具のように扱うのに、――海道稼《かせ》ぎの荒くれた人足が、かえってその武士に逆らい、見ず知らずの自分のために危い淵《ふち》を渡ってくれた。

あれと、これと、

「これが世間というものか」

そう思うと、故郷を脱け、父を悲運にしてまで、江戸にあこがれ、武家屋敷の生活を望んだ自分の浅墓さが、刺すような悔いをお房の胸へしみこませた。

「故郷はどこですね」

前棒が訊いた。

「信州――」

いおうとしたが、三九馬を追う体だった。

「はい、駿河《するが》の」

「そいつは遠いや、どの辺です」

「岩淵の在でございます」

「早で通しても中三日かかる、少しは駕籠賃も張ろうが、あの悪侍に捉《つか》まっちゃあ何にもならねえ、早で通しなさるがいいぜ」

「有難う存じます」

ふところには小粒銀が五つあるばかり、どこで三九馬に追いつけるか、お房は逸《はや》る心と頼りなさで、じっと唇を嚙《か》みしめた。

蘆間《あしま》の風

一

大師河原の料理茶屋木屋、——の二階座敷、松原郡太夫を中心に十四名の若侍が集まっていた。

障子を明けはなした向うは海で、暮れがたの暗い波の上を、漁舟の帆が陸へ陸へと急いでいる、——

「少将様おみえにございます」若侍が足早にて知らせる、一座が急に居住いを直す、間もなく色の黒いやせた小柄《こがら》の老人が、宮田将監の従者両名をしたがえてやって来た。――織田信栄《おだのぶよし》である。

郡太夫は下座まですべり出て平伏、

「ようこそ御入来遊ばされました、さぞ途中お疲れにござりましょう」

信栄は傲岸《ごうがん》にうなずいて、

「これは良い――」

と海を見やり、

「国詰で通して来た宮田には眼の薬であろう、どうだ」

と振返った、将監は例の如《ごと》く眠っているか覚めているか分らぬ、細い眼で遥《はる》かに水平線の方を見やりながら、

「なるほど眼の保養でござる。江戸邸《やしき》の人々は仕合せなものよ、斯様《かよう》に海を見晴らす広間で、折々の鬱《うつ》を散じ気を養うことが出来るとは、山住に慣れた将監などは、先《ま》ず気後れがするばかりで、――」

低く笑うのが、刺すような皮肉と嘲《あざけ》りに満ちていた。

信栄を上座にして、将監と郡太夫はその左右に席を取った。一座の挨拶《あいさつ》が済むと、

「見張り！」

郡太夫が低くいう。若侍の半数は立って部屋を出た。

「先ず、――」

信栄が癇性《かんしょう》らしく、右手で鬢《びん》をかき撫でたり鼻の脇を指でこすったりしながら、

「宮田の調査を聴こう」

「――」

将監はおもむろに、持って来た包を解いて幾冊かの調書を取出した。

「江戸入り以来、まだ日も浅く、根本勘定の調べあげだけは相済ましましたが、さすがに玄蕃、――巧妙な仕切でござった」

「何も無かったか」

信栄の問うには答えず、

「初めに一つ松原殿に訊いておきたいが」

「は――」

郡太夫は、将監の慇懃《いんぎん》な態度に日頃の調子をとり失っていた。

「邸に出入りの大和絵師を御存知あるかな」

「絵師――？」

不思議なことを訊くものと、

「左様でござります、出入りと申しては別にござりませぬが、去年の秋でござりましたか、ひと月ばかり殿のお手直しとして一名、萩原光基《はぎわらみつもと》と申す絵師が」

「その者は今でも参邸致しますか」

「いや、唯今《ただいま》はとんと」

「住居《すまい》は知れておりましょうな」

「調べますが、直に相知れようと存じます」

「何かその絵師に不審でもあるか」

信栄がいぶかしそうに訊く、

「左様、――」

将監は一冊の調書を取上げて、

「根本勘定の内に不審の入金がございます、然も五千両あまりの金」

「それが、――？」

「いや」

将監は軽く制して、

「唯今はまだはっきりと申上げる訳に参りませぬが、玄蕃免黜《めんちゅつ》の為《ため》には重大な点かと思われまするので、先ずこの金の出所について取調べをすすめてみたく、――それについて」

と一座を見廻し、

「誠に慮外でござるが、松原殿、他の衆に暫《しば》く座を外して頂けまいか」

「一同腹心でござるが」

郡太夫はいぶかしそうに、信栄の顔を伺うように見た。しかし将監は黙っているし、信栄も別に取りなす様子がないので、

「では、いずれも御遠慮を」

と若侍達へ言った。

二

若侍達が座を去ると、

「実は、――」

と将監が声を低く、

「近々に少将様より、御宝物拝観をお申出し下さるよう願いたいのでござります」

「それでどうする」

「御宝物中に、僧義興《ぎこう》の大幅が一軸ござりまする筈」

「琵琶《びわ》湖の図であった」

「私の推察でござりますが、彼《か》の軸はもはや御庫《おくら》には無いかと存ぜられまする」

信栄も、さすがの郡太夫も驚いた。国許《くにもと》から出て日も無いのに、宝庫の中まで見透している将監の眼、――

「だが、それをどうして？」

「御宝物帖《ちょう》に依《よ》るまでもなく、かの軸は神君より右府様へ贈られし物にて、年々上巳《じょうし》の節句にはお飾り申す習慣でござった」

「如何《いか》にも」

信栄はうなずいて、

「今年もたしかに拝見致した」

「その折、篤《とく》と絵面を御覧遊ばされましたか」

「さて、――」

「もっともその時御不審をもたせられたなれば、かように申上ぐる迄《まで》もなく、御館様《おやかたさま》より疾《と》くに御話しがござるべきはず、――私へ届きました報告に依りまするとく、八景それぞれ一人物を配してあったものが、今年飾られたものには浮御堂の釣人《つりびと》が欠けておるとのことでござります」

「と、――申すと？」

「いま御庫にありまする軸は、偽作であるという外はござりますまい」

「これは奇怪《きっかい》な！」

信栄は膝《ひざ》を乗出して、

「して真《まこと》の義興は？」

「酒井雅楽頭《うたのかみ》家にござります」

「そこまでたしかめてあるのか？」

「義興の琵琶湖の一軸は、元酒井家の宝庫に伝えられました物、家康公に望まれて徳川家に収められ、それより右府様に贈られたのでござります、かねて雅楽頭様より度々、譲り受け度《た》いと御所望のありましたことも事実、お申出の価格五千金というまでつき止めてござります」

「根本勘定に不審の金と同額か」

「いや、少なくとも二、三千の剰余がござりましょうが、先ず軸の真偽をたしかむるが第一」

「しかし、――」

郡太夫が静かに、

「家康公より拝領の品でござれば、万一表沙汰《おもてざた》となった場合にはお家に不為《ふため》となりましょうが」

「恐らく玄蕃もそこに眼をつけたものであろう、だが――それにはまたこちらで法がある、松原殿にお願い申さねばならぬが、早速絵師光基を呼出して窮命して頂きたい」

「――？」

「偽作を致した者、そ奴《やつ》でないとしても必ず何か知っておりましょう」

「取り計らいまする」

「少将様には御宝物拝観の件を」

「承知した」

「殿にも御同心のことと存じまする故、そのお積りにて――玄蕃問罪の第一としては、これを措《お》いて先ず他にござりますまいが、大阪山屋との関係、それに松原殿お調べの山県大弐との関係、これらも第二第三陣としてゆるがせならぬこと無論でござる」

「大弐の件については、――」

郡太夫が膝をすすめた時、突然横手の方で唯ならぬ叫び声が起った。

「曲者《くせもの》でござる！」

「いずれも参られい！」

人々の走《は》せ違う跫音《あしおと》が聞こえて来た。

三

「立つな！」

福島伝蔵は蘆《あし》の間へ身を伏せて、富永道雄の方へ低く叫んだ。

三四人、木屋の塀添《へいぞ》いに、こちらへ走って来たが、二人の前を行過ぎて、

「こっちだ！」

と後へ叫んだ。

伝蔵は手早く覆面をして、ぐっと大剣に反りをうたせると、

「あの松の下に茶屋の舟が繋《つな》いであったはずだ、陸の上は一本道で、必ず見張りがついたに違いないから、折をみて海へ出よう」

「二三人斬《き》って行きたいな」

「賛成だ、大して腕の立つ奴もおるまいが、この場合我慢するとしよう」

道雄も覆面を終えた。

「いるか？」

「こっちにはおらぬぞ」

汀《みぎわ》の方へ行った三四人が戻って来た。木屋の裏手の柴折戸《しおりど》に二人、裏の方から五人ばかり、茶屋の送り提燈《ちょうちん》を手にしたのが蘆の茂みをたたきながらこっちへやって来る。

「やろうか」

「うん！」

汀から戻って来たのが、二人の前へかかる刹那《せつな》、道雄がぬっと前へ出た。

「あ！」

不意を食って足を止める、一人は思わず二三歩退《さが》る、道雄の右手に白刃《はくじん》が閃《ひらめ》いた。

「出合え！」

喚いて一人が、とっさに抜き合せたが、道雄は腰をおとしてさっと脾腹《ひばら》へ一刀。

「う」

「曲者だあ――っ！」

狼狽《ろうばい》して左右の二人が、抜きつれて、二三間さがる、措かせず詰寄って、

「え、やっ」

鋭い気合と、剣光、

「む——！」

一人が蘆の間へのめる。

声を聞きつけて、七八名が提燈をかかげつつ駈《か》けつけて来た、と——鼻先へ、福島伝蔵がつーと出る、

「あ！」

「えいっ！」

きらり、きらり、二度、剣がひらめくと、先登を来た二人がほとんど同時に、前かがみに右と左へのめり倒れた。

「退《ひ》け、油断すな！」

口々に叫び交わしてさっと退く、伝蔵はちらと後に眼をやって、

「道雄、——何人やった」

「二人だ！」

「少しは出来そうか」

「木偶《でく》揃《ぞろ》いだ」

「斬り足らぬのう」

「足らぬ、二三人といったが、これでは四五人やらぬと気が済まぬぞ」

「いっその事みんな片付けるか」

「有難い、そう来なくては――」

とっさに若侍の一人が、

「かーっ！」

虚をとって斬込んで来た、充分に斬込ませる刹那、体《たい》を転じた道雄、だだだ！　のめるのには眼もくれず、跳躍して、

「えい！」

後備えの一人の正面へ、

「おっ！」

辛《から》くも受ける、かっ！　剣が鳴ったと見る、道雄の右足地を蹴《け》って、剣が下ざまに空へはねあがる、ぱっ、と血しぶき、

「おう――！」

呻《うめ》いて横ざまによろめくのを見もやらず、踏み違えて、いま踵《きびす》をかえそうとする二人めの肩へ一刀、

「やっ！」

斬り下げてかえす、胴へも一刀、深々と斬り込んで、とび退《すさ》った。

四

「もうよかろ」

伝蔵が叫んだ。

血の匂《におい》と、死の呻きが、蘆をそよがせて吹く風を、凄惨《せいさん》に染めている。

後から走《は》せつけて来た六七名の若侍達は抜きつれて迫ったが、四五間はなれたまま頓《とみ》には斬込んで来ない。

「もう二三人ついでにやりたいな」

「駄目だ」

伝蔵は注意深く汀の方へ動きながら、

「みんなもう気《き》臆《おく》れがしている、死ぬ気のない奴を斬るのは殺生だ、行こう」

「みすみす獲物を前にして」

「欲張るな」

二人はつっ——と汀へ向かって走る、と見て敵も、

「逃がすな」

口だけは勢いよく追って来た、伝蔵は踏み止《とど》まって、剣を構えながら、

「御所望か？」

と二三歩戻る、先頭の二人は吃驚《びっくり》して、ぱっと蘆の中へ避けた、

「はははは」

伝蔵は傲然《ごうぜん》と笑って、汀の松までゆっくり歩いて行った。

「うまい、櫓《ろ》があるぞ」

「纜《ともづな》を解《ほど》いて」

「よし」

二人が舟へ乗ると見て、追って来た内の二人が、猛然と詰寄って来た。

「来た来た！」

伝蔵は迎えるように進み出て、

「ほう、決死の様子だな、可哀《かわい》そうに、いずれもまだ若い身空で——」

「えい！」

先頭の一人が、必殺の気をこめて、無法な突きを試みた。同時に次の男が、体ごと

ぶつかって来る、伝蔵は右足をひいて、

「そらっ！」

突きの剣をはね上げるや、体当りに来た相手を身を転じて左足で受けた、足を取られて烈《はげ》しく倒れる、刹那、剣をはねあげられて切返して来た先の男、伝蔵腰をおとして、相手の剣に空《くう》を打たせる、同時に充分胴を斬ってとった。

「が——」

喉《のど》をつく呻き、倒れる、とたんにはね起きた一人が、夢中で払って来る、ひっ外して伝蔵がさがる、道雄が、

「おれに斬らせろ」

と出るや、しどろもどろに斬りまくって来る奴を、

「えい！」

充分に寄せておいて、真向から斬った。

「もうよい、乗ろう」

伝蔵は刀へ血ぶるいをくれて、道雄を促しながらなぎさへ戻った。

「これで少将も少しは胆《きも》を冷やしたであろう」

「しかし手応《てごた》えのない者ばかりで、こっちは少しも慰まなかった」

「そう不平をいうな、宮田将監が来ようとは思わなかったので特別に殺生を許したのだぞ、将監も――これで多少は腹を据《す》えねばならぬだろう」

道雄が乗る、後から伝蔵が舟へ足をかけた時、うしろで突然、
だ――ん！

凄《すさ》まじい銃声、同時に伝蔵が、

「あっ！」

低く叫んで、舟の中へ転げ込んだ。

「どうした」

道雄が吃驚《びっくり》振向く、

「早く」

伝蔵は脇腹《わきばら》を押えながら、

「早く舟をやれ、お、おれは大丈夫だ早く」

「――――」

無言で道雄が櫓を取る。

だーん！

二の弾丸《たま》、びゅん！　と道雄の耳元をかすめて飛んだ。

五

必死に二丁ばかり沖へ出る。

「大丈夫か」

声をかけると、かがみこんで脇腹をさぐっていた伝蔵が、

「ここをやられたのだが、弾丸はぬけて行ったらしい。傷もどうやら、――腸には触れておらぬようだ」

「血止めをしよう」

「おれがやる、貴公は構わず漕《こ》いでくれ」

「ここまで来れば大丈夫だ」

道雄は櫓をあげて、伝蔵の傍へ寄った、ぐっしょり血にひたった衣服を寛《くつろ》げ、

「幸い上げ潮だ、この水で洗って置こう、荒療治だぞ」

「日頃悪口を云《い》われているので、この時とばかりやるな」

「だから人は平生が大事だ」

あか桶で水を汲《く》む、用意に持って来た巻木綿と金瘡薬《きんそうやく》を取出し、木綿を少し切取っ

て、潮にひたすと、伝蔵を横ざまにして傷口へぐっと指を入れた。

「痛いか」

「なんの」

穿入孔《せんにゅうこう》と脱出孔とを探ると、潮にひたした木綿を傷の中へ押入れて、片方からこれを引出した。なるほど荒療治だ、二度、三度、その度に木綿を新しくしてすっかり傷を洗い済ますと、表面を潮でごしごしこすって、手早く金瘡薬を布へのばしはじめた。

「待て、――」伝蔵が頭をあげ、

「急調の櫓音が聞こえる」

「え？」

道雄が振返ると、早舟二艘《そう》、木屋の提燈をかかげて、まっしぐらにこっちへやって来る、

「しまった、追って来る」

「早く！」

伝蔵は身を起すと、道雄の手から薬帯を奪い取って叫んだ、

「ここで死んでは犬死だ、向うに漁舟が見える、――あの中へまぎれ込め」

「うん！」

道雄は再び櫓についた。

そこから更に二三丁沖に、漁火《いさりび》が点々と群れている、そこまで行けば何とかなる。

だが追手の舟は、――船頭の操る二梃櫓《ちょうろ》だ。

見る間に距離は縮められた。

だーん！

水の上をひろがる銃声。が！　と道雄の足許、舷《ふなばた》の木をえぐって弾丸がはねた。

「郡太夫だ」

伝蔵は呻く、

「あいつ、日頃から、火術に長じていると聞いたが、いい狙《ねら》いだぞ、道雄」

「うん」

「体を止めるな、絶えず位置をかえろ」

「――」

急調の櫓声は、段々はっきりと近づいて来る、二艘の舟ともひっそりとして、提燈の光の小揺ぎもせぬが、却《かえ》って不気味な圧力を以《も》って迫る――

だーん！

びゅん！　今度はややそれて伝蔵の横手をかすめ過ぎた。

銃声をききつけたのであろう、沖の漁火がちらちらと乱れ始めた。道雄はここを先《せん》途《ど》と、必死に櫓を押す――が、何としたこと、ぷつり櫓綱が切れて、

「あ！」

危く道雄はのめりかかった。

「駄目だ！」

「くそっ」

伝蔵が、木綿を巻終わって、立とうとした時、前よりもぐっと近づいた追手の舟から、ぱっと閃光《せんこう》がほとばしった。

ばーん！

ぱ！と云う鈍い音がして、同時に道雄は、突きとばされたように水の中へ、飛沫《しぶき》をあげながら転げ落ちた。

六

「急げ」

郡太夫は銃に弾丸ごめをしながら、常に似ぬ荒々しい声で叫んだ。

漕ぎ手を失った舟、追いつくに暇はいらぬ、海へ射落とした一人が、浮き出たら止《とど》めの一発を放とうと、水面へ眼を配りながら、七八間の距離まで来る。——

「停めろ」

郡太夫は舟を停めると、銃を取直して、向うの舟を狙った、

だ——ん！

火花と硝煙の中に、が！　と弾丸の鈍い手応えがあった。

「舟をやれ」

静かに進めて、流れている舟を右から迂廻《うかい》した。その中にはもう一人、さっき一弾くれて置いた男がいる筈《はず》である。

二艘が右と左から、じりじりと漕ぎ寄せて見る、舟の中には衣服が脱ぎすててあるばかり、人の姿は見えなかった。

「水へ逃げたか」

郡太夫は冷笑しながら、

「いずれも眼を怠るな、二人とも傷を負っている。遠く泳ぎぬけることは出来ぬはずだ、みつけたら容赦なく斬れ」

二艘の舟は、あたりの水面を捜すために、右と左に別れた。

折悪《おりあし》く、さっきからの銃声に驚いて、沖に漁をしていた漁舟が、漁火の算を乱して縦横に動きだしたから、見る間にあたりは騒がしく、舟と舟の行違う蔭《かげ》で、海面はすっかり遠い見通しが利《き》かなくなってしまった。

「う――む」

郡太夫は心外そうに呻いていたが、これはどうにも致し方がない、やがて投げ出すように、

「引揚げろ」と命じた。

戻ろうとすると、六郷川口の方から、一艘の早舟が此方《こちら》へ急いで来た、舳先《へさき》に御用の提燈が見える、――六郷口の舟番所の舟である。

「その舟待て」

大きく呼びながら漕ぎ寄せて来た。郡太夫は銃を舟底へかくして、

「何ぞ御用でござるか」

と答えた。

漕ぎ寄せて来た舟には、二人の役人が乗っていたが、提燈をつきつけながら、

「唯今《ただいま》鉄砲を放ったのはこの舟であろう」

と訊《たず》ねた。

「いやこの舟でござらぬ」

　郡太夫は平然と、

「手前共は織田美濃守の臣でござるが、今宵《こよい》大師河原の木屋に於《おい》て遊山《ゆさん》の宴を張り、慰みとして早舟競《くら》べを致しておるところでござる」

「――」

　役人は不審そうに、じろじろと舟の中を覗《のぞ》きこんでいたが、

「船頭いずれだ？」

　と声をかけた。

「へい、木屋の者でございます」

「早舟競べと云うのは真《まこと》か」

「へ、へい、――」

　役人は、しかし相手が立派な藩士達なので、それ以上問い糺《ただ》す訳にもいかなかった。

「この辺で銃声をお聞きなさらなかったか」

「さあ、――」

　郡太夫は微笑しながら、

「我々は競漕《きょうそう》に夢中であったから、或《あ》るいは銃声があったかも知れぬが、とんと耳には

入らなかったようでござる」

役人はなおも舟の中を見まもっていたが、やがて思い諦《あきら》めたらしく、

「ようござる、行かれい」

「失礼仕《つかまつ》る」

郡太夫は舟をやれと命じた。

七

「わっ」

「声を立てるな！」

伝蔵は漁舟の舷をぐっとつかんで、

「手を貸せ」

「へい」

櫓を押していた若い漁師は、不意に水の中から現れた相手が、いましがた聞いた銃声に関係のある者だということに気付くと、胴の間で、――これもどうなることかと居竦《いすく》んでいた仲間に、

「おい直《なお》、お上げ申しな」

と声をかけた。

伝蔵は片手に支えていた道雄の体をぐっと引寄せて、かがみ込んできた漁師の手に渡した。

舟へかきあがると、さすがに精根一時に尽きた感じで、伝蔵は裸の背に縛りつけた大小を取る間もなく、道雄の傍《かたわ》らへ身を横たえて暫《しばら》くは喘《あえ》ぐばかりだった。

「漁師、――」

「へい」

「鉄砲を撃っておった舟、まだその辺に見えるか」

「六郷口の舟番所から、お役人が御出張なさったようで、もう陸へ引揚げて行きましただ」

「――」

郡太夫め、諦めたな。

「どこらへ着けたらいいだか」

「迷惑でもあろうが、このまま芝浜まで行ってくれぬか、骨折は充分に償うぞ」

「どうだ、直――?」

「御難儀のようだ、やるべえ」

舟はぐいと舳先《へさき》をかえた。

伝蔵は道雄の体を引寄せ、鳩尾《みぞおち》へ手をやりながら唇へ顔を近づけた、かすかではあるが脈も打っているし、唇にも呼吸が感じられる。漁の火を近よらせて検《あらた》めると、右肩のあたりが血でひたっていた。

「富永！　しっかりしろ」

耳へ口を寄せて、

「傷は浅いぞ、道雄！」

叫びながら、濡《ぬ》れた衿《えり》を寛げた、肩の肉が無惨《むざん》に潰《つぶ》れて、砕けた骨の白いのが見える、幸い弾丸は残っておらぬらしいが、

——しかし手のつけようのない傷だ。

伝蔵は、道雄の肌襦袢《はだじゅばん》を引出して裂き、それで幾重にも傷を縛ると、ほっとした気のゆるみで、俄《にわか》に自分も脇腹の傷の痛みを覚えはじめた。

「お寒うございましょう」直という漁師が、

「汚れておりますが、これをひっかけてござらっしゃりませ」

刺子のように縫いつぶしてある木綿の漁衣をぬいで、伝蔵の肩へかけてくれた。

「かたじけない」

「なんなら酒もござりますが」

「傷を受けているから、酒は飲むまい、何か食う物があったらもらいたいが」

「雑魚《ざこ》雑炊でもこしらえべえ」

手まめに、焜炉《こんろ》の火をかき立てて、鍋《なべ》へ、雑魚を水煮にしはじめた。

（これで道雄が死にでもしたら——）

伝蔵は傷の痛みを堪《こら》えながら不覚の悔いに唇を嚙《か》みしめた。（だが——郡太夫め飛道具を常に手許《てもと》から放さぬとはさすがに、充分に斬るだけ斬らせておいて、こっちの隙《すき》を摘《つま》んだ美事さ、狙撃《そげき》の確実な腕、敵ながらもにくい奴だ）

「う——む」

道雄が低く呻《うめ》きだした。

野村屋騒動

一

その頃山県大弐は、月に三回ずつ駒込《こまごめ》の高林寺という寺の座敷を借りて講筵《こうえん》を張った。それは次第に彼の講義を聴きに来る者が多くなって、長沢町の講堂には収容しきれなくなっていたからである。

特に、大弐はこの頃になって本領とする儒学、国典の外に精密な軍学の講義をはじめていたから、門弟の中には頓《とみ》に武士が多きを加え、諸藩から篤学《とくがく》俊敏の士が続々と入門して来た。もっともそれには理由があった。当時の官許軍学というのは、孫子《そんし》呉子《ご》《し》などという古典を基とし、これに蛟蠅《こうよう》の理屈をつけて各一流を称《たた》えていたもので、甲州流、越後《えちご》流、氏隆《うじたか》流、北条《ほうじょう》流、佐久間流、山鹿《やまが》流、謙信三徳流などを主とし、その他数え尽くせぬ程の別派分流があったけれど、いずれも支那《しな》の古典に準拠した先理後実の虚学で、何等実地の用にならぬもののみであった。

ところが、そういう風潮の中にあって、大弐は敢然と実地の軍学を推唱し始めたのである。彼は自分の流儀を甲州流と称していたが、必ずしも甲州流本義の切売をしたのではない。もっとも甲州流は他の諸流に比してやや実学に近いものであって、小幡勘兵衛、北条氏長、山鹿甚五左衛門《じんござえもん》など、多くの逸材を出していた。

大弐の講義は先《ま》ず合戦論に始まった。

「時と処と人」

これが彼の軍学の第一門である、古来高名な合戦を説くに、最も力を尽くしたのは地理で、大弐は自らこれらの戦跡を巡察し、彼我の戦略の当否、優劣、時機を把《つか》むの眼識、軍勢の配置における奇策、いちいち実地について批判し、甲府城の攻防論に至って最も精緻《せいち》巧密を極めたのである。

大弐は或る時、門弟の一人が、

「いま先生が一城によって旗挙げをするとせば、いずれへ立籠《たてこも》られますするか」

と訊ねたに対して、言下に、

「甲府城を措《お》いて外に無し」

と答えたという。西に甲信の峻嶽《しゅんがく》を背負い、東に小仏《こぼとけ》、碓氷《うすい》の難路を構えた甲府盆地は、勿論《もちろん》大弐のよく識《し》るところで、殊《こと》に信玄の戦略古図に依《よ》り、実地に要害の地を踏査していたから、大弐の胸中には充分の計法があったのである。

この講筵には、大弐の外に藤井右門も起《た》って講説を試みた。彼もまた北陸、中国、西海の諸国を経《へ》廻《めぐ》って、独特の見聞があったから、諸城の縄張《なわばり》、築城の批評、これの攻防方略を述べて余すところがなかった。

これだけ思い切った軍学が評判にならぬはずはない、主なるものでも、阿部伊予守家、永井飛騨守《ひだのかみ》家、津田日向守《ひゅうがのかみ》家、松平遠江守《とおとうみのかみ》家、松平伊豆守《いずのかみ》家、佐野和泉守《いずみのかみ》家――等、名家から続々と家臣を遣わして聴かしめた。

高林寺で講義が終った日、右門が大弐と共に別室へさがろうとすると、

「藤井先生、――」

「藤井先生、ちょっと」

と呼び止める者があった。見ると小幡崇福寺の僧梅叟《ばいそう》であった。

「何ぞ御用でござるか」

「そう固く仰《おお》せられては困るが、もしお差支えなかったら、今宵愚老におつきあいくださらぬか」

梅叟がなかなかの遊びてであることは、かねて右門もしばしば同座したので知って

いる。

「結構でござるな」

「おいで下さるか、それはかたじけない、実はその、――――この頃ちとした尤物《ゆうぶつ》を掘出したので、一度先生にお鑑定を願いたいと存じてな」

「相変らず御坊達者だのう」

「ま、そうは仰せられな」

「だが御坊の想者《おもいもの》を拝観に出るというのではつまらぬが」

「御懸念《けねん》無用々々」

梅叟は手を振った。

「では後程お迎えを差上げまする故、枉《ま》げて御来駕《ごらいが》を、――」

二

別室には大弐と吉田玄蕃《げんば》、それに盲人の東寿《とうじゅ》がいた。

梅叟と別れて、右門が入って行くと、大弐と玄蕃がちょうど一通の書面を読み終ったところで、右門を見るなり大弐が、

「藤井殿、福島伝蔵氏と道雄から消息がありました」

といった。

「生きておりましたか」

右門はむずと座った。

「福島氏から書面があった、御覧なさい」

「拝見――」

右門は大弐から手紙を受取って披《ひら》いた。

それは川崎大師河原の木屋を襲った始末を認《したた》めたもので、改革派の士八九名を斬ったが郡太夫のために射撃され、道雄は肩の重傷、伝蔵は脇腹《わきばら》の軽傷、それ以来芝浜の知る辺に隠れて、傷養生をしているという仔細《しさい》で、なお――当夜の改革派の集合には、新しく入府した宮田将監の加わっていたことを記してあった。

「宮田将監という人はどういう役目で来られたのでござるか」

右門は手紙を巻きながら玄蕃にきいた。

「左様」玄蕃は手紙を受取って、

「表向は江戸邸勘定改め役ということでござるが、実は少将の策謀によった異動で、江戸邸の財政を抑え、我らの為事《しごと》に掣肘《せいちゅう》を加えようとする中心人物でござる」

「郡太夫の奸《かん》、少将の狡《こう》——将監を加えて陣容成れりというところですな」

「こちらにも手配はござるが、如何《いかん》としても少将には手が出せず、年寄役柘植《つげ》源四郎と申して改革派を宰領する頑固者《がんこもの》がござるが、今日までこの男を押えておった故《ゆえ》、事なきを得て来たところ、柘植もまた漸《ようや》く少将の薬籠《やくろう》中におさめられた様子——恐らく近々にひと荒れ来るのかと思われます」

「何とか片をつくべきですな」

右門は腕をくんで、

「少将殿を——」

と暗示するようにいった。

「それについては種々《くさぐさ》と法もござるが、殿の御親父ではあり、また殿には殊《こと》の外《ほか》御孝心深く、何事も少将まかせのことで」

「禍根そこにござるのう」

大弐は静かに茶を喫していたが、

「差当って」

と顔をあげて、

「福島氏の処置を考えねばなりますまいが、負傷のまま帰邸すれば事を破るであろうし、いつまで帰らぬとまたそれで疑いを招くことになろうし、どう致したらよいか――」

「伝蔵の儀は私に所存がございますから、御心配くださらぬとして、巻添え同様の富永殿を何とか早く、良きように」

小坊主《こぼうず》が来て、

「藤井先生にお迎えの乗物が参りました」

と告げた。

「いま直《す》ぐに参る」

右門が口早にいうのを大弐はちらと見たが、小坊主が去ると静かに、

「お出掛けか」

ときいた。

「なに、ちと朋友《ほうゆう》と会う約束がござって」

「小言と聞かれては困るが」

大弐は柔かく、

「藤井殿は酒興に乗ずると悪い癖が出る故、注意して頂きたい、今日までかようなことは申さなかったが、事もいよいよ緒につき、式部先生の江戸入りも迫っておる折な

れば、自重の上にも自重なさるよう、くれぐれもお頼みしたいと思う」

「熟《よ》く」

右門は頭をさげた。

「心得ておきまする」

「では、迎えも来ているということ故、ここはようござるからお出かけなさい、吉田殿は拙者と御同道なさる」

近々と暮六つが鳴りだした。

三

右門をのせた駕籠《かご》は吉原へ入って、野村屋という茶屋の裏へ着けた。

「ようこそ、どうぞおあがり遊ばして」

茶屋の女房がいそいそと迎える、右門は大剣を右手にさげて、

「よう――」

と寛闊《かんかつ》に笑いながら、

「いつ見ても女将《おかみ》は若いのう、どうだ、その後新情人《いろ》でも出来たか」

「出来た出来ぬの段ですか、情人の苦労でこの通りすっかり痩《や》せてしまいました」

「こいつ、——」

「あれ、ほほほ」

女房は巧みに右門の手を逃げて、

「いけませんわ、主ある体に手を出したりして、あとでわたしが虐《いじ》められます」

「虐められる柄《がら》か」

「ようござんすよ、たんとおからかいなさいまし、ようく花臥衣《かがい》さんに云っておきますから」

「さきやさ程にも思やせぬ——」

唄《うた》にして二階へ。

「いらっしゃいました」

女房が先に立って、広間の障子をあけると、盃《さかずき》をあげていた梅叟が、

「不義はお家の法度《はっと》、来る早々女将を口説いてはいけませんな先生——」

梅叟の外に医者の宮沢準曹、鹿島猛次、堀田《ほった》内蔵、高橋文仲、朝倉安兵衛——その六人は門人で、外に二人、顔を知らぬ藩士体《てい》の若者が同座していた。

「おひきあわせ致しましょう」

梅叟が二人の若者に振返って、

「藤井右門先生でござる——先生、こちらは瀬川又助、次が久能武平と申される、加州侯の御家中で、——」

「何分御昵懇《じっこん》に」

若者二人の挨拶《あいさつ》に、

「辞儀はそれ迄《まで》それ迄、かような席で固苦しいことは抜きとしよう、拙者藤井右門、ごらんの如《ごと》く野人でござる、さ、一盞《いっさん》献じよう」

「頂戴《ちょうだい》」

瀬川が盃を受けた。

「女将、芸妓《げいしゃ》どもはどうした」

「あい唯今《ただいま》」

「おっと起《た》つに及ばぬ、右門の盃をひとつ受けてくれ」

又助の返盃《へんぱい》を女房にさして、

「どうだ、この手のみずみずしい美しさは、脂《あぶら》が、のって、血がたっぷり、肉が薄く乳白の透くような柔肌《やわはだ》、節がえくぼをもって、爪《つめ》は桃色の稚児《ちご》というところか、——この爪でどんな風に」

わっと一座が囃《はや》したてた。右門は女房から盃を受取りながら、

「雛菊《ひなぎく》、それだの、御坊――」

「御坊は禁句でござる」

準曹が口を挿《はさ》んだ、右門は鬢《びん》を掻《か》いて、

「失言々々」

「珍しいこと、藤井先生がおやられなすった」

女房はそういって、

「おや、芸妓衆が見えたようでございます。ちょっと」

といって座を立った。

四

入って来た老若十人あまりの芸妓が、花の咲いたように客の間々へ座をしめた。

「おまえは此方《こっち》だ此方だ」

梅叟は一人の若い妓《おんな》を招いて、右門の傍へ座らせた。

「雛菊と申してな」

「や、是《これ》は尤物だ、なるほど梅老が掘出物というだけのことはあるぞ」

「どうぞ宜《よろ》しく」

「雛菊さん」

向うから年増《としま》芸妓のおよねが、

「藤井先生はたいへんな和事師ですから御要心なさいよ、浮気をさせると花臥衣おいらんに恨まれますよ」

「おや、――こちらが藤井先生?」

雛菊は梅叟を睨《にら》んで、

「まあお人の悪い、何ともおっしゃらずに、失礼ねえ梅さまは――」

「いやこれは驚いた」

梅叟は仰山に、

「先生がそんなやりてとは知らなかった、これはまるで藪蛇《やぶへび》じゃ」

「婆《ばば》あ、――」

右門はおよねに、

「何をつべこべと咆《ほ》える、和事師だなんどと余計なことを申すな、右門はこれでも当時鳴らしている悪役だぞ」

「色悪《いろあく》でしょう」

「やんや」

雛菊が手を拍《う》った。

右門はすっかり上機嫌《じょうきげん》になって、雛菊を傍らにひきつけたまま旺《さか》んに盞《さかずき》を呷《あお》った。

「もうそろそろお得意が出そうなものですねえ、先生」

お舟という年増芸妓が、

「そら、うんぜんよくをたまうぐぜいのいけ、――というの」

「もう長恨歌《ちょうごんか》はいかんぞ」

「藤井先生の詩吟はかねて我々も評判を聞いております、是非拝聴したいものですな」

瀬川又助が顔を差出していう。

「ではやろう」

右門は忽《たちま》ち始めた。

「へんぺんたるそうじょうもくこくかんをただし、らいようきなくけいがいにつかんとほっす、いつうつせんぽう、そんとぼうとをしらず、おもうきみがたかくあがりて、ていのひかりにちかづくを――」

「妙々、うまいぞうまいぞ」

久能武平がやけに大きな声で呶鳴《どな》った。ちょっと座が白けかかったが、右門はそ知らぬ顔で、

「しゆきかこうめんにみちてむす、ぼしょうきゃくをうながしてさんそうとわかる、みょうしんじはんけぶりはじめてくらくに、よいほうとうつきいまだのぼらず、やちくいんはるかにしてふうせいさいたり、そんきょうかげくろうしてすいせいくずる、くわくもんやしまさにとおからず、てんてんはやしをへだててすうとうをみる、

――」

「せんがくふじのやから」

卒然として武平が始めた、

「とうよばんをかかげて、ばくかくにせまる、しらずとうろうのおのをふるってりょうしゃにむかうのこじを、あわれむべしめいうんしゅんかにあって、ちちゅういまだこうべにいたらず――はっはははははは」

「珍しい詩体だが誰の作かな」

右門が振返った。

「即興でござる」

「貴公自作か」

「お気に召さぬか」

右門の眉《まゆ》がぴりぴりとふるえた。雛菊が手を伸ばしてぐっと右門の右手を握る。

「さあ先生、お重ねなさいましよ、そんな恐《こわ》い顔をなさると花臥衣さんに嫌われます」

「やあ、雛菊の思いざしか」

梅叟が笑った。

五

「こら、女ども騒ぐのをやめろ」

右門は酔眼をあげて、

「今度は右門が心意気を聞かせてやる、誰か篠山《ささやま》を弾ける奴《やつ》はおらぬか、およねどうだ」

「存じませんわ篠山なんて」

「無愛相な奴だな」

「よし拙者が弾き手をやろう」

武平がずいと手を出して、こつなという芸妓の手から三味線を取って、

「貴公やるか」

「やるとも屁《へ》の喝破《かっぱ》だ」

さっきから右門は、この久能武平という男が自分につっかかって来るのを感じていた。しかしそんな若者の相手になって、自らいやしくしたくなかったので、勉《つと》めて気付かぬ風を装ったのである。

「では始める、――」

右門は盃を置いて唄いだした。

「きりぎりす、枕《まくら》も床も秋寒の、えにしはうすきとのごもり、口説や愚痴や、黒髪のみだれて解けて……」

「さあやれ」

武平は不意に叫ぶと、三味線の絃《げん》をじゃんじゃん掻き鳴らし始める、同時に瀬川又助が太鼓《たいこ》を引寄せて叩《たた》き出した。右門は唄をやめると、ちょっと顔の色を変えて立った。

「どちらへ、――」

雛菊が訊《き》く、武平は三味線をそこへ措いて大声に、

「右門先生お逃げか」

「――――」

振返る右門の方へ、

「逃げるとは卑怯《ひきょう》でござるぞ、右門先生、先生々々、汝《じょ》先生、どっこいもっこい弥次《やじ》郎兵衛《ろべえ》、蛙《かえる》は生得臍《へそ》がない」

居座り寄って、無遠慮に袴《はかま》の腰をつかんだ。右門はむらむらと怒りを感じたが、それでもまだそこで呶鳴るほど酔っていなかった。

「おしもでございましょう！」

雛菊が立ってきて、

「さあ、わたしが御案内申しましょう、貴方《あなた》お放しなさいまし」

「これは怪《け》しからん」

梅叟が酔った声で、

「おしもなどといい拵《こしら》え、両人手を執り闇《やみ》から闇、――」

「駈落《かけおち》せんず企《たくら》みよな」

宮沢準曹が声づくろいしてみせた。わっと一座が手を拍《う》つ、右門はようやく面《おもて》をほ

ぐして、雛菊が武平の手を放してくれるのを待つと、

「いざさらば花の都を後にして」

と唄いながら廊下へ出た。

用を達して出ると、雛菊が待って手洗いの水を取った。

「雛菊、——といったな」

「はい」

「酔ったぞ」

「まだお酔いなさいませんわ」

「いや酔った、どこか別間でそっと飲み直したいが」

「お仕度させましょうか」

「頼む、ここにいるから」

右門は傍の部屋を顎《あご》でしゃくった。雛菊はいたずらそうな眼で睨み、

「お逃げになると、ききませんよ」

「拙者は大丈夫だが、おまえこそ逃げてはいかんぞ」

「ほほほほ」

嬌然《きょうぜん》と笑って、雛菊は納所《なっしょ》の方へ去る、右門は障子をあけて空いている部屋へ入っ

た。燈《あかり》の無い部屋に、裏庭の石燈籠《いしどうろう》の灯《ひ》がうつって、濡《ぬ》れ縁の外にある佐野竹の葉が、障子に墨絵の形をなげていた。

右門は、二階の表座敷で騒いでいる梅叟一座の喧騒《けんそう》をききながら、うっとりと雛菊の脂こい肢腿《したい》を想像していた。

六

「お待ち遠さま」

間もなく、茶屋の女房と婢《おんな》が酒肴《しゅこう》の仕度をして来た。

「こんなところへ陣変えなんぞなすって、よろしいんですか、先生」

「あんな山薯《やまいも》達と酒がのめるか、みんなひどい奴らだぞ」

「何とかおっしゃる、実は外に魂胆があるのでしょう、知ってますよ」

「と、——察しているなら頼みがある」

右門は燭台《しょくだい》の灯を眩《まぶ》しそうによけながら、

「女将、右門が一生に一度の大願だ、今夜はひとつ見遁《みのが》してくれぬか」

「何をでございます」

盃盤を並べおえて婢は去る、

「そう真面目《まじめ》に出られては困るではないか、雛菊はここへ来るのであろう？」

「ええ、今着替えています」

「雛菊が来たら、なあ、よいであろう」

「おかしゅうございますね、何をどうしろとおっしゃるのですよ」

「察しの悪い女だな」

右門は居座り寄って女将の耳へ何か囁《ささや》いた。

「いけません」

茶屋の女房は頭を振った、

「廓内《くるわ》の掟《おきて》を、引手茶屋で破るわけには参りません」

「さ、そこだ頼むのは」

「だめですわ。そんな、——花臥衣《かがい》という立派な花魁《おいらん》があるのに、何でまたあんな妓に手をお出しなさるんです」

「恋だ、真実恋だ」

「ほほほほ」

「笑いごとではない、真実真剣右門は雛菊に身も魂も奪われてしまったのだ、頼む女将、見のがしてくれ、この通りだ」
「何と仰《おお》せられても、これぱかりはいけませんわ、訳知りのふう様にも似合わない、どうしてそんな無理を」
「無理没義道《もぎどう》は承知だ、この恋が果せぬなら右門は腹を切ってしまう」
「そんな威《おど》しの手は利《き》きません」
「いや切る、実に切る」
「じゃあ、お切り遊ばせ、わたしも夫婦の縁切りは度々見て来ましたが、まだお武家様のお腹を召すところは一度も拝見したことがありません、よい折ですからとっくりと見せて頂きます」
「ようし、そう云うなら切る」
「お切り遊ばせ」
「本当に切るぞ」
「さあ、拝見しますわ」
「驚くなよ」
「わたしも野村屋のおみち、驚いて腰を抜かす程初心《うぶ》ではありませんから、安心してご切腹なさいませ」

「よし、それならいよいよ切る」

「どうなさいました」

「急《せ》くな、ひと眼あいつに別れてから切る」

「未練未練」

「未練と知ったら、なあ——女将、どうせ切る腹だ、たった一度でよいから掟の関を越えさせてくれ、頼む」

「何を口説いていらっしゃるの」

障子をあけて雛菊が入って来た、着物を縞物《しまもの》に替え、化粧も薄く直したのが、しっとりと艶《えん》に色めいて見える。

「いま先生がね、お腹《なか》を切って見せて下さるのですって」

「いけません」雛菊は滑るように右門の傍へ座って、ぴったりと温かく身をもたせかけながら、

「わたしをおいて、一人でお死になさるなんてひどうござんすわ」

「あ——」

茶屋の女房は手を泳がせた。

「あたしが見ていますよ、雛菊さん」

七

それから四半の刻《とき》の後。

ふわふわと柔かい夜着の中で右門は廊下を近づく足音を聞いていた。障子がすっとあいた。闇の中を――妓が近づいて来て、むせるような強い香料の匂《におい》をまきながら、枕許へすり寄るように座った。

「遅かったぞ」

右門は闇の中をさぐるように、

「待ちくたびれていた、さあここへ――」

右門は手をのばして、手さぐりに妓の腕をつかむと、柔かい力で引き寄せた。

「世話のやける」

右門は半身を起して、ぐっと妓の体をひきよせた。身をかたくした妓のどきどき高鳴る血のひびきが、右門の神経に温かく感じられた。

「雛菊！」

その時である、隣の控間との間にある襖《ふすま》がさっと左右へ大きく押しあけられ、小袖《こそで》でかくしてあった行燈《あんどん》が五つ、ぱっと小袖をとられたから、眩しいような光が一時にこっちへさし込んで来た。

「や！」

愕然《がくぜん》とした右門、振返ると梅叟はじめ一座八人の男が、わっと手を拍《う》って囃したてた。

「やんや、やんや」

「日本一の色模様」

「前代未聞《みもん》の濡れ場――」

「お見事お見事」

右門が驚いたのはそれだけでなかった、梅叟の傍に雛菊が――いたずらそうな顔で笑っているではないか、

「あ！」

振返ってみると今まで雛菊と思って手を取っていたのは、茶屋の下婢《かひ》で化物のような顔をしたきちという四十女であった。

謀《はか》られたのである。

「なるほど、――」

久能武平がいざり出て、

「なるほど右門先生は日本一の和事師でござるな、我々を措いてたった一人、かような美人と添寝の夢を遂げておられる、いや、あやかりたいものでござる——どれどれ、天女のお顔をよくよく拝見」

面をつきだして、

「や、これは堪《た》まらぬ、さすがに右門先生のお好みだけあって、色くっきりと黒く、鼻すわり、唇厚く、反っ歯で赤毛でどん栗眼《ぐりまなこ》で」

「無礼者」

右門が叫ぶ、片手に下婢を突っ放し、枕許の脇差《わきざし》を取ると、抜き討ちに武平の真向へ斬《き》りつけた。

「わっ」

「きゃあ——!」

不意をくらって一座が総立ちになる、武平は横ざまに倒れ、流れる血の中で起き上ろうともがいている。

「冗談じゃ、冗談じゃ」

梅叟は蒼白《そうはく》になって叫ぶ、

「藤井先生、危い、危い」

「くそっ！」

右門は血刀を取直すと、

「雛菊！」

と叫んで出た。

「あ！」

自分の方へ踏出して来る右門の凄《すさま》じい形相を見るなり雛菊は、

「ふ、ふう様、違います」

「うぬ」

右門は脇差を取直した。

「あれ、――」

踵《きびす》を返して逃げようとする妓の髪をむずとつかんだ。高橋文仲、朝倉安兵衛のふたりが、それと見て雛菊を助けようと進み出たが、右門の烈《はげ》しい殺気に、圧《お》されて、

「お待ちください」

「先生！」

と叫ぶばかり。

「おんな!」

右門は髪をつかんで妓をそこへ引倒すと、ずるずると廊下へひきずり出した。

巴《ともえ》崩し

一

「――またいたな」

三九馬《さくま》は、茶店の縁台に腰かけている武士をちらと横目に見て、そのまま権現道《ごんげん》の方へすたすた通り過ぎた。

藤沢《ふじさわ》あたりから、前になり後になって来た武士、いつも深編笠《ふかあみがさ》を被《かぶ》って、野袴《のばかま》に立派な拵《こしら》えの大小、身の構えも尋常ならぬ鋭さ、――影のように離れず三九馬に付き纏《まと》っている。

「何者だろう、――敵か味方か」

陣屋源四郎達三人一組、それと顔を見知らぬ三人組の武士、いずれも三九馬を狙《ねら》って跟《つ》けていることは分ったが、この深編笠の武士だけはどういう身分か見当がつかなかった。

湖べりの道は深い森へ入った。

昨夜は湯本の泊りで、今日のうちに三島まで下ればよい積りだ、権現社へ参拝を済ますと、三九馬は湖の見える丘の上に出て腰をおろした。

その時、――

権現堂の裏を十人ばかり、身軽に拵えた若侍達が、江戸から三九馬を跟けて来た三人組の武士について忍んで来た。――この三人、相木総太、河原一学、角田啓之進という、江戸大目付方の者で、いうまでもなく三九馬捕縛に向ったひと組、前日――小田原に立ち寄って大目付からの書状を提示し、若侍七名を助勢に借り出した、箱根で三九馬を捕る積りなのである。

「いるか、――」

芒《すすき》の若葉をかき分けながら、角田啓之進が権現社の方を窺《うかが》っている。

「いるいる」

「一人か」

「うん、大刀を脱《と》って休んでいるようだ」

相木総太が河原一学に振返って、

「非常に腕がたつそうだが、――どうだ、誰かに行って貰《もら》って、刀を奪い取るという法は？」

「それまでにする必要もあるまいが、しかし無事を計るに越したことはないのう」

「参りましょうか」

大久保家の若侍で、新谷又二郎という男が進み出た。

「お願い申そう、我らは途中顔を見知られておるから、向うで油断をせぬにちがいない。話しをしかけて、隙があったら大剣を奪って逃げて頂く、同時に我らが出ましょう」

「承知仕った」

「充分に注意して、おいそぎなさる事はない故な」

「は、――」

新谷又二郎はうなずくと、静かに丘を廻《まわ》って下りて行った。

横手から人の足音がしたので三九馬は振返った。又二郎は山見廻りという態《てい》で近寄ったが、三九馬の傍《かたわ》らまで来ると、

「旅日和《びより》でござるな」

と声をかけた。

「左様――」

三九馬はちらと見て、

「良い日和でござる」

「権現へ御参詣《さんけい》でござるか」

又二郎は近寄った。

「近年は村の者が街道に出て、旅人の代参に頼まれる故、とんと参詣の人が少なくなりましたが、以前は真《まこと》にこのあたりは賑《にぎ》わったものでござる」

「ほう、――」

そういえば来る途中、村童が三々五々道に出て、汚い手を差出しながら、

――権現様へ代参。

――一文やってくだされ。

――御代参御代参。

と付き纏ったことを思出した。

「神仏にもはやり、すたりのあるものとは分っておりますが、一文やっての代参で済

ますとなると、信心も根無しごと、頼りないことでござるよ」

話しながら又二郎は、三九馬の左側へ腰をおろした。

二

「前夜のお泊りはいずれでござったか」

「湯本でござる」

「相松《あいまつ》という宿がござるが、お寄りなさらなんだか」

「左様、隣りの望梅館というのでござったよ」

「おお」

又二郎は愛想よくうなずいて、

「あれには綺麗《きれい》な婢《おんな》がおりますな、我々も時折酒を呑みに参るが」

「小田原の御家中か」

「左様、ただ今は山廻り勤番でござる。酒だけは遠慮なく呑めるが、一日中猿《さる》の声を聞いて山ばかりあるき廻るのも辛《つろ》うござる」

又二郎は話している内に、なんとなく三九馬の人間がすきになってきた。倒幕の謀《む》叛《ほん》を企てている男とも思われぬ柔かい感じで、その眼で見られると心まで和んで来るような気持である。

「望梅館では山椒魚《さんしょううお》を食わせますするが、召上られたか」

「いや、あれは困る」

三九馬に苦笑して、

「随分食い意地の張った方だが、蛇《へび》だの山椒魚とくると、聞いたばかりで――」

「蛇といっしょにされては困る、あれは珍味でござるよ、我々はよく沢淵《さわぶち》などで捕えて来てはすっぽん煮にして食べるが、どうも何ともいえぬ味でな」

「いやそうでもあろうが困る」

三九馬は、つと身を屈《かが》めて右足の草鞋《わらじ》の緒を緊《し》め直そうとした、と――見た又二郎、むずと三九馬の大剣をつかむなり起《た》つ、

「――」

唯《ただ》ならぬ気配に振返った三九馬。剣を持って、又二郎は既に二三間走っていた。

「あ、うぬ！」

がばと立つ、

「わあ――」

芒の丘に卒然と声が起って、十人ばかりの人数がばらばらと現れた。——中の三人、江戸から自分を跟けて来た顔だから、

「謀られた！」

三九馬、さすがにぎくっとして脇差の柄《つか》に手をかけながら足場をはかる、相木総太は二三間進みながら、

「我らは公儀目付方の者でござる、不審の儀によって貴公を召連れ申すよういいつかって参った、神妙にして頂きたい」

「拙者の剣を返してもらおう」

三九馬は自若として、

「公儀役人であればなおのこと、人を騙《だま》して剣を盗むなどは穏かでないぞ、第一この腰では話しも出来ぬ、さあ、——返してくれ」

「神妙になさるか」

「そんな事は剣を返してからの話しだ、無腰の為《ため》に臆《おく》して捕われては恥辱《ちじょく》」

うまいことをいう。

河原一学がうなずいて、又二郎の手から剣を受取ると、相木にちらと眼配せしながら三九馬の方へ下りて来た。

「では剣をお返し申しましょう、しかしその代りに無法な腕立てをなさらぬよう、宜《よろ》しゅうござるか」

「拙者無法は嫌いだ」

「では、――」

一学は傍へ来ると、剣をつかんで差出した。三九馬は苦笑しながら右手を出して剣を執る、同時に一学の体がぱっと後へ跳んだ。

「あ！」

三九馬の右の手首へ、びんと強く縄《なわ》が張っていた。みごとな早縄である。

「神妙にしろ」

「御用であるぞ、神妙にしろ」

ばらばらと一同が近寄った。

三

「ええ、ばか者！」

三九馬は剣をつかんだ右手を、大きく縄に引かせたまま、びんと響く声で叫んだ。

「そんな事で百三九馬《ももい》が捕れると思うか、おれは今日までそう度々おかしかったことはないが、こんなのはずんとおかしいぞ、おれが笑ったらちょっと面倒臭いことになるぞ」

「云うな、公儀に対して謀叛を企《たくら》む曲者《くせもの》、神妙にお縄につけ」

「神妙にしろ」

「厭《いや》だ、こんな子供騙しの小細工をされて、神妙もくそもあるか、縄を持った奴、――貴公は小具足では多少心得がありそうだな、名を聞いて置こう、何と云う」

「――」

河原一学はぐっと縄を引いて右へ廻る。

「名乗るはお厭か、それもよかろう、さあ、そろそろ名無しの無縁塚《むえんづか》を造ってやろうか」

三九馬は縄をぐいと引いた、びんと張り切って弓のようだ。左手を伸ばして剣の柄を握ろうとする、とたんに強力《ごうりき》で縄がしぼられた、引倒されそうにのめって、三九馬の体が二三度芒の中でたたらを踏んだ。

「かかれ！」

相木総太が叫んで、左手から三九馬につめ寄る。角田啓之進は右前から、

「手に余ったら斬れ！」

　叫びながら迫った。

　一学は縄尻《なわじり》を無双に執って、いまひと当て当てようと構えている、三九馬は右の手《て》頸《くび》から縄上一尺あまりのところを左手に掴《つか》んで、にやりと微笑《ほほえ》んだ。

「えい！」

　虚をついて一学が叫ぶ、嶽石《がくせき》砕きの縄、ぴん！　と張る、刹那《せつな》、ふしぎや縄はぷつり切れた。

「あ！」

　だだだ、後へ、芒の中へ倒れる一学、三九馬はさっと大剣の鞘《さや》をはらった。

「三九馬流蟹鋏《かにばさみ》の一手だ、はははは」

「うぬ！」

　総太がおめいて、抜きざま斬って来た、三九馬体をかわして左へ、同時に新谷又二郎が後から、鋭く胴を払って寄る。

「おっ！」

　かっ！　剣が鳴ると又二郎、わっと叫んで芒の中を泳ぐようにのめって倒れた、三九馬は四五間走って、丘の急斜面を足場にした。

「さあ来い、さあ来い」

三九馬は剣を青眼に、

「二い四い八の九と、まだ九兵も残っているではないか、指したり指したり、下手の勘考休むに至るだ、さあ来い、さあ来い」

「——」

無言で角田啓之進が寄って来た。

急斜面で踏場が悪いから、一人以上一時にかかる事は同志討の危険がある。残る八士はぐるり三九馬を取巻いて、隙あらばと窺うばかりだ。

「良い眼だな、貴公」

三九馬は啓之進の顔を見まもって、右足を半歩ひらきながら、

「体構えも尋常だ、少々は出来るらしいに、むざと斬られるか——惜しい若者だが」

「えい！」

角田は下段に構えて、第一声を放つや、すり足に三九馬の右へ廻《まわ》る。

「胴か、胴に隙があるか」

三九馬がにやりと笑う。

「いかん、これは誘いの隙だぞ、それ、——こうすれば籠手《こて》が隙《す》くだろう」

「か――っ！」

奮然啓之進が踏込んだ、はねあげて来る剣、あわや剣を払われた！　と見る。

「そらっ！」

三九馬の左足が地を蹴《け》って、剣光逆にとぶ、啓之進あっと叫んで剣をひく、面上へ、三九馬の剣が伸びた。

四

茶店に腰をかけて渋茶を啜《すす》っていた武士は、松平右京大夫から三九馬へ隠し付人に遣わされて来た栖川《すがわ》六弥であった。

権現社の方へ三九馬をやり過ごしていたが、参詣にしては少し戻って来るのがおそい、ことによると関所前だから裏へぬけるという手もある。――

「茶代を置くぞ」

六弥は底光りのする眼で道の彼方《かなた》を見やりながら、小銭を置いて床几《しょうぎ》から立った。

「どうも誠にお粗末さまで」

「どうぞお大事に」

愛想の声をあとに店を出る、とたんに山駕籠《やまかご》が勢いよく走って来て、茶店の前で停まった。

「爺《じい》さん」

先棒の人足が息杖《いきづえ》をかって、

「ここを半刻ばかり前にお武家様が通らなかったかい」

「源八どんか」

茶店の老人が出て来て、

「それ、そこにお一人いらっしゃるが――」

と六弥の後姿を指し、

「もう一人、そうだのう四半刻も前だっけか、編笠をつけた若いお方が、権現さまの方へ行かっしゃったぞ」

「権現様か、有難うよ」

「寄らねえのかよ」

「お客様がお急ぎだ、帰りにはお連れ申すぜ、ごめんよ！」

駕籠はあがった。

駕籠の中には、お房がひとり、疲れて血走った眼、蒼白《あおざ》めた顔に唇をひきしめて、じっと体を堅めている。

駕籠は六弥の側《そば》をすりぬけて、湖べりの道をとっとと走る、二丁あまり、

「やっ」

先棒が叫び声をあげて六尺へ煽《あお》りをくれた。停まれという合図だ。

「どうした棒組」

「やってるやってる、威勢のいいところやってるぜ、お客様」

「はい」

「向うの丘でお侍衆が斬り合いをやっているが、あなたのお探しなさるお武家があの中にいやぁしませんか」

「え、――」

お房は斬り合いと聞くより、駕籠から転げるように出て、教えられた方を見たが、遠いのと、眼が疲れているのとでよく見えない、

「もう少しやって下さいません」

「いけねえ」

源八というのが手を振って、

「人斬り庖丁《ぼうちょう》を振廻しているのにうっかり近寄れますかい、そいつぁ真平《まっぴら》だ」

「そう、――」

お房はうなずくと、

「では待っていて下さい」

そういって、小走りに道を丘の方へ進んで行った。

その時、丘の上では、ぱっと六七人の人が入乱れて、白刃がぎらりぎらりと日の光に閃光《せんこう》を発したと見えたが、

「む――」

ぶきみな呻声《うめきごえ》が聞こえて来て、人のもつれが右と左に割れたと思うと、六七人の数は半分にへっていた。

「あ！」

お房は、その人々の中に三九馬をみつけて叫んだ。

「さ、三九馬様！」

江戸から、日に夜をついで追って来た人、夢に現《うつつ》に、恋い焦《こが》れていた三九馬に、今こそ追いつくことが出来たのだ。

「三九馬さま、――」

叫びながら、なかば夢中で丘を駈《か》けあがった。

五

「待て、危い！」

駈け登るお房の前へ、深編笠のまま栖川六弥が走り出てさえぎった。

「待て待て」

「――」

お房は無言で、六弥の体をすりぬけようとする。

「危いと申すに」

六弥は女の右手をつかんで、

「勝負はすぐにつく、見ていろ」

「でも、――三九馬さまが」

身をもむお房を、ぐいと引寄せながら、栖川六弥は思わず女の面《おもて》を見かえした。

「おまえ――右京大夫様お邸《やしき》のはしたではないか？」

「あ！」

「これ！」

逃げようとする女を、ひっ抱えるようにして、六弥は低く笑う。

「この顔、いやとはいわせぬ」

「あれ――」

「動くな、何の為にこんなところまで出て参ったのだ」

お房には、栖川の声などは耳にも入らなかった。三九馬はまだ五人ばかりを相手に、芒の中を、見えたり隠れたりしながら斬りむすんでいる。白い刃が、日を向けて空に、きらり、きらり、閃《ひら》めく度にお房の胸はつぶれるような危惧《きぐ》とかなしさにしめつけられるのだ。

「お放し下さい」

「ならん」

「ひと言、ひと言三九馬様にお話し申すことがあるのです」

「ならん」

六弥は女を斬ろうと思っていた。邸の端女《はしため》をしていながら御不審のかかっている三九馬を追って来るというのは、どうせ素性疑わしい女に違いない、簡単にみつもっても山県大弐一派の諜者《ちょうじゃ》と思われる。

――片付けよう。

六弥は四辺《あたり》を見廻した。

「どうぞ、お放し下さいませ」

お房は必死に身をもがいて、どうかして男の腕からのがれようとする、

「ならんぞ」

叫んで、不意に六弥は抱えていた腕をゆるめた。

「あ！」

低く叫んで、だだだ！　と前へのめる。同時に六弥は腰をおとして抜討ちに胴を払った、しかし一髪の差で、お房の体は烈《はげ》しく前へのめり倒れたから、危く切尖《きっさき》をのがれた。

「え――」

焦って六弥が踏み出す。

「あれ！」

お房はそれを見て、

「三九馬さま――！」

喉《のど》も裂けよと叫ぶ。――六弥は刀を控えて振返った。声が聞こえたのである、――

三九馬はこっちを見た。

「三九馬さま――」

「――」

三九馬は何か答えた。

六弥は自分の役目から、ここで三九馬と諍《いさか》いを構える訳には行かなかった。女を見のがすより仕方がない、――六弥は剣を収めて、三九馬の来るとは反対の方へ丘を登って去った。

「おお！」

三九馬は四振の白刃に追われながら、大股《おおまた》に駈け寄って来た。

お房もはね起きて、

「ああ、ああ」

と狂おしく自分の胸を抱き緊《し》め、

「三九馬さま」

「お房か」

「三九馬さま」

「――」

三九馬は足を止めて、追い縋《すが》る敵に振返った。

六

残っているのは角田啓之進と河原一学、それに小田原藩士二名だけであった。

「お房――」

「はい」

「旅の切手を持っておるか」

「いえ」

三九馬は四人の敵に剣をつけながら、丘の向うへ去った深編笠の武士の方へちらと眼をやった。

「乗物はどうした」

「湖べりに待たせて、ございます」

「よし、駕籠へ乗っておれ」

「でも――」

河原一学が奮然、

「えい！」

喉も裂けよと喚《わめ》きながら斬り込んできた、三九馬とび退《しさ》って、

「うん――!」

切返して来る一学の剣を、ぱっとはねあげるや、右籠手の骨を絶つ一刀、

「え!」

斬って取る、同時に藩士の一人が、体ごと右から突っかかって来る奴を、体を転じてやり過ごし、まさに踏み込もうとしている角田啓之進の面へきらり、伸びて来た剣、啓之進が虚を衝《つ》かれて受けようとする、刹那、

「や、えいっ!」

いま一人の藩士がおめいて踏み出すのへ、逆にかえった三九馬の剣が、

「とう!」

ぱっと脾腹《ひばら》を割った。

河原一学は芝の中に膝《ひざ》をついて、斬られた右籠手に血止めの木綿をまいている、啓之進は、唇を慄《ふる》わせ、二間ばかり離れて刀をつけているばかり、残った一人の藩士は、神心消耗しつくした体《てい》で、漸《ようや》く体を踏み応《こた》えているという有様だった。

「もうこの位でよかろう」

三九馬は二三歩さがり、顫《ふる》えているお房を眼で招き寄せながら、

「貴公らも三九馬を仕止めることは出来まい、おれももう斬りあきた、別れるぞ――」

「――――」

啓之進は一歩前へ出たが、それは斬ってかかる気勢ではなく、自分をけしかけるかたちだけのものであった。

「急ごう」

三九馬はお房を促し、静かにその場をはなれながら、充分に剣へ拭《ぬぐ》いをかけて納めた。

「話しは後で聞く、小田原の山廻りに事が知れては面倒だ、さあ――」

「はい」

振返ると、啓之進は河原一学の側へ寄って何か言っているし、生残った藩士は倒れている友を抱き起しているところだった。

お房を労《いた》わりながら丘を下りる、待たせてあった筈《はず》の駕籠は、――かかりあいになるのを恐れたのか、もうその辺には見えなかった。

関所を越すのが目下の急であるが、お房に切手がないとすると同行はむずかしい。迂《う》闊《かつ》に時を移せば追手が加わるに相違ない、

「お房――」

三九馬は足を止めた。

「拙者はこれから遠国《おんごく》へ行かねばならぬ、それで」

「知っております」

お房はすり寄って、

「それ故《ゆえ》お跡を追って参ったのです、御要慎《ようじん》なさいませ、桃井久馬さまが四人連れで追っています」

「久馬が」

「それにいま、わたくしを捉《とら》えていた深編笠の人」

「うん」

「あれは――」

言いかけた時、三九馬は慌《あわ》てて、お房の言葉を制し、道傍《みちばた》の杉の古木の蔭《かげ》へ身を隠した。

七

湖べりの道を急いで来るひと組の男女、陣屋源四郎に小菊と渡辺貞之助の三人。

「お房――」

三九馬は女の耳へ、

「これも三九馬を狙《ねら》う奴らだ、ここで暇どっては小田原藩の手が伸びる、別れるぞ」

「――」

「湯本の望梅館という宿へ行って、柳荘先生に由縁《ゆかり》ある者だといえ、切手を都合してくれるから、二日ばかり間をおいて追って来るのだ」

「はい」

「沼津で待っている、宿の二階の手摺《てすり》へこの笠を掛けておくから、それを目当に探《たず》ねて参れ」

「はい」

「では、さらばだ――」

いい残すなり、三九馬は杉の木蔭伝いに、丘を裏へぬけて関所道へと向った。

お房は、栖川六弥が自分を斬ろうとしていることを告げたかった。六弥は自分の素性を見抜いたらしい、今度みつけられたら容赦なく斬られるであろう――ひと言その事情を話して三九馬の庇護《ひご》を受けたかった。しかし三九馬はそれ以上に逼迫《ひっぱく》した危険の中にいる、自分のことなどで時を費しているうち、どんな事態を惹起《じゃっき》するかも知れぬと思えば、お房は黙っているより外になかった。

「ごぶじで——」

口のうちに呟《つぶや》きながら、三九馬の姿が木隠れに見えなくなるまで、見送った後、お房は湖べりの道へ出た。

「ものをお訊《たず》ね仕《つかまつ》る」

お房を見かけるや、向うから来た三人の先頭にいた陣屋源四郎が急がしげに声をかけた。

「はい——」

「この辺で武士数名が果し合をしていたというが、どこであるか御存知ないか」

「はい、よくは存じませぬが」

お房は声の顫えるのを抑えながら、振返って権現社の森を指し、

「あの森のうしろで、恐ろしい人の叫び声が聞こえておりました」

「かたじけない」

源四郎は振返って、

「急ごう」

「うん」

うなずき交わすと、貞之助、小菊、足を早めて森の方へ走って行った。

お房は茶店まで戻って来る。

「おお、帰んなすったか」

茶店の老爺《ろうや》は走り出て、

「駕籠屋の衆が、斬り合いのまん中へおまえさまが入って行かっしゃったというで、どうなったかと案じていましたぞい」

「わたくしの知り人かと存じましたので、側まで行ってみましたが、人違いでしたから戻って参りました」

「えらい度胸じゃ、お江戸の女子《おなご》はこのあたりの男も及ばぬ勇ましいことじゃ、で——斬り合いはどうなりましたぞ」

「さあ、よくも見ずに帰って来ましたので、どうなりましたか」

お房はなおも様子を訊きたげな老爺の言葉をさえぎって、

「あの、急いで湯本まで戻りたいのですけれど、駕籠はありませんでしょうか」

「ようございますとも、いま直《す》ぐに頼んで来ますすべえ」

老爺が店を出るのと、同時に道をこちらへ、甲斐甲斐《かいがい》しく身仕度した武士が二十名ばかり、鉄砲を持った足軽を従えて走って来たが、そのまま土埃《つちぼこり》をたてながら湖に添って権現社の方へ走り去った。

小田原藩の山廻り、急を聞いて捕物の現場へ急行する人々であろう――お房は体をかたくしてそれを見送っていた。

みだれ雲

一

「まだ口を開かぬか」

郡太夫はそう云《い》いながら部屋の中へ入って来た。

納戸《なんど》造りの、日のささぬ暗い小部屋の中に五十あまりの痩《や》せた男が、裸にされた上から八重に縄をかけられ、俯伏《うつぶ》せに畳を嚙《か》みながら低く呻いている。

「は、――」

堂前忠蔵は、男の背へ刀の鐺《こじり》を当てていたが、郡太夫を見ると体をひいた。

「なかなか強情な奴にて、ひと言も舌を動かしませせぬ」

「責め方を変えるかのう」

「燭台《しょくだい》を持て」

「は、――」

従《つ》いて来た若侍が足早に引返して行ったが、待つ程もなく燭台を運んで来た。

「光基とやら」

郡太夫は蠟燭《ろうそく》に火を点じさせながら、男の傍に身をかがめた。

「この上にしいていわぬなら、不本意だがちときつう責めるぞ」

「い、如何様《いかよう》とも――」

「ふむ、どうでもせいというのだな、よかろう、改めて申し聞かせるまでもあるまいが、その方を生かすも殺すもここでは勝手だ――よいか、その方の宅へは品川沖へ釣《つ》りに出たといい遣わしてある、今宵《こよい》これから釣り舟を一艘《そう》仕立て、品川沖に顚覆《てんぷく》させておけば、表向き溺死《できし》ということになるのだ」

「む、――」

「分っておるであろうな」

「せ、責めい！」

絵師光基は低く叫んだ。

「忠蔵、蠟燭をかせ」

「は」

「こ奴を仰向けにさせろ」

若侍と堂前忠蔵、ぐったりしている光基の体を、蹴返《けかえ》すようにして仰向けにした、四五日の間絶えぬ折檻《せっかん》で、顔に血の気もなく、眼の落窪《おちくぼ》んだ光基の面は幽鬼のように凄《すさま》じく、散大した眸子《ひとみ》は狂人のように宙を睨《にら》んで動かなかった。

「この灯が見えるか」

「――――」

「郡太夫の責は手ぬるいかも知れぬ、だが少々こたえるはずだ、忠蔵」

「は、――」

「此奴のこの眼を、閉じられぬように指で支えておれ」

忠蔵はそこへ膝をつき、両膝で光基の頭を動かぬようにはさみ、右の眼蓋《まぶた》を両の指で上下に押えつけた。

「仙二郎《せんじろう》は体を押えろ」

「は」

若侍は裸の光基の上へ馬乗りになった。郡太夫は蠟燭の光を光基の顔へ近づけて、

「かかる前に、もう一度訊く、吉田玄蕃に頼まれて偽作の画《え》をかいたであろう、どうだ、——返辞をせぬ上はこの熱蠟で眼玉を焼く」

「う！」

「画師が視《み》る力を失うのだ、見ろみろ蠟燭はもう傾いてる」

「う——！」

「どうだ、ひと言でよいが申す気にはならぬか」

郡太夫の女のような声が、鬼気を帯びて来た、光基はかっと瞠《みひら》いた眼で、蠟燭を眺《なが》めながらはね起きようとして、猛然足を踏ん張ったが、既に精根の尽きた体は、仙二郎の力の下に哀れなのたうちをみせたばかりであった。

「一滴」

群太夫が低く呟《つぶや》いた。

大きな蠟涙が、一滴、大きく押し開かれた光基の眼球の真上へ、つ——と落ちた。

二

凄惨《せいさん》な呻吟《しんぎん》が起ると同時に、馬乗りになっていた仙二郎は横ざまに放《ほう》りだされた。

八重に縛られた光基の裸体が、さながら蛇《へび》のように波をうって小部屋の中を縦横に転げ廻る、郡太夫は、光基の頭が足許《あしもと》へ来ると、いきなり右足をあげてむずと止めた。

「咆《ほ》えるな！」

「む――お、鬼め――」

「鬼と呼ぶにはまだ早いぞ、熱蠟の味は二度め三度めがこたえるのだ、忠蔵、仙二郎、此奴を仰向けにせい」

「は――」

二人は言下に光基を捕え、再び仰臥《ぎょうが》させて、動かぬように抑えつけた。

蠟を落とされた絵師の右の眼は蠟涙で塞《ふさ》がれ、眼蓋は脹《ふく》れあがって、熱い涙が、乾いた蠟の眼尻《めじり》から流れ出ていた。

「絵師、二度目だぞ」

「む――」

「こんどの一滴が落ちると片眼盲《めしい》るがよいかな」

「――」

「忠蔵、蠟搔《か》き落とせ」

堂前忠蔵が、頭を膝ではさみつけたまま、眼を塞いだ蠟涙を静かに搔き除いた。

「この灯が見えるか」

郡太夫は光基の左眼を覆《おお》って差出す蠟燭の焰《ほのお》、光基は赤く充血した右眼を瞠いて郡太夫の手許を見た――夜の帳《とばり》をすかして遠い灯を見るように、うすく揺れる帳――

「まだ少しは見えるであろう、いまのうちに充分に見て置くがよい、こんどの一滴で右眼を失うのだ、よくよく見ろ」

「む――む――」

「痛むか、そうであろう、眼球の根は脳の髄にあるという、凡《およ》そ火の熱は烈気にして皮肉を焼くが、熱蠟はしんしんと骨に徹《とお》るものだ、鰐魚《がくぎょ》の額に蠟すれば、七日啼泣歇《ていきゅうや》まずとある――覚えて置くがよい、忠蔵、眼蓋を押し開けろ」

「は――」

堂前忠蔵が、再び指で、脹れあがった眼蓋をしっかりとひろげる。

「ま、待って――」

光基が叫んだ。

「待てというか」

「申上げます、申上げまする」

「ほう」

郡太夫は低く、

「忠蔵と仙二郎はさがるがよい」

「は」

堂前と仙二郎は、自分が責苦から解かれた者のようにほっとして、額に滲《にじ》み出た膏《あぶら》汗《あせ》をそっと押し拭いながら、小部屋を退出して行った。

「聞こう」

郡太夫は矢立と料紙を取出して、光基の傍へ座った。

「御家老様の、お頼みにて、近江《おうみ》八景の一軸を、たしかに私が偽作――仕りました」

「家老に呼ばれたのはいつ頃のことであったか」

「昨年――秋」

「十月か」

「九月末頃のことかと――」

「偽作を命ぜられたのは？」

「十一月五日の夕刻」

「場所は」

「両国橋東詰、料亭柳屋の一室でございました」

「同座した者は」

「さ、――」

「誰だ？　十を白状して一をのがれたところでどうなる、申せ」

「当――お上と――」

「お上？――殿か」

郡太夫の眉《まゆ》が寄った。

三

郡太夫は小部屋を出た。

渡り廊下の端に堂前忠蔵が控えているのへ、

「絵師に手当をしてやれ、縄を解いてもよいが、逃げぬように厳重に見張っておれ」

「は、――」

「わしは伺候する」

居間へ戻って衣服を替えると、調書を持って出た。玄関の式台に片寄せられた鳥籠《とりかご》の中で、南蛮鳥が――郡太夫の顔を見るなり鋭く、

「きっきょう、――きっきっ」

と啼《な》いた。

きっきょうは吉凶に通ずる。その南蛮鳥が好んで啼く調子があって、郡太夫はその日の啼声を自分の運命に対する暗示として聞く習慣があった。

「吉《きち》、吉か、――」

郡太夫は冷やかに笑いながら、仙二郎を供に御館《おやかた》へ参入した。遠侍《とおさぶらい》に控えていた番士が、郡太夫を見るなり近寄って、

「御数寄屋《すきや》にて、少将様お待ちかねにござります」

「うん」

郡太夫はうなずくと、仙二郎を遠侍へ残しておいて、そのまま数寄屋へ行った。そこには少将信栄《のぶよし》と宮田将監が、膝を交えて、何か談じ耽《ふけ》っていたが、郡太夫が入って行くと、

「待ちかねた待ちかねた、これへ」

と信栄が席を示し、郡太夫の着座をもどかしげに、

「どうであった、まだ口を割らぬか」

ときく。郡太夫は、

「是《これ》を、――」

といって、携えて来た調べ書を取出して信栄に渡す。

「や、白状したか」

「御意の如《ごと》く」

「見るぞ」

信栄は披《ひら》いた。将監は例の如く、鋭い眼を半眼にして、じっと信栄の表情をみつめていたが、やがて信栄が読み終ると、手を出し調書を受取り、素速く目を通した。

「縛れる」

信栄が欣然《きんぜん》とうなずいた。

「しかし、――」

将監は調書をおいて、

「偽作の命を受けた時、殿が同座せられたという条は削らねばなりませんな」

「そうじゃ、信邦同意とあってはいかん、その点は絵師を窮命して、同座でないとするがよかろう」
「それについて、――」
郡太夫が静かに、
「玄蕃一人とすべきか殿に代えて何者か、同座とすべきか、一応御意を伺いたくと存じました故、そのまま認《したた》めてござりまするが」
「さて、――」
「良い人物がある」
宮田将監が低く、
「山県大弐《やまがただいに》を加担人とするのでござる」
「それは、――」
郡太夫がいぶかしげに、
「危《あぶの》うはござりませんかな、大弐の謀叛《むほん》に巻き込まれては、お家に瑕《きず》のつく怖《おそ》れあり、それ故早急に玄蕃窮命の策を建てたこと、――」
「いやいや」
将監は静かに頭を振って、

「将監の探査に依《よ》ると、幕府は大弐に手を出すことが出来ぬ様子でござるよ」

「それは、また何故《なにゆえ》に」

「すくなくとも、勤王の大義を唱える人物として縄をかけることはせぬはずです、その点は突き止めた将監を信じて頂きたい」

「一応その訳を聞きたいが」

信栄が不審の晴れぬ顔できいた。

四

「何故幕府が大弐一味に手を出せぬかと申しますと、第一は朝廷への憚《はばか》りでござる、先年竹内式部の事件も、彼が勤王学者として堂上に聞え高かった為《ため》、断罪にも遠慮せねばならなかったと同様、山県大弐の場合にも尊王論を唱導する者として彼を捕縛することは出来ぬ様子でござる」

「といって、――」

少将が膝を叩《たた》いて、

「現に謀叛を企てておる実証があるのに、黙って見過ごしはすまいと思われるが」

「そこに閣老衆の苦心するところがあるので、捕える名目をどうするか、実は将監にも今日まで見当がつかなかったのでござるが、ようやく片鱗《へんりん》を知ることが出来ました、――即ち、大弐と玄蕃を結びつけても、最早《もはや》お家の安危に関わることなしと見極めがついたのでござる」

「大弐を捕える名目とは」

「先《ま》ず門弟中に動揺を起さしめる手段《てだて》、第一に藤井右門と申して、一味の旗頭ともいうべき人物が罠《わな》にかけられてござる」

「どのような、――？」

「一昨々日《さきおととい》の夜、新吉原の引手茶屋に於《おい》て、老中松平右京大夫殿の隠密《おんみつ》手先を勤める医師、宮沢準曹《じゅんそう》の巧手にかかって、浪士一名、芸妓《げいしゃ》一名を斬り、逃亡仕ってござる」

「では梅叟の話したあの事件」

と郡太夫が膝をすすめ、

「あれは右京大夫殿の指図でござったか」

「梅叟にも察せられなかったとすると、将監の探査恐るべしだのう」

少将信栄は愉快そうに、

「では玄蕃の加担人には大弐を以てするとして、もうひとつたしかめておかねばならぬことは、真の義興《ぎこう》の軸が実《まこと》に酒井侯の手へ納まっているかどうかということだが」

「それは最早調べ終ってござりまする」

将監は半眼にした眸子を鋭く光らせて、

「酒井侯御宝物帳に、新しく近江八景の一軸が書込まれてあること、写しまでとらせてござります」

「ほう」信栄はにやりとして、

「さすがは将監よ、やるのう」

「それから、大阪山屋との取引勘定の内、金山開掘の仔細《しさい》割書について、詳細に検《あらた》めましたところ、使途訝《いぶか》しき金子《きんす》合計二千余両、田沼侯への運動金と認めて前後四回に一千二百両、日本橋田島屋七郎兵衛仕切として七百余両、いずれも勘定表を合せる名目のみの出金にて、――この度、郡太夫殿探索によって判明せる、長崎表へ炮火買入れの費用は勿論《もちろん》、山県大弐への融通資金みなこれを流用したること疑うまでもございませぬ」

「御意見でござるが」

郡太夫が口をはさむ。

「その点については玄蕃に一つの脱け道がござります。と申しますは御承知の如く、一昨年より領地農民の年貢《ねんぐ》米を二割がた切下げ、諸運上も一割四五分ずつ削減してござります故、仕切差額をこれに充《あ》てたと申す場合には、――」

「それも一応はもっともである、先年の運上切下げは全く玄蕃の一存に依って行なわれたもので、これまた専断の罪は免《まぬか》れぬと思うが」

「専断じゃ専断じゃ」

信栄は大きくうなずいて、

「信邦から毎年一千両ずつ、わしへ孝養料として贈られてあったものを、領地運上削減を名にして停止しおったのも玄蕃の計らい、信邦はじめ年寄役を蔑《ないがしろ》にした致し方、その点もきっと糾問せねばならぬぞ」

「大体この位にて、一応玄蕃のお役を剝《は》ぎ、蟄居《ちっきょ》を命じてよろしかろうと存ずるが」

「そうだ、宜《よろ》しくは後のこと、先ず何より先に手足を詰めておかねばなるまい、早い方がよいのう」

郡太夫の唇が冷やかに微笑をもらした。

五

「八千緒、――」

又兵衛は床の上に起直って、

「おらぬか、八千緒！」

低く呼びながら、耳を傾けた。いまの先まで縁端で薬湯を煎《せん》じていた八千緒、どこへ行ったのか返辞がない。

又兵衛は床を這《は》い出て、小窓のふちに手をかけると、そろそろと立ってみた。もはや大丈夫、あとは肉のりを待つばかり――と医者が診てから、かれこれ七日になる。

二三日前から、八千緒にかくれては、立つ稽古《けいこ》をしてみるが、痛みは僅《わず》かに皮肉に伝わるばかりで、骨には充分に踏みこらえが出来ていた。

幾月かけての執着が漸《ようや》く手の届くところへ来た。

「立てる、――」

「この上は一日も早く」

立てるとなると、思うことはかねての本望、斬奸《ざんかん》の為事《しごと》である。中村と菅屋が、郡太夫に呼ばれて行ってから、既に十日近く帰る様子もなく手紙もない。

「出かける時源次郎は、自分と刀を取換えて行った。すれば、二人が何をしに行ったのか見当がつくではないか」

遣《や》り損じて斬られたか。——

そう思うより外にない。又兵衛は段々苛立《いらだ》ちはじめた。

立つことが出来る、と自信がつくや、玄蕃を斬ろう、という決心をした。その為には玄蕃の動静をさぐらねばならぬ。又兵衛は、八千緒が玄蕃を識《し》っていることを利用すべし、と考えているのだ。

「八千緒に、玄蕃を誘い出させた上、彼を斬って自殺する」

又兵衛はそれが自分の道であると決していた。だが——そう思うあとから、この頃になってかすかに、

「だが八千緒は——？」

という声が自分の内に聞こえるのを感じはじめたのである。

親代りに育ててくれた兄を棄《す》てて、又兵衛一人に生命《いのち》をかけて縋《すが》りついて来たいじらしい心根を思うと、自分が幸いに本望を達して自刃《じじん》した後、一人残されて八千緒がどうして生きて行くか、

「可哀《かわい》そうに、——」

という前に、八千緒を措《お》いて自分に立派な自刃が出来るかどうか、それが既に心懸りになって来つつあるのだ。

小窓につかまって、ようやく立上った又兵衛は、静かに小障子をあけた。窓の外は裏庭になっていて街中には珍しく、中位の桑が四五本つやつやした葉を茂らせていた。

「いやな雲が、――」

又兵衛は裏街の屋根の上に逞《たくま》しくひろがっている雷雲を見上げて呟いた。

もう五月になろうとするのに、今年はまだ初雷が鳴らぬ。その故か、ひどく季候が不順で、寒暖定らず、早くも各地に流行病《はやりやまい》の噂《うわさ》があった。

「ひと荒れくる頃だの、――」

低くいって、ふと眼をそらした時、裏木戸の外、桑の木の蔭に八千緒の姿をみつけて、又兵衛はちょっと顔の色を変えた。

八千緒は一人ではない。桑の葉蔭に武士が立って、八千緒の方へ身を寄せながら、低い声で何か熱心に話しかけていた。

「――！」

又兵衛はぐっと胸をしめつけられたように思って、気取《けど》られぬように障子を閉め、静かに畳の上に体を戻して端座した。

「八千緒が自分の外の男と親しげに話をしている、自分の眠っているのをみすまして脱出して」

病んで尖《とが》った神経が、ぐいぐいと又兵衛の感情をあらぬ方へと駆立てる。又兵衛は自分ながらあさましい程、呼吸が詰り、胸の塞がるのを覚えた。

六

「長崎へ、兄が——」

八千緒は、そう聞くより早く兄の上にも、自分の上にも、どうやら動き難い運命の手が迫って来たような、暗い気持に襲われた。

「あなたには打明けてもよいと思うが」

福島伝蔵は声をひくめ、

「三九馬君は、柳荘《りゅうそう》先生御一党の旗挙げに必要な、鉄砲火薬を買入れに行ったのです」

「旗挙げとは」

「晩《おそ》くも、この秋、冬のはじめには、小幡《おばた》藩を根城にして碓氷《うすい》に拠《よ》り、倒幕の一戦がはじまるのです」

「まあ、——」

「式部老——御存じでしょう、竹内式部先生も、この五月内には出府なさる手筈だし、甲斐正念寺に隠れている愚得和尚《ぐとくおしょう》、荒田得一先生も近く江戸入りをなさるのです」

「それで」

言いかけてちっと躊躇《ためら》ったが、八千緒は自分をけしかけるように、

「それで、勝つか負けるか、充分に御策戦はできているのでしょうか」

「負けましょう」

伝蔵は微笑して、

「総勢合せて五千に足らぬ人数、炮薬《ほうやく》にも軍資金にも限りがあります。如何《いか》に天嶮《てんけん》を要し、大弐先生に稀代《きたい》の軍略ありと言っても、まだまだ幕府を倒すことは出来ますまい」

「では予《かね》て伺っていたように、やはり皆様揃《そろ》って討死のお覚悟でございますのね」

「そうです」

伝蔵はうなずいた。

「さればこそ、大弐先生は藤井右門殿が是非にと申されるを退け、公卿《くげ》衆を同志とすることを拒まれたのです。こん度の旗挙げは——唯《ただ》天下に大義の存するところを宣弘《せんこう》するを以《もっ》て足る！　先生の心はこれだけなのです」

八千緒は心をうたれて頭をたれた。伝蔵は八千緒の横顔を暫《しばら》く見まもっていたが、

「それについて」

と低くいう。

「あなたにお頼みがあるのです」

「はあ、――？」

「長沢町においでの時、富永道雄という若者がいたのを」

「はい」

「道雄が今、――ある事件で、傷を受けて床に臥《ふ》しているのです」

「まあ」

「なに、傷は大したこともなく、もう二週日もすれば起きられるのですが、何しろもう死を賭《と》した旗挙げも近く、時が来ればそのまま再び生きて帰られぬ身の上です、――それで、生前に一度あなたにお眼にかかりたいと申しているのですが」

「――」

八千緒は、はっと胸をつかれた。いつか大弐が旅から帰った夜、祝宴が張られた時、自分の部屋へ、菓子を持って来てくれた――道雄の、情熱の籠《こも》ったまなざしが、まざ

まざと眼のまえへ甦《よみがえ》って来る。

「お厭《いや》ですか」

「いいえ、あの、――」

「直ぐ近くです、芝浜の拙者の知人の家にいるのですが」

「――」

「ひと眼でよいのです」

八千緒は顔をあげて、

「御承知のように、いま又兵衛の体が大事な時で、わたくしがおりませぬと直ぐに気を苛って癒《なお》りきらぬ脚を無理に立ってみたり致します故」

「決してお手間はとらせません、ほんの一刻《いっとき》か半刻、それに、――三九馬君からあなたへお渡し申せと預かった品もあるのです」

八千緒は唇をかんだ。

七

「お薬をおあがり遊ばせ」

八千緒は薬湯を持って、又兵衛の枕許《まくらもと》へ静かに座った。

又兵衛は天井を睨《にら》んだまま、

「呑《の》まぬ」

「──」

いつにない荒い語調であった。それに天井を睨んでいた眸子《ひとみ》にも、きらきらと強い光がある。

「気分でもお悪うございますか」

「うるさい！」

「──」

八千緒は思わず身を退《ひ》いた。

「今まで何処《どこ》へ行っていた」

「は、あのちょっと」

「ちょっと？──ちょっとどうした」

又兵衛は意地悪く、鋭い眼を八千緒の面《おもて》へ移して、

「どうしたと訊《き》いているのだ」

「はい、あの──買物が、ございましたので、表通りまで」

「う、嘘《うそ》をつくな！」

又兵衛は半身を起して、

「ひとを蔑《ないがしろ》にするのも、いい加減にしろ、裏で誰と密会していた」

「え、――」

「貞節らしく、面に貞節らしく装って、人の眼のない処《ところ》では、あの態《ざま》だ、相手は何者だ、相手は――？」

「どうぞ」

八千緒はおろおろと、

「どうぞ、そのようにお怒り下さいますな、お体に障っては」

「ええ！　誰だというに、相手は誰だ、返答出来ぬか」

「申上げます」

「いえ！」

「申上げますから、どうぞお気を鎮《しず》め遊ばして」

「――」

又兵衛はわけもなく盛上って来る憎悪《ぞうお》の焔《ほのお》に、我ながら驚く程惨忍《ざんにん》な気持になってゆくのを感じた。

「偽《いつわり》を申上げ、済みませぬ、正直に申上げてもお怒りを頂くこと故、云い拵《こしら》えようと致しましたのはわたくしが悪うございました」

「くどい、云い訳は後だ、密会をして居た男は誰だと訊いて居《お》るのだ、申せぬか」

「はい」

八千緒はすなおに、

「あれは江戸邸詰めの御家中で福島伝蔵殿と申される、――」

「福島」

又兵衛は意外らしく、

「伝蔵が、――何しに来た」

「兄からわたくしへ言伝《ことづ》け物がございましたそうで」

「兄？――兄とは誰だ」

又兵衛は拳《こぶし》を顫《ふる》わせ、

「その方、ここへ来た時何といった、縁者は勿論兄とも一世の縁を断ったと申したではないか、三九馬は奸党《かんとう》に与《くみ》するもの、又兵衛とは七生かけての敵《かたき》だ、――その妹なればこそ拙者は一度婚約を断ってある、それを」

「わたくしが悪うございました」

八千緒は両手をついて、

「兄からの言伝と知りましたら福島様にも会いは致しませぬが、存じませぬ故うかと出まして」

「言い訳だ、聞かぬ」

「如何ようにもお詫《わ》び仕りまする、どうぞお許し遊ばして」

「出て行け」

「どうぞお許し遊ばして」

「――――」

又兵衛は膝《ひざ》を乗出した。

八

「どんなにでも詫びをする、と申したな」

「はい」

「きっとするか」

「お心の済みますように」

又兵衛は鋭く、

「では、いま伝蔵が話したことを何も彼《か》もここで申してみろ、三九馬はどうしている」

「はい」

八千緒は悪びれもせず、

「兄三九馬は長崎表へ旅立ったと申すことでございます」

「何日だ」

「十日ほど前に」

中村源次郎、萱屋十郎太が、郡太夫に呼ばれて出かけたのもその頃である。又兵衛は初めて彼等が三九馬を追って行ったのだと知ることが出来た。

「長崎へ行く用向は」

「鉄砲火薬の買入れと伺いました」

「何の為《ため》に、――」

「はい」

八千緒はさすがに、それをいうことは身を絞られる気持だった。

「いえぬか」

「申上げます」

又兵衛は促すようにぐいと顎《あご》をしゃくった。

「この度——山県大弐、一党の人々が、幕府に弓をひいて小幡藩を根城に碓氷の嶮《けん》を要して旗挙げをなさるとか」

「む——」

又兵衛は心に仰天した。

「その旗挙げに入用の為、鉄砲火薬を買入れると云うことでござりまする」

「事を起すは、いつ——?」

「この秋か、晩《おそ》くも冬のはじめという話でござりました」

「小幡藩を根城にすると云うことは、誰々の意見だ?」

「藩の宰領は御家老様と」

「玄蕃か、——」

又兵衛は拳を強く膝へうちつけた。玄蕃がお家を危うする奸物であるとは、かねて国許《くにもと》における改革派の指摘するところではあった。黜陟《ちゅっちょく》を私し、藩政をみだり、専断事を行ない、豪商と通じ、——云々《うんぬん》と、罪状は五指に余るものであったが、山県大弐の陰謀に与《くみ》して、お家を叛逆《はんぎゃく》の渦中《かちゅう》に巻込みつつあるとは、全く考えも及ばぬところであった。

代々幕府から殊遇を受け、小藩ながら格別の尊敬を払われていて、徳川家とは因縁浅からぬ家柄《いえがら》の織田家を、不逞《ふてい》の徒に乗ぜしめて賊名の下に抛《なげう》とうとは——奸とも悪とも、又兵衛にとってはいいようを知らぬ暴戻《ぼうれい》な振舞いに思われた。

「八千緒！」

「は、——」

「よく申した、よくそこまで打ち明けた、許すぞ」

「お許し下さいますか」

「その代りいま一つ頼みがある、もう少し寄れ」

「は——」

八千緒は膝をすくめた。

「今日から三日のうち、玄蕃をここへ誘い出してくれ」

「——」

「ここで都合が悪ければ、この近くのどこでもよい、おまえには名付け親、いい拵えれば誘い出せぬことはあるまい」

「は、——」

「どうだ」

八千緒には玄蕃を誘い出して又兵衛がどうするか、よく分っていた。兄も——そして又兵衛までも、どうやらのっぴきならぬ立場が近づいて来たようである。

「厭か——？」

「は、はい、——承知いたしました、仰《おお》せのように仕ります る」

九

ひゅっ！

蚊のように、闇《やみ》を縫ってとんで来た縄、先に分銅がついているやつが、ぴしり音を立てて右門の頸《くび》に巻きついた。

「あ！」

だだ、よろめいたが、抜きざまに刃を返して払う。ぱっ！　縄が切れる。

「ぴぴぴぴ」

鋭い呼子の笛。

「くそっ！」

右門は踵《きびす》をかえして、抜身をさげたまま闇を裏へ、と、家蔭から兎《うさぎ》のように、

「御用だ」

「神妙にしろ」

二三人の影が、躍り出た。右門は剣を大きく横薙《よこな》ぎにして、

「うぬ、斬るぞ！」

喚《わめ》いて出る。ひゅっ！　とんで来る分銅縄、身を沈めたが、右手へきりきりと巻きついた。

引く力に乗ってぱっと二三歩寄りに、縄尻《なわじり》をとったのが、慌《あわ》てて退《さが》ろうとする、

「えい！」

縄のついたまま片手なぐりに斬り下したが、危く躱《かわ》される。刹那《せつな》！　うしろから一人が、猛然としがみついて来た。

「縄！　縄！」

必死に叫ぶ。右門は肱《ひじ》をかえして、抱きついた奴の脾腹《ひばら》へひと当て、

「む、——」

手のゆるむのを、すかさず、体を引放してぴんと縄を張る。同じに左手で抜いた脇《わき》差《ざし》、ぷつり綱を切った。

「ぴぴぴぴ」

笛の音が闇を貫いて、

「神妙にしろ」

「藤井右門、御用だ」

上ずった声で叫びながら、いつか人影は五六人になっていた。

右門は刀をさげて、豹《ひょう》のように前後を見廻《みまわ》した。――野村屋の刃傷《にんじょう》以来、江戸の隅々《すみずみ》を逃げまわっていたが、金はすっかり費《つか》い果すし、安らかに眠る場所もなく、思《し》按《あん》を決して今宵《こよい》、ここ永代河岸《えいたいがし》に山県大弐と会うべく手紙をやって待ち合わせているところであった。

そこへ不意の捕手だ。酒と遊蕩《ゆうとう》に、身も心も爛《ただ》れきった右門は、虚をつかれてすっかり度を失ってしまった。

「ここで捉《つか》まっては、県先生の名も汚《けが》し、犬死をすることになる、どうにでもして斬り抜けなくては」

不安と焦《あせ》りで、苛立ちながら、機を窺《うかが》っていたが、街の向うから、提燈《ちょうちん》が三つばかり、笛を聞きつけて走って来るのを見ると、

「えい！」

突然、剣をふるって出た。

「御用だ」

とんで来る縄ふたすじ、ぱっと身を沈めて左へ、邸構《やしきがま》えの裏門、潜《くぐ》りの庇《ひさし》へ手をかけると、つめ寄る手先の面前へ、さっ！　ひと薙ぎ威《おど》しをくれておいて、

「や！」

叫びざま築地《ついじ》の上へ身を躍りあげた。同時にぴゅっと飛んで来た棒が、両股《りょうもも》の間を横に払う。足をすくわれて、

「あ、――」

踏み直る暇もなく、どう――築地の内側へ横ざまに転げ落ちた。

「わ――」

外にあがるどよめき。

右門ははね起きて素早く見廻すと、武家の下邸とみえる庭造り、植込の彼方《かなた》に灯《ひ》を明々として酒宴でもしているらしい、妓《おんな》と客の姿が見え、三絃《さんげん》と歌声が聞こえて来る。

右門は大河から潮を呼び込んであるらしい池に添って、こんもりと暗い樹立《こだ》ちの方へ走って行った。――南風しだいに烈《はげ》しく、いつか大つぶの雨が横なぐりに降りだし

て来た。

十

「待て、何者だ！」

見廻りの者であろう、棒を持った男が二人、池のはずれのところで右門の前に立ち塞《ふさ》がった。ここで騒がれては面倒と、

「実は、今この裏で乱暴者に取巻かれ、進退に窮して御邸の塀内を逃げ道にお借り仕った者でござる」

「乱暴者——？」

棒を斜に構えていぶかしそうに、

「たった今のこと、塀の外で捕物の気配がしていたようだが、それではないか」

「いや、拙者は乱暴者に追われ」

「待ちなさい」

一人が、丁度その時そこの築地の外へ来たあわただしい人声に向って、

「外の方々にお訊《たず》ね申す」

大声に叫んだ。

――いかん。

と思ったから、前にいた男の棒を、いきなり隠していた剣で払う。

「ああ、曲者《くせもの》」

「えい！」

肩へ一刀、強《したた》かに峰打ちをくれる。だだとよろめいて池へ落ちる。叫んでいた男がびっくりして、

「曲者だあ！――」

喚いて逃げるのを見もやらず、吹きまくる風を背に、元来た方へ走った。

「曲者でござる」

「お出合い下さい」

「曲者だ――」

池から這《は》い上ったのが、必死に叫ぶ。小者部屋の方から、提燈が二つ三つ、闇を縫ってこっちへ来るのが見えた。

右門は、ぴしぴしと横鬢《よこびん》を雨にうたせながら、暗がりに足を止めてじっとあたりの動静をうかがっていたが、やがて地を這うように、築地に添って走ったと思うと、見

当をつけて来た大松、枝を塀外へ差伸べているのへ、剣を口に銜《くわ》えるとするする身軽に攀《よ》じ登った。

「あ、松へ登った」

「早く！」

邸内の声。——右門は枝を伝わって築地の外へ出ると、ぱっと飛び下りた。体がはずんで四五歩前へのめる。

「御用だ！」

後から、待伏せていたのであろう。二人の手先がとび出して来て、立直る隙《すき》も与えず、だあ！　と体当りをくれた。

「うぬ！」

だだだ！　足をとられて横ざまに倒れる。

「ぴぴぴぴぴぴぴ」

鋭い笛、はね起きようとするところを、上から二人が折重なって押えつけた。

「神妙にしろ！」

「む、——」

疲れているから、二人をはね退《の》ける力はもうなかった。

「ぴぴぴぴ」

鋭い笛に、遠くで、烈風の合間を縫うように、答えの笛が聞こえてきた。

右の腕から頸《くび》へ、縄が滑るのを感じながら、右門は心の内に、

――舌を嚙切《かみき》るか、と呟《つぶや》いた。

「縄はよいか」

「少し、足をどけてくれ。よしもう大丈夫だ、骨を折らしゃあがったぜ」

「捕ったか」

喚きながら、五六人の捕吏が雨水を蹴立てて、駈《か》けつけて来た。

「捕った捕った」

こっちは上ずった声で叫びながら、ようやく右門から離れて起き上った。

「やったか！」

「もう大丈夫だ」

「手柄だ手柄だ」

捕吏の群はぐるり、倒れている右門を取巻いた。

十一

——いい態《ざま》！

右門は眼を閉じて、本縄をうたれるままに自ら嘲《あざけ》っていた。

——娼婦《しょうふ》を斬って捕えられ、破落戸《ごろつき》の徒と同じ磔刑《たっけい》になる。これが勤王の志士藤井右門の最期《さいご》の姿か。

「起《た》て！」

縄尻を取ったのが、横柄《おうへい》に喚いて、ぐいと縄を引立てた。

と、——その時。

築地の暗がりから、覆面の男が、供と思われる一人を従えてぬっと出た。

「歩け！」

捕吏が、ようやく立った右門を、うしろから小突く、刹那！

「ぎゃっ！」

烈風をつんざく悲鳴、

「や！　どうした！」

見かえる。とたんに、

「が——」

また一人、つんのめるように倒れて、あとに小柄の異様な男が、小太刀を構えて立つのが見えた。

「曲者だ！」

「油断するな！」

ぱっと左右にひらく。——覆面の武士が、その前へずかずかと出て、静かに大剣を抜きながら、

「東寿、——」

「はい」

「残り七——八名、一人ものがすな、よいか」

「はい」

右門は闇をすかして見るより——あ、先生！

危く叫ぼうとして口をつぐむ。覆面の士《さむらい》はまさに山県大弐、もう一人は盲人東寿である。

「御用を妨げる奴、捕れ」

「右門を逃がすな！」

口々に叫び交わしながら、四人ばかりがつつ——と東寿に迫った。

「えい——っ」

東寿の小柄な体から、電光のように凄《すさま》じい気合がほとばしる。ぱっ！　足下に水が散ると、

「わっ！」

「む、む——」

一人は膝をついて前へのめり、一人は胸を押えながらのめって、築地へ体をうち当てながら倒れた。同時に踏み込む三人、

「御用だあ！」

右へ廻る奴を、脇から、大弐が寄って横ざまに薙ぐ。

「えい！」

真向へ一刀。

凄じい手並、残った捕吏が、さっと退《ひ》くのを、大弐は逃げ道を断つ。東寿は南を塞いだ。

「あと五人、——」

大弐は低くいって、ずいと出る。東寿は額に垂れて来る雨の滴《しずく》を、ぐっと右手ですりあげると、闇の中に冷やかな微笑をうかべながら、小太刀を取直した。

「東寿、もうひと汗だ」

「は、――」

大弐は大剣をつけながら、一歩、二歩出ると見たが、とっさに体を沈めて、

「や、えい！」

きらり、刃閃《じんせん》――闇を縫う。同時に東寿が背後から迫った。退きも出もならぬ、見る間に残った捕吏達は、雨の路上に――血を流して次々と倒れてしまった。

「よしよし」

大弐は残る者なしと見るや、つかつかと寄って右門の縄を、ぷつり切った。

十二

「先生、先生――」

右門は、縄を切られると共に、そこへぴたりと尻をおとした。

「東寿、――」

「はい」
「行くぞ」
大弐は大剣に拭《ぬぐ》いをかけると、ふところから取出した帛紗包《ふくさづつみ》を右門の前へ投げ出し、
「花は、散り際《ぎわ》をこそ」
低くいうと、
「し、暫《しばら》く、先生」
右門が悲痛に叫ぶ声は聞かず、東寿をしたがえて道を河岸の方へと出て行った。右門は立上って追おうとすると、その時さびのある声で大弐の朗詠が聞こえて来た。
「嗚呼噫嘻《ああああ》何ぞ時の不祥なる頑童朝《がんどうちょう》に臨みて、媵妾邦《ようしょうくに》に当る
沐猴《もっこう》にして冠すたれか量を知るとせん
令狸《れいり》魚《うお》を捕えて狐兎《こと》墻《しょう》を守る
鴟梟饕餮《しきょうとうてつ》にして率舞《そつぶ》蹌々《そうそう》たり
奚《なん》ぞ鸞鳳《らんぽう》のなお能《よ》く翺翔《こうしょう》するを見ん
君独《きみひとり》忠を懐《いだ》きて豈跌踼《あにてっとう》を憚《はばか》らんや
忿争《ふんそう》して聴かれず――」
朗詠の声はそこで風雨の彼方に消え去った。

右門は石のように立竦《たちすく》んでいたが、やがて落ちている帛紗包を取上げると、這うようにして自分の刀を探し出した。

雨は横鬢をぴしぴしとうつ。

「先生も、おれをすてた。——」

右門は闇を睨《にら》んで呟く。

「死ぬ時だ、酔い痴《し》れて妓を斬り、怒りにまかせて若者を斬り、捕吏に追われて犬のように逃げ廻る——、この態」

ひどい渇きである。右門はいつか河岸を当もなく歩き出した。

「だがこのまま死ねるか、この態で死んで、何といわれよう、——あっぱれであるといわれるか、散り際を大事にするということは、義において悖《もと》らぬ時を指す、ここで自裁したところが己の不所存を償う訳にはゆくまい、死ぬ時ではない！」

右門は歩を止めた。闇の中を駕籠が一梃《ちょう》、とぶように走って来た。

——空駕籠だな。

と見るより、

「駕籠屋、——」

声をかけて前へ立ち塞がった。駕籠舁《かき》はいきなり呼び止められてびっくり、

「へ、へい」

足を停めてみると、濡《ぬ》れ鼠《ねずみ》のようになった武士、——衣服は泥まみれだし履物もない、こいつはいけないと思ったのだろう。

「ご、御用ならどうか御勘弁を、いまお店から呼ばれて参るところなんで」

「川を越すだけだ、やってくれ」

「それでもお約束の駕籠で、——」

「やれ！」

右門はつと寄って棒端を摑《つか》んだ。商売柄で人はみている、相手に殺気のあるのを感じたから、いきなり足を挙げて右門の腰を蹴あげた。不意を食って、

「あ、——」

うしろへ体が崩れる。

「うぬ、無礼者」

「逃げろ！」

駕籠を返すと、追風の中を闇へ雨水をはねながら走り去った。

「ははははは」

右門は虚《うつ》ろな声で笑いだした、駕籠舁人足の土足にかけられるまでの身となった。

「はははは」

笑ううちに、自分を嘲るよりも強く、狂暴な気持が盛上って来るのを感じた。疲れと渇きと飢えが、烈しく酒を求め、娼婦《しょうふ》の体を想《おも》わせる、——

「酔う、酔う、酒だ」

右門はよろめくように永代橋の方へ向った。

十三

逃げた駕籠舁が、辻《つじ》番所へ走ったのを右門は知らなかった。

橋を越して深川へ、——

唯《ただ》そう思うだけで、雨の中を蹌踉《そうろう》と行く。和田越後守《えちごのかみ》邸の角まで来ると、土塀《どべい》の蔭《かげ》からぴゅっ！　と棒が飛んで来た。

「お！」

足を取られて泳ぐ。ばらばらと五人ばかりの捕吏が走り出て来た。

「また、——来たか」

「神妙にしろ」

ぱっと打込んで来た十手、避けようとしたが体が崩れていた。横鬢を打たれて、くらくらとなる。

「うぬ！」

必死に剣を抜いて、

「容赦せんぞ」

横に薙《な》ぐ。同時に左手へ縄がきりきりと絡《から》みつくのを感じた。

「構わねえ、痛めろ」

「御用だ！」

十手とか刺叉《さすまた》とかいう、武器を用いて罪人を痛めてから捕るのを、当時の捕吏は――今でも同じことだが――嫌わなければならなかった。殊《こと》に十手はお上から預ったもので、無闇《むやみ》に振廻したり、是《これ》で罪人を痛めたりすることは憚りがあったのだ。

捕物に当って、十手を自分の額へかざして、

――御用であるぞ、
という意味を示すのが、本来の用い方であったという。しかし場合と相手によっては、勿論《もちろん》十手も武器として使わなければならない。痛めて捕ることもやむを得ない時がある。

――痛めて捕れ。

と許されたから、捕吏の手先はぐっと力が出た。

「来い！」

右門は、縄をかけられた左手を強くしぼりながら、大剣を青眼につけて喚いた。

「死後の思い出に存分に斬ってくれる、一人ものがさんぞ！」

「神妙にしろ」

「御用だ」

前にひしめく声、と――不意にうしろから一人の捕吏が飛礫《つぶて》のような体当りをくれた。だ！　と左足が前へ出る。体を捻《ひね》って、流れるやつを大きく一刀、

「か、――」

斬った。

右門は京にある頃、金森家の染谷正勝に剣を学んで、相当に腕も出来ていたが、人を斬ったのは野村屋が初めてであった。それ以来右門は、法とは別に、人を斬る一種の腹が出来たことを感じていた。

今、ここで一人を斬った、手応《てごた》えが、ずんと腹に伝わると、

――斬れるぞ――という感が、さっきから盛上っていた狂暴な気持をいやが上にも

唆《そそ》りたてた。

「御用だ！」

叫んで、左右から踏み込む手先、とたんに左手の縄が烈《はげ》しく引かれた。待ち構えていた力、剣をかえして下ざまに払う。ぷつり！　張切った縄を断つ。同時に体を沈めて、

「え、やっ！」

踏み込んで来た右側のやつに一刀、脾腹《ひばら》を胸まで斬る。刹那！　右足を変えて体をひらく。左から来た手先をやり過ごして、

「とう！　えい！」

喚きながら、囲みの中へ斬り込んだ。わっと割れる、踏み返って、後へ追ったのへ真向から一刀、

「ぎゃっ！」

両手を泳がせて後へよろめく。さっと退いた隙、――右門は大股《おおまた》に河岸縁へ走ると、大剣を口にくわえて大川へ身をおどらせた。

残燈

一

「申上げます」

若侍が倉皇《そうこう》と手をついた。

「何だ」

「少将様が、御宝庫へおいで遊ばされまして、御宝物拝観と仰せられ」

「なに、――――!」

玄蕃は筆を措《お》いて、机の前から起った。

「佐助はどうした」

「唯今おとどめ申上げておりまするが」

「少将様お一人か」

「柘植《つげ》様も御同道にて」

「行く、——その方先に行って、玄蕃の参るまでお止め申しておれ」

「はっ」

若侍がとぶように去る。玄蕃は机上を片付けると大声に呼んだ。

「誰ぞいるか」

「は、——」

「出仕する、仕度を」

「は、——」

側使《そばづか》いの若侍が仕度をととのえて出る。玄蕃は手早く衣服を改めると、大剣を左手にさげて家を出た。

君邸へ参る。

「勝三郎はおるか」

「は、——」

遠侍《とおさぶらい》にいた柳田勝三郎が言下に出て来た。

「御宝庫へ行くぞ」

「はっ」

勝三郎は玄蕃の先に立って、渡り廊下を急いだ。――奥殿にかかるところを右へ、暗い高廊を渡ると宝庫である。

「怪《け》しからぬ、怪しからぬぞ」

少将信栄の癇高《かんだか》い声が聞えて来た。玄蕃が近づくと倉番頭藤浦佐助と二三人の番士が、顔色を変えて扉《とびら》前に立ち塞《ふさ》がっている。

「何事にござりますか」

「おお！」

信栄は玄蕃の声に振返る。

「玄蕃か、これはどう云《い》う訳だ、御宝庫拝観のことは疾《と》くに信邦より許しを得てある。役向へも達しがあったはずではないか」

「ともかく、――」

玄蕃は静かに扉前を背にして、

「御宝庫ま近にてはお話しはなりませぬ、客殿へ御案内致しまする」

「要らぬ」

「と仰せられましても」

「ええ、くどい、わしは信邦の父じゃ、御宝物拝観をいたさぬ内はここ一歩も動くことではないぞ、お庫《くら》を開けい」

「なりませぬ」

「開けい！」

「なりませぬ」

少将は額にきりきりと癇癪《かんしゃく》筋をたてて、かっと玄蕃を睨み据《す》えていたが、

「よし、きっとならぬと申したな、わしは開けてみせるぞ」

「――――」

「番士、鍵《かぎ》を持て――」

佐助はちらと玄蕃を見た。玄蕃は黙っている。少将は苛立《いらだ》って、

「鍵を出せと申すに」

「――」

「ええ番士までがわしを蔑《ないがしろ》に致すか、鍵を出せ！　わしは少将信栄だぞ」

「鍵は、――」

と玄蕃がふところを叩《たた》いて、

「玄蕃が御預かり申しております」

「や！」

信栄は眼を剝《む》いた。

「御宝庫の鍵をその方が、——奇怪な、何たる事じゃ、御庫番と申す役柄《やくがら》があるに、家老たる玄蕃が鍵を持つ、奇怪だ、奇怪だぞ、柘植、聞いたか」

「は、——は」

柘植源四郎が慌《あわ》ててうなずいた。

二

「如何《いか》にも」

玄蕃は冷ややかにうなずき、

「御宝庫番を差措き、私が鍵を預かりましたは、役目違いにて御不審遊ばさるるもっともだと存じまするが、これには別にしさいのあることにて、勿論お上《かみ》の御存念もありまた、——」

「それだ！」

信栄は按《あん》をうつ如《ごと》く、

「それだ！　またしても信邦を囮《おとり》にしておる、藩政何によらず信邦を壟断《ろうだん》して、玄蕃の顎《あご》の動くままに事が行なわれる、宝庫の鍵までが今は醜徒の手に任せられた」

「お言葉が過ぎましょうぞ」

玄蕃がきっと容《かたち》を改めた。

「少将様なれば一応は御遠慮申上げまするが、それ以上仰せられますると」

「な、何だと――？」

信栄は唇を顫《ふる》わせて、

「信栄を威《おど》す気か、信栄を、この不忠者め、わしを誰だと思いおるか、信邦の父だぞ、貴様、主人の父を威して、それで――我慢ならん、柘植！」

「はっ」

源四郎は狼狽《ろうばい》して、

「お館《やかた》様」

「宝庫を開けい、糺明《きゅうめい》してくれる、御宝物の無事も疑わしいぞ、開けい、信栄の命令じゃ開けい」

「はっ」

源四郎が困って玄蕃に振返る。玄蕃はちらと番士に眼配せして、

「少将様御乱心と思われる、御狼藉《ろうぜき》あらば窮命申上げねばならぬぞ」

「は、――」

番士四人は肩衣《かたぎぬ》をはねて、つ――と信栄を取巻いた。

「わしを、信栄を窮命するとか」

信栄はさっと色を変えた。

「御宝庫ま近を騒がす者は、例え少将様なりとて手心は致しませぬ、お上の御親父と申すことも御入家前の儀にて、信邦様かように御本家御相続の上は、もはや御親子の御名目は成立ちませぬぞ、さ、――お立帰り遊ばせ」

「厭《いや》だ」

「勝三郎、――」

「は！」

「玄蕃はここで少将様と差違えて相果てる、後を頼むぞ」

玄蕃は右手を差添の柄《つか》にかけた。

「あ、――」

信栄は手を前へ伸ばして、

「柘植、わしを、――わしを」

「老職、ま、ま、待て」

て、源四郎、仰天して信栄を抱えるように、うろうろと退《さが》る、玄蕃は三歩ばかり詰寄っ

「御覚悟遊ばせ」

「た、誰か、誰か――」

信栄は手を振りながら、支えている柘植源四郎を殆《ほとん》ど突放すようにして、高廊の方へ逃げだした。

「出合え、――玄蕃が――わしを――」

上ずった声は、忽ち渡り廊下の彼方へ遠のいて行く。源四郎も色をうしなってその後を追った。

「御家老――」

勝三郎が気遣わしげに声をかけると、玄蕃は静かに笑って、

「見苦しい態よ、人が見たら何と申すであろう、腹構えなくしてひとの大事に手を出せばああなる、戯画の一齣《こま》であった」

「何とかなさいませぬと、お咎《とが》めの程が」

藤浦佐助が肩衣を入れながら恐る恐る訊《き》いた。玄蕃は衣紋《えもん》を正して、

「何が出来るかよ、勝三郎もよく覚えておくがよいぞ、生命《いのち》が惜しくて男の大事は成

るものでない――伺候《しこう》するぞ」

「は、――」

玄蕃は高廊を渡った。

三

その夜、――

玄蕃は藤浦佐助の驚くべき報告を受取った。

「絵師光基《みつもと》が、郡太夫の手に捕われております る」

「や、――」

玄蕃は調書に朱を入れていた筆を思わずからりと取落として、

「何という、光基が」

「は、今宵《こよい》で既に十日、何事か連日糺明を続けておりましたところ、昨日あたり何か自白致しましたる様子と多仲からの密報にございます」

「しまった」

玄蕃は呻《うめ》いて、しばらく眼を閉じていたが、

「今日少将様の御宝庫を冒された訳、――それであったか」

「――」

「退ってよいぞ」

「何ぞお申付けでも？」

「ない、何もない、心配せずとよいから、帰っておれ」

「は」

立とうとすると玄蕃が、

「勝三郎！」

「は」

「その方、今年いくつになる」

水のような声だった。

「は、二十四歳になります」

「そうか」

玄蕃は黙って、暫《しばら》く頭を垂れていたが、

「わしの伜《せがれ》が、生きておれば、ちょうどその方と同じ年になる、――健固でおれ」

「――？」

「御奉公、大切にせよ」

「は、――」

勝三郎は両手をおろしたが、何やら胸を刺されるものがあって、このまま退る気がしなかった。

「退ってよいぞ」

玄蕃の調子は既に元のところへかえっていた。

勝三郎が去る。

玄蕃は自ら立って、袋納戸から次々と書類を取出しにかかった。

義興《ぎこう》の「近江《おうみ》八景」偽作の事が知れた以上は、もはや大事挫折《ざせつ》といわねばならぬ。

宮田将監は果して愚物ではなかった。勘定仕切の彌縫《びほう》も無駄であったか知れぬ、――

玄蕃が小幡藩の財政建直しにかかって以来七年、二十七万余両の金と、銀五千余貫、兵糧《ひょうろう》七千余石――みな、信邦が山県大弐の思想を実現して、倒幕の事を起すべき軍資として積立てたもので、義興の絵のみならず家宝を典した物二三でなかった。

「ここまで来ながら」

玄蕃は暗然として呟く、

「目前に事を控えて破れるか、将監、郡太夫斬るべしという、若者達の血気を戒めたのは寛に過ぎて誤ちを生ずる結果になってしまった、それもここまで来て、――」

山と積んだ書類を前に、

「誰ぞおるか」

「は、――」

小走りに側使いの若侍が来る。

「焚《た》く物がある、庭へ火をつくってくれ」

「は、――」

若侍が去ると、玄蕃は書類をふたつに分けはじめた。

早計に事態を察する必要はないが、万一表沙汰《おもてざた》になった場合には、みすみす織田家を取潰《とりつぶ》すことがあってはならぬ。ここでは自分一人が死ぬべきで、信邦に禍《わざわい》を及ぼす必要はない、――そう思ったから先《ま》ず山県大弐との関係を湮滅《いんめつ》して置こうと決めた。

間もなく、庭先に、榾《ほだ》を焚く火が赤々と燃えはじめた。

四

「申上げます」

宿直《とのい》の側衆が、寝所の襖《ふすま》の外からしずかに声をかけた。

もう疾《と》うに四つ（午後十時頃）を過ぎたが、信邦は短檠《たんけい》を近々と寄せ、熱心に机上の書冊に眼を晒《さら》していた。

側衆の声がすると御簾《みす》の外にいた小姓がすべるように襖際へ寄った。

「何事でござります」

「御家老様、御眼通り願いたくと御伺候にござる」

「暫く――」

小姓が伺いに立とうとすると信邦が振返って、

「会うぞ、――」

と言った。

「はっ」

側衆は襖の外で平伏し、すり足でさがる。小姓が御簾の外まで戻ると、信邦が、

「茶をたてて参れ」

「はっ」

「菓子を持て」

「はっ」

小姓は御用部屋の方へ、すり足で去った。信邦は瘦《や》せた色の白い顔をあげ、書冊を閉じて振返る。

「妙《たえ》――」

と低く呼んだ。

「は、――」

屛風《びょうぶ》の蔭で、侍女の妙が平伏した。信邦は手で御簾を示し、

「あげてくれ」

「は、――」

侍女は静かに進み出て、御簾の紐《ひも》を執り、きりきりと絞った。襖があいて、側衆が平伏し、吉田玄蕃がすすと寝所へ入って来た。信邦は玄蕃の顔の唯ならぬ色を見ると、そこへ平伏しようとするのを抑え、

「構わぬ、近《ちこ》う」

と声をかけた。

玄蕃は云われるままに膝行《しっこう》し、上段のま近まで進んで平伏した。

「夜陰に及んでお騒がせ奉《たてまつ》り、恐縮至極に存じまする」

「何か出来たか」

「恐れながらお人払いを」

「うん、――いま茶が来るであろうから、その上で聴こう」

待つ程もなく、小姓両名が、茶をたて、高坏《たかつき》に菓子を盛って捧《ささ》げてきた。

「暫く遠慮せい」

信邦が左右へ云う。侍女は奥へ、小姓たちは控の間へと退がった。玄蕃は茶碗《ちゃわん》を押《おし》戴《いただ》いて喫し、静かに口を拭《ぬぐ》って、

「殿、お別れに参上仕りました」

「――？」

信邦は胸を衝《つ》かれ、

「事の破れか？」

「はっ、義興の一軸のこと、どうやら露《あら》われた様子にござります」

「な、――何として」

「今日少将様の御宝庫拝観御望み、即《すなわ》ち一軸検分の御下心にござりました、恐らく明日、御宝物ひきあわせの儀お申出《もうしい》で遊ばされるでござりましょう」

「ならぬ、――といおう」

「最後まで御押通し遊ばすことが成りましょうか」

「やる、やってみる」

「慮外ながら、それはかないませぬ、少将様御気性として、そのままお控え遊ばそう筈《はず》もなし、また、拝観をお拒み申上げる理由もございますまい」

「見せては、――ならぬか」

「義興の一軸は、少将様とくより御執着にて、先殿様にもしばしば拝観を願われ、画面のことについてはもとより熟知遊ばされると承りますれば」

「しかし、あれだけの出来栄《できば》え」

「それが、――」

と玄蕃は低く、

「絵師光基め、郡太夫の手に捕らえられ、窮命された上」

「や」

「どうやら偽作の仔細《しさい》白状に及びました様子にございます」

信邦は眼を閉じた。

五

「どうか、出来ぬか」

信邦が口惜《くや》しそうに肩をあげた。

「もはや、玄蕃の心は決まっておりまする、ここで下手にもがけば、いたずらに事を大きく致し、ひいては柳荘先生にまで累《るい》を及ぼすに相違なく、左様なことに成っては不本意この上もござりませぬ」

「玄蕃はどうなる」

「藩政を紊《みだ》った罪、必ず一両日中に監察を受けましょう」

「余が裁可せぬ」

「いやいや」

玄蕃は頭を振った。

「お上には他に為《な》さるべき事がございます」

「聴こう」

「宮田将監《しょうげん》、松原郡太夫、その他改革派一味のめざすところは藩政掌握にござります、それ故《ゆえ》柳荘先生との関係、御宝物偽作の件、勘定吟味、総《す》べて玄蕃一統の役を逐《お》う為の材料にて、――」

声を低め、

「今秋旗挙げのことまで触れることは致しますまいと存じます、然《しか》しどこまでも玄蕃一統が動かぬと見れば、その時こそ彼等はお家を賭《と》して幕府に上訴すべく、そうなればまた自然と大弐先生の事に及ぶは必定でござります」

「うん」

「それ故ここは、彼等の望むままに、玄蕃一統はお咎めを頂戴《ちょうだい》致し、御宝物の件、財政私放の罪を受けて、累を大事に及ぼさぬよう仕《つかまつ》るが至上と存じまする」

「だが、そうとして、――玄蕃をうしなったら余は何となろう」

「御心弱きことを仰《おお》せられまする、たとえ玄蕃無くとも予《か》ねての御大志、お遂げ遊ばす御決心あるべきに存じます」

「――」

「如何《いかが》――?」

「うん!」

信邦はうなずいた。

「玄蕃問罪の事が起りました時は、お上には何事も御存じなき体《てい》にござりまするぞ」

「――」

「御宝物の事も、財政整理の事も、租税減免の事も、金山開掘の事も、大阪山屋との関係も、――それから柳荘先生との往来も、凡《すべ》て御否定遊ばしまするよう。お分り遊ばしましたか」

「よい、――」

「予ねて往復の書類、仔細書は全部焼きすててござります、今後の財政覚書は是《ここ》に所持致しました」

玄蕃は帛紗包《ふくさづつみ》を捧げて、

「藩政の切盛につきましては、宮田将監こそ凡骨ならぬ男、充分お任せあってよろしいと存じまするが、御裁許の折にはこの覚書を御参考に遊ばしまするよう」

「意見のままにするぞ」

「かたじけのうござります。それでは始末仕る事もござりまする故、これにてお暇《いとま》を頂きまする」

「――」

信邦は暗然と外向いた。

「御病弱の御身、くれぐれもお厭《いと》い遊ばすよう」

「その方も、――」

と云ったが、信邦にはあとを続けることが出来なかった。

「待て」退ろうとする玄蕃を止めて、

「餞別《せんべつ》じゃ」

差添を脱《と》ってぐっと出す。玄蕃は膝行して両手に押し頂いた。

「かたじけのう――」

「永年、よく輔《たす》けてくれたのう、礼もせぬうちに、こんな事になって――」

「殿――」

「生きていてくれ」

「は」

玄蕃はそこへ平伏する、と俯向《うつむ》いたままますべるように退って襖の外へ出た。

若い国主は暫くの間、茫然《ぼうぜん》と襖の一方をみつめていたが、玄蕃の置いて行った帛紗包を取って机上に置く。

「妙、――妙はおらぬか」

「は――」

侍女が奥の襖をあけて平伏した。信邦は静かに、

「今宵は晩《おそ》くなる、先へ退るがよいぞ」

六

沼津で待った。

けれどお房は姿を見せない。桃井久馬が中村、菅屋を伴《つ》れて追っているとすれば、いたずらに待ってもおられぬ。

三九馬《さくま》は沼津を立った。

原の宿を過ぎる時、先行していたらしい陣屋、渡辺、小菊のひと組が道をはずして郷社の境内に、三九馬の通るのを見まもっていた。ちらと見ると、――三人とも旅埃《たびぼこり》にまみれ、中にも小菊は馴《な》れぬ長旅に疲れたとみえ、乱れた髪のまつわりつく頰は、土色に褪《あ》せて、眼の色も全く力がなくなっていた。

――可哀《かわい》そうに。三九馬は呟いた。

――金にも困っているであろう。ああなっては何処《どこ》で討つという決心もつくまいし、されぱとて国へは帰れず、

「いっそ——」

此《こ》の辺で立合をしかけ、始末をつけてやるが却《かえ》って慈悲かも知れぬ。

そう思ったが、さすがに仕かけられぬ勝負を買って出る気にもなれなかった。宿を過ぎて鈴川へなかばまでかかる、振返ると、三人の跟《つ》けて来るのが見えた。

「百氏《ももいうじ》、——」

ふいに声をかけられて、

「——」

振返ると、
江戸から跟けて来た疑問の一人、深編笠の武士が道傍《みちばた》の松の蔭から出て来た。

「誰だ」

三九馬は一歩さがる。

「いやいや」

深編笠の武士——即《すなわ》ち輝高からの付人栖川《すがわ》六弥は、手で制して、

「御要心には及ばぬ、名乗る程のものではないが栖川六弥と申し、さる理由あって貴公の身を護《まも》る為《ため》に同行する者だ」

「拙者を護る、——」

三九馬はいぶかしく、

「何の為に」

「申上げられぬ、護ることはたしかに護る、がひとつの場合が来れば斬りもする」

「ほう、三九馬を斬るか」

「お分りか」

「分らん、分らんなあ」

三九馬はにやりと笑い、

「護るなら護るでよいし、また斬るというのも差支えないが、護ったり斬ったりされるんでは、始末に困る、全体――それはどう云う意味なんだ」

「どうと云って？」

「貴公が自分でそう決心しているのか、誰かに頼まれたのか」

「云えぬ」

「頼まれたな」

三九馬はまた笑った。

「自分で来たならいえる、頼まれたらちっともいえぬ筋にあろう、だが貴公、この三九馬を斬る腕があるか」

「さあ――」

「おれは強いぞ」

「拙者も多少つかう積りだ」

「どうかな」

三九馬の笑いには、今度はひどく明らさまに嘲《あざけ》りの色があった。

「箱根の立合で充分貴公の腕は拝見した、噂《うわさ》以上に出来るので実は少々驚いた、拙者の道場にもあれだけつかえる男は二人とはいまいて」

「貴公武芸者か」

「町道場を持っている」

「ははあ――」

三九馬はじろりと六弥の体を見やって、

「剣術で飯を食っていると剣まで汗臭くなると聞いたが、なるほど少し臭いな」

栖川六弥は一歩出る。

「それそれ」

三九馬は手をあげ、

「そう寄ってはいかん、臭い臭い、まるで野良犬《のらいぬ》のような匂《にお》いがする」

「野良犬の牙《きば》を見せようかな」

六弥はむっとしたらしい。

「見せる気があるか」

「何でもないこと」

栖川は一歩さがった。

七

「抜くか」

三九馬が呼びかける言下に、

「野良犬の牙だ！」

叫んで深編笠をとる。栖川六弥は抜いた、三九馬はとび退って柄へ手をかけ、じっと呼吸を合せていたが、

「ほう、一放《いっぽう》流だな」

「抜け！」

「こいつは面白い、同流の剣に遭ったは初めてだ、一番みっちり拝見しようか」

「――！」

六弥が剣尖《けんさき》をせりあげると見るや、さっと上段にかぶる、刹那《せつな》、三九馬はきらり抜いて青眼につけた。

声なきこと暫《しば》し。

三九馬の剣はじりじりと動いて高青眼にかわった。六弥は上段の籠手《こて》を寄せ、豹《ひょう》の如《ごと》く隙《すき》をねらっていたが、

「えーい！」

一声を放つや、さっと空打を入れる、三九馬一間あまり退ったが、高青眼の剣は動かなかった。斬り下すと同時に六弥もぱっと退る、三九馬つめて、剣尖を眼線につけたまま、ずずーと籠手をあげた。

投げ突きをうつな――

栖川六弥はそう思って体をひらく、――と三九馬の剣尖は六弥の左拳《ひだりこぶし》めがけて、吸いつくように動いて来た。刹那！

乗り籠手が取れる。

と見て六弥、左足を踏み込みざま、大きく喚《わめ》きながら、

「え――い！」

打込む。

「おっ」

三九馬、左手を柄から離して右へ体をひらく。同時に切返して来る六弥の剣、

「いぇっ！」

三九馬の上体が躍って、剣光虹《にじ》の如く六弥の面上へ尾を曳《ひ》いた。

「あ――」

身を沈めて危くかわしたが、既に三九馬はとび退って剣をつけたままにやりと笑う。

「如何《いかが》」

「いまの一刀、貴公の頭蓋骨《ずがいこつ》を断ち割ったと思うがどうだ」

六弥は呼吸を急《せ》いて、剣を構えたままじっと三九馬をにらんでいたが、やがて剣を下げた。

「もう一太刀試みるか」

三九馬がいうと、

「邪魔がある、後を見られい」

「なに」

六弥の声に振返ると、桃井久馬を先登に四名の武士が、街道をこちらへ急いで来る

のが見えた。六弥は剣に拭いをかけて、

「あの道傍におる女まじりのひと組も、貴公を狙《ねら》う人達であろう」

「知っているか」

「鈴川の宿には、幕府の手の者が網を張っている」

「おれにか」

六弥はうなずいて、

「箱根で追討をかけた役人が、先廻《さきまわ》りをして水野家から人数を借出したのだ、舟で行かれい」

「何処へ――」

「拙者に隠す要はない、長崎表までは護衛の役だ」

「長崎へ着いたら斬るか」

「江戸まで送り還《かえ》そう」

「縛ってか」

「なあに、やはり護衛して行く」

「不思議な男だぞ」

三九馬はにやりとして、

「どうも解《げ》せぬ、一体貴公は味方なのか敵なのか」

「やがて分るだろう」

六弥は急きたてるように、

「舟の仕度はしてある、邪魔の入らぬうちに参られい」

「ちっと考えてみる」

三九馬は振返って、ずっと近寄って来た桃井久馬の一団を見やった。――小人《しょうじん》の徒に与《くみ》して大事の妨げとなる奴等、こいつ、この辺で片づけるべしか。三九馬は振向いた。

八

「どうする、参られぬか」

「待ってくれ、あれへ来る四人をちっと片づけよう」

「片づけたら舟で行かれるか」

「そいつは分らぬ」

三九馬は足場を探すように、あたりを見廻していたが、道を十間ばかり入ったとこ

ろに草原のあるのをみつけ、

「よし彼処《あそこ》だ」

と云うとさっさとそっちへでかけ、下緒をとって手早く襷《たすき》をかけ、袴《はかま》の股立《ももだ》ちを高く取上げてから、草鞋《わらじ》の紐《ひも》を踏み、試みに剣を執ってさっさっと振ってみた。栖川がそっちへ行こうとする、

「いや、いかん」

三九馬は急いで制した。

「貴公はそこにいてくれ、固く手出しを断るぞ」

「拙者は貴公を護るのが役目だ」

「駄目だ駄目だ、あれは皆内輪の者共だ、他人の差出る場合ではない、手出しをすると貴公も斬る」

もうそこへ、桃井久馬をはじめ、中村源次郎、菅屋十郎太それに蛭田《ひるた》不倒軒《ふとうけん》。

「おー――い」

三九馬は大きく手を挙げ、

「ここだここだ」

「――」

四人が足を止める。

見ていた栖川六弥が、小走りに三九馬の傍《かたわ》らへやって来た。

「うしろの一人、御承知か」

「知らん」

「芝三田谷町に道場を持つ、剣客蛭田不倒軒と申して、梶《かじ》派の名手」

「ほう」

「梶不倒と綽名《あだな》のあるつかいてだ、迂闊《うかつ》に立合われぬ」

「そう心配するな、梶不倒だろうが地震不倒だろうが一向に差支えない、さあ退《の》いた退いた」

六弥は深編笠を冠《かぶ》ってずっと退く。四人は互いに何か示し合わせていたが、やがて中村と菅屋の二人を先に、つかつかと草地へ入って来た。

「久闊だな中村、菅屋」

三九馬は微笑して、

「おれを斬りに来たのであろう」

「こんどはのがさぬぞ」

十郎太はそういいながら、手早く身仕度にかかる。蛭田も仕度をした。

「馬鹿《ばか》だぞお前達」

三九馬はにこにこしながら、

「源も十郎太も人がいいから、いつもお先棒に使われるではないか、その癖ちっとも腹が出来ていない、お先棒には使われるが大事を成し遂げる力はない、それ――十郎太、右の草鞋の緒が緩んでいる」

桃井久馬が蛭田を振返った。

「うん！」

不倒軒はうなずいて、

「少々、出来そうだのう」

と鋭い眸子《ひとみ》で三九馬を見た。三九馬は微笑《ほほえ》んで、

「出来そうだ？　おれか？」

「――」

「如何《いか》にも、おれは出来るぞ、貴公梶不倒と呼ばれる名人だそうな」

不倒軒はぐっと肩をあげる。

「梶派は将軍家手直しに出た流儀で小野忠勝などは古今の名手だと聞いたが、見るのは今日初めてだ、外の三人は取るに足らぬ相手で面白くない、どうだ不倒先生、先《ま》ず

お手並を見せて頂こうではないか」

不倒軒は久馬に眼配せして、

「中村氏、菅屋氏」

と二人の方へ声をかけた。

「初太刀は蛭田が承る」

「しかし、――先生」

久馬が口をはさむのを、

「黙れ黙れ久馬！」

と三九馬が制した。

「さすがは梶派先生、一騎討を御所望なさる、いまに番が廻って行くから見ていろ、――本当の模範試合だ、邪魔をするなよ」

不倒軒は二三歩さがった。

九

「おお、あれを見ろ」

陣屋源四郎は手を挙げて街道の彼方を指差した。

「桃井、中村、菅屋、――」

貞之助はちらりと見たが、それには別に感動する様子もなく、素早く小菊の方を窃《ぬす》み見た。

「や！　三九馬を斬るぞ」

源四郎は大声に、

「貞、急ごう」

「うん」

源四郎が踏出した時、木の根に腰かけていた小菊が、眉《まゆ》を顰《しか》めて、下腹を押えながらかがみこんだ。

「小菊どの」

貞之助、振返る、

「どうなされた」

「はい、――」

「どこかお痛みでもなさるか」

「ここが、ひどく痛みまして」

小菊はきゅっと腹を握拳で押しつけながら、消えるような声だった。

「立てぬか」

源四郎は振返って、

「大事の場合だぞ、敵《かたき》が他人に討たれようとしているのだ、一太刀でも恨まねばならぬ、我慢なされ」

「はい、——」

小菊はきっと唇を嚙《か》み緊《し》めて起《た》とうとした、脚をひきつけられるように、よろよろと崩れる。

貞之助が、

「危い」

横から抱くように支えた。

「おお抜いた」

源四郎は、向うの草地を見て苛々《いらいら》と叫ぶ。蛭田不倒軒と三九馬が抜合せたのだ。少し離れ、中村、菅屋、桃井、いずれも大剣を抜きつれて立つ。

「駄目か」

源四郎は猛々《たけだけ》しく叫ぶ。

「そう急いでも仕方がないではないか、急病の者になにも」

「病気など斟酌《しんしゃく》していられる場合か、もしここで三九馬を討たれたらどうする、今日までの艱難《かんなん》辛苦が一時に水泡《すいほう》となるではないか、貞——来い！」

「厭《いや》だ」

貞之助の顔は蒼《あお》くなった。

「なに厭だ——？」

源四郎が殆《ほとん》ど仰天して振向く。貞之助は挑戦するように肩を張って、小菊を庇《かば》いながら叫んだ。

「今日までの艱難辛苦、貴公独りでした訳でもあるまい、我々が三九馬を討ちたいのも小菊どのが討ちたいのも同じことだ。急病で動けぬ者をおいて、我々だけ恨みを晴らすなど、情を知らぬ仕方、貞之助は出来ぬ」

「ばか——」

源四郎は苛立って、

「貴様、本末を顚倒《てんとう》した、何を云う、討つべき時が来れば、我々三人の内二人を殺しても三九馬を討つべき覚悟ではないか、些々《ささ》たる情誼《じょうぎ》にとらわれて大事をうしなったらどうするのだ」

「む——」

小菊は再び根方に腰を下したが、烈《はげ》しく背に波をうたせたと見ると、吐気を催して来たらしく苦しそうに喉《のど》を鳴らし始めた。

「小菊どの、小菊どの」

貞之助はうろうろと、背をなでたり、顔を覗《のぞ》いたりしながら、

「苦しいか、薬をあげようか、水は、水を探して参ろうか」

「む、——あ、あの——」

眸子の釣《つ》り上った眼を、必死に貞之助へ向けながら、小菊は片手で男の手を求めた。二人の手が固く握り合され、眼と眼が激しく絡《から》み合うのを——源四郎は見た。

——もしや。

ふっと萌《きざ》した疑い。この四五日、小菊がともすれば食物を吐き、まるで起居動作が違って来たと思ったが、もしや、——

「貞、——」

源四郎は鋭く、

「おれは行くぞ」

「——」

「おれは独りで行くぞ！」

十

三九馬は青眼、剣尖をやや下げてつけ、呼吸をはかりながら、静かに不倒軒の眼をみつめた。

不倒軒は高青眼――

「えい！」

第一声を放つ。

三九馬応《こた》えず。不倒軒、つと右足を出す、剣尖でぐぐと三九馬の面を圧する。刹那！　大胆不敵にもいきなり剣を返して、三九馬の左面へびゅっ！

「おっ！」

三九馬の体が開く、

「や、とう！」

隙もおかず二の太刀、空《くう》を切ってとぶ、凄《すさま》じい刃風、三九馬の体はさっと退いたが、退くと同時に左足地を蹴《け》る。

「いえ――！」

猛然と逆襲、面へ斬り込む。不倒軒危くかわしたが、退るとたんに、草の根株で足をとられた。

どうと倒れる。

「あ！」

桃井、中村、菅屋が思わず叫ぶ、とっさに、踏み込んだ三九馬はとび退った。

「――」

蛭田は半身を起して、じっと三九馬を見たが、やがて息を納めながら、

「どうして斬り込まぬ」

「起きろよ」

三九馬はにやりとして、

「魚屋ではあるまいし、あがった鮪《まぐろ》が切れるものか、立ったり立ったり」

剣をさげる。刹那！　横にいた桃井久馬が、いきなり無言で、

「――！」

三九馬の胴へぱっと一刀、

「あっ！」

かっ！　危く受止める。

「ばか者！」

喚いて剣をせり上げる。狼狽《ろうばい》した久馬がのしかかって来るのを、充分に受けて、だ！　右足をひく、

「え——っ！」

中村源次郎が背後から斬り込む。同時に三九馬の体がぱっと左へ廻《まわ》った。のめる久馬、踏み込む源次郎、

「あ！」

烈しく衝突をしてよろめく、

「とう——っ！」

三九馬が腰をおとして払った剣、源次郎の胸を充分に割る。久馬がきりきり舞いをして避けるのを、

「そらっ！」

踏み込んで一刀、背を肩から腰まで斬り下げた。

「が——」

源次郎はぶきみに呻《うめ》きながら、両手で傷を押えたが、ひょろひょろと四五間歩いて

行って、朽木を倒すようにどうと斃《たお》れた。久馬はのめるように十郎太の傍までとんで、がくっ！と膝《ひざ》を折る。両手を草の中に突いて、起き上がろうと努力しているが、みるみる背中一面に血がひろがって、くたくたと草の中へ打伏してしまった。

「不倒軒先生」

三九馬はぽっと頰へ血の色を浮かし、ようやく張って来た気力を、眉間《みけん》にはっきりと描きながら大きく叫ぶ、

「御休息はまだか」

「参ろう」

蛭田はつつっと寄って来た。

「しばらく――」

街道の方で声がした。見ると陣屋源四郎が走って来る。

「その男、拙者にお譲り下されい、仇討《かたきうち》でござる！」

「なに仇討――？」

不倒軒が振返った。

源四郎は見る間に草地へ馳《か》け入って来る、いきなり抜いて、不倒軒を押しやるように、三九馬の正面へつめ寄った。

「兄の仇、勝負！」

「待てよ」三九馬は左手で制し、

「そんなに息を急《せ》かせて勝負が出来るか、とにかく呼吸をととのえろ」

「ええ来い！」

源四郎はぐっと頭を振った。

十一

「待て！」

三九馬は退がって、

「待て源四、勝負はするがお前独りか、小菊はどうした、壮助の弟はどうした」

「要らぬ穿鑿《せんさく》、さ、参れ」

「駄目だ、二人を連れて来い、三人揃《そろ》ってからの勝負だ」

「二人はあれにいる」

源四郎は汚い物でも指すように、街道の彼方をゆびさした。

三九馬が爪立《つまだ》って見ると、松並木の根方にかがみこんだ貞之助と小菊、身を寄せ合って、こっちを不安気に見まもっている。

「どうしたのだ」

「ふたりはふたりで、したいようにするだろう、おれとは別々だ」

「――」

三九馬は源四郎の眼を見た、朧《おぼ》ろげながら事情が分ったらしい。

「そうか――」

「さ来い」

「源四、貴様はどこまでも三九馬を討つ気でいるのか」

「今更何を」

「まあ待て、おれは厭だ」

「何――？」

「おれは貴様を斬る気になれぬ、考えろ、生きる道は外にもある」

「ええ余計なことをいうな、三九馬を斬らなくてどう生きる、おれには臆病《おくびょう》未練な生き方はできぬ、貴様を斬るかおれが死ぬかだ、用意がよければゆくぞ――」

「よし！」

三九馬はうなずいた。

「来い。思い切った、斬るぞ」

「おう」

「ここで助けたところで、その気性では思い止《とど》まることは出来まい、気の毒だがけりをつける」

「くそっ！」

喚いて、源四郎がいきなり真向へ浴びせて来た。

「お！」

かわして払う。源四郎とび退ったが、同時に、上段から猛然と斬りおろす、三九馬体をひらいて、のめって来る源四郎の肩へ一刀、

「えい！」びしり！　峰打ちを入れた。

「あっ」

手が痺《しび》れて大剣を取落す。刹那！　見ていた菅屋十郎太が、

「えい――っ！」

三九馬の足を払って来る、

「や！」

喚いて右へ四五歩、三九馬がとぶ、源四郎は無手でぱっと三九馬に組付いて来た。

避けようとしたが足が浮いていたから、横ざまに腰を抱かれる、

「む——！」

呻いて、斬り込んで来る十郎太の剣を避けながら右へ廻り込む、とたんに源四郎が足をあげて三九馬の内股《うちまた》へ絡んだ。

「くそっ！」

だだだ、よろめきながら肱《ひじ》をかえしてぐっ！　と源四郎の脾腹《ひばら》へ当てる。体が伸びているから、みごとに入った。

「く——！」

歯を食いしばって耐えたが、呼吸が詰まって、源四郎の手がゆるむ、三九馬が身を振放した刹那！

「か——っ！」

十郎太が猛然と真向へ斬り込んだ、かっ！　受止める剣をそのまま、十郎太は金剛力《こんごうりき》に押しつけてくる。

見ていた蛭田不倒軒が、剣を執り直して傍らへ廻ろうとすると、その鼻先へずいと
——栖川六弥が出た。

「お手出しなさるか」

「——」

不倒軒がちらと見る、

「貴公、何だ——?」

「三九馬の付人でござる、御所望なればひと手お合せ仕ろう」

「いかん」

鍔《つば》ぜりになったままで三九馬が大きく喚いた。

「手出し無用!」

そのとき街道の方から、福島伝蔵がお房と共に走《は》せつけて来た。

十二

「三九馬——」

「おお」

振返って、三九馬はびっくり、

「福島——、どうして」

「それより」

伝蔵は不倒軒に眼をやり、

「その仁との勝負、片をつけたらどうだ」

「うん」

三九馬は血刀をふるって、

「蛭田老――参ろうかの」

「助勢か」

不倒軒はちらりと後の栖川へ眼をくれ、嘲《あざ》けるように伝蔵を顎《あご》でしゃくった。

「心配するな、百三九馬は武士だ、虫一匹助太刀には頼まぬ、安心して斬って来い」

「――」

不倒軒の眉間にありありと殺気が出た。

「伝蔵見ておけ」

三九馬は足場をはかりながら、

「一放流の極意、奔湍跳魚《ほんたんちょうぎょ》の技、さあ始まるぞ」

不倒軒が高青眼につけて出る、とっさに三九馬は初めてさっと上段を取った。

初夏の日は烈々と照りつける。

伝蔵は二三間離れ、大剣の柄《つか》に手をおいてじっと二人の身構えを見まもる――うし

ろに、近寄って来たお房が、

「福島様――」

囁《ささや》くのを、

「しっ！」

と制して、伝蔵はそこへ押止《おしとど》めた。栖川六弥はちらと街道の上を見やったが、遥《はるか》に押して来る人数をみつけて、

「百氏、――鈴川宿から、例の手が伸びて参った」

「――」

「急がぬと事面倒になるぞ」

「心得た」

三九馬の不敵な答え、同時に、

「えい！」

鋭い気合、不倒軒の剣尖《けんさき》がちらりと動く、三九馬はしずかにしずかに、上段の剣をすり下げて来る、蛭田の眼にさっと光がわく刹那、高青眼までさっと剣を下げる三九馬、と見た瞬間、剣は再び上段へ、

「や！」

不倒軒が喚いて左足を踏み出す、それよりはやく、三九馬の剣が上段から切返されて、いきなり不倒軒の高腿《たかもも》へ！

「いえっ！」

「とう！」

意外の強襲危くかわす不倒軒、体の崩れ、三九馬の剣再び切返されて蛭田の籠手《こて》へぱっと一刀、骨を断つ、

「くそっ！」

不倒軒、斬られた右手を放し、左手に剣を一文字に取る、そのまま、三九馬の喉《のど》を狙った投げ突き、ぱっと来る。

かっ！

三九馬強力にはねあげる、不倒軒の剣がきらりと日光を吸って飛ぶ。同時に三九馬の体が跳躍した。

「えい！　やあ——！」

一刀は差添を抜こうとした手へ、一刀は面へ——

「む——」

頭蓋骨《ずがいこつ》を深々と斬割られて、不倒軒はよろよろっ、うしろへよろめくと共に、突放

されたようにぶっ倒れた。

「みごとだ——」

伝蔵が叫ぶ、お房はたまりかねて走り寄ると、膝をついて三九馬の腰へ、

「三九馬さま」

ひしと抱きついた。

「おお、房」

じっとり汗ばんだ手を伸ばして、三九馬は思わずお房の肩を引寄せた。そのときお房の柔かい体触りが、亢奮《こうふん》に熱ばんだ女の匂《にお》いが、初めて三九馬の神経を快く撫《な》で、人を斬ったあとの荒《すさ》んだ気持が、ひたむきな女の情熱の中へ、雪のように溶けて行くのを感じた。

「百氏、舟へ——」

六弥が声をかけた。

「おお」

三九馬は顔をあげた。

「参ろう伝蔵、お房も来い」

十三

四梃櫓《ちょうろ》の早舟は沖へ沖へ、波を切って、矢のようにはしる。

「さあ聴こう」

三九馬は伝蔵を見かえった。

「この仁は？」

伝蔵が栖川六弥を見る、三九馬は笑って、

「まあ、何といったらよいかな、素性を明さぬ故《ゆえ》、話すのに困るが、言葉のまま伝えると三九馬を長崎まで護衛して来た人だ」

「護衛――？」

「うん、だが殊《こと》によると斬るかも知れぬというのだ」

「分らん」

「おれにも分らん」

三九馬の笑うのを、伝蔵が、

「しかし敵か味方か」

「どちらでも構わん、とにかくたいして悪人でもなさそうだ、のう栖川氏」

「左様さ」

六弥は苦笑したきり、浜の方へ向いてしまった。三九馬は促すように、

「で、話しというのは」

「残念ながら凶報だ」

「え、――?」

伝蔵は声をひそめ、

「事は破れた、御家老は幽閉」

「や」

「家中の同志多く捕えられ、国許《くにもと》においても国老津田頼母《たのも》は閉門、同じく一統の士は窮命されたそうだ」

「何として、何として、――」

「まだある、藤井右門氏も五日程前、隅田川《すみだ》で捕縛」

「――」

三九馬は暗然と天を仰いだ。

「県先生にはいまだ何のこともないが、遠からず幕府の手が下るらしい」

「では、——おれの役目は」

「ひとまず取止《とりや》めだ、事が中途で破れる以上、いたずらにお家を危くするに及ばぬという説、旗挙げの顚末《てんまつ》はもみ消すにきまったのだ」

「御家老の意見か」

「御家老は勿論《もちろん》、同志一統が相談の結果だ」

「ばかな！」

三九馬は憤然と怒りを発した。

「これまでの為事《しごと》を何のためにもみ消すのだ、大体こんどの企てを、初めからみんなは成功すると思っていたのか、県先生は何と仰《おお》せられた」

伝蔵が制そうとするのを、三九馬は耳にも入れずに叫ぶ——三九馬が怒った。今日までどんな場合にも、かつて一度も怒ったことのない三九馬が、

「我等の為《な》すべきは、尊王の大義を海内《かいだい》に宣揚するが目的といわれたではないか、小幡藩八千の士、一人となるまで戦って敗れるこそ本望、事破れたれば堂々と旗挙げの事を天下に声明し、義のあるところを示して刑殺さるるこそ本願ではないか、今に至って卑怯《ひきょう》にも事実をもみ消し、僅々《きんきん》小幡一藩を安堵《あんど》せしめるとは何という未練——おれは厭だ」

「三九馬！」

「舟を戻せ！」

三九馬は叫んだ、

「何の面目あって県先生の許へ帰れるか、同志にも織田家にも縁を絶った、おれはこれから戻って幕吏の中へ斬り込み、腕の続く限り斬りまくって堂々と死んでみせる」

「待て、待てというに」

「船頭、舟をかえせ」

「三九馬、伝蔵のいうことも聞け」

伝蔵は強く三九馬の手をつかみ、

「貴公の言葉は、そのままおれの言葉だぞ、死ぬことを焦《あせ》るな、為事はこれからだ」

「伝蔵――」

「同志挫《くじ》け、その上にもし県先生に幕吏の手が伸びた時、先生の志を受け継いで再起を計る者は誰だ、三九馬が死んで後をどうする」

「――」

「いたずらに事を急ぐのが武士の道か、日頃の貴公にも似合わぬ、落着け」

「そうだ」三九馬は拳《こぶし》を握って、

「おれが悪かった、いま死ぬ時ではない、帰ろう江戸へ」
浜から七八艘《そう》、早舟が波を切ってこちらへ、追って来るのが見える。

十四

「栖川氏」
三九馬は振返って、
「いまの話しをお聞きであろう」
「聞きました」
「折角だが長崎行は取止めでござる、我々は江戸へ戻るが、貴殿はどうなさるな」
「弱ったよ」
栖川六弥は笑って、
「実はこうなろうは存ぜぬでこの場合、どうすべきか申しつかって来なかった、さて——どうしたらよいか」
「一緒に帰られるか」
「そう致す外にござるまいのう」

「役目の落度にはならぬか」

「それが分れば弱りもせぬが、まあどうにかなりましょう」

「船頭」

三九馬は振向いて、

「追手の舟足はどうだ」

「へいもう少し参りますと潮がございますで、その潮に乗りさえすれば、どんな舟にも追いつかれる気遣いはございません」

「潮は何方《どっち》へ流れる」

「今のところ伊豆の鼻へ向けておりますが」

「よし、伊豆へやれ」

舟は更に足を速めた。

「お房」

三九馬は、側《そば》へ寄添うように座って、うなだれている女に声をかけた。

「はい」

「先日からのいきさつで、三九馬がどんな事をしようとしているか、凡《およ》そ事情が分ったであろう」

「はい」

消えるような声だった。

「そなたの気持は、三九馬にもよく分る。分るが——それは所詮《しょせん》かなわぬことだ」

「——」

「望みの江戸に暫《しばら》くいて、都の暮しがどんなものか、それも幾らかは知ったであろう」

お房の頭へ、——あの忌《い》まわしい一夜の幻がふと思い出された。権勢と出世の為《ため》には、無垢《むく》の娘を甘言以《も》って汚《けが》し、諜者《ちょうじゃ》にまで使って恥じぬ男たち。

その久馬も、しかし、三九馬の手で斬《き》られてしまった。

「国へ帰るがよい」

「——」

「山も川も、そなたを大きな手で迎えてくれるであろう、年老いた父親が、どんなに待っているか知れぬぞ」

「いえ」

頭を振ってお房は、つと両の袂《たもと》を面《おもて》へ持って行った。

「父はもう、国におりませぬ」

「国にいぬとは？」

「気が狂って、お江戸の街を、犬のようにさまよっておりまする」

「何という——？」

「わたくしの為に、みんな、みんな、わたくしの為に——」

お房はそこへ泣き伏した、

「気が狂って、七兵衛どのが」

三九馬は呟《つぶや》くと、悲しげに頭を振った。

「これが世の相《ありさま》だ、これが、新しい世間にあこがれて子は親を棄《す》て、親は子を慕って気を狂わす、恩怨《おんえん》憎愛縄《なわ》の如《ごと》く絡繹《らくえき》として尽きない。これからの身の振方、何か考えているか」

「いいえ」

お房はむせびつつ頭を振った。

「よしよし、一緒に江戸へ来い、三九馬が必ず落着けてやる」

「は、はい」

「三九馬がいるのだ、心配せずに行末の事を考えるがよい、七兵衛どのをも捜し出し、何とか元の体になるよう計らおう」

お房は背に波をうたせて啜《すす》り泣くばかりだった。

「お客様あ、潮に乗りましたぞ」

船頭が大声に喚《わめ》く、とたんに舟はぐぐ！　と滑るように舟足を速めた。

「伝蔵」

三九馬は胸をひろげて、

「江戸の空には雲が一面だな、見ろよあの暗いことを、だが。――やがてあの雲を吹き払って、耀々《ようよう》たる天日を招出してみせるぞ」

「おう」

伝蔵も額をあげて東を見た。

十五

「あ、もし――」

声をかけられて八千緒が足をとめると、

「八千緒どの」

「あ！」

眼の前へ急ぎ足に来たのは、すっかり憔悴《しょうすい》しきった富永道雄であった。

「富永さま」

「――」

道雄は、たかぶる心を制しているらしいが、唇はぶるぶると顫《ふる》え、眼は光を帯びて、苦しげに息をはずませている、

「慮外でござるが、ちょっとその辺りまでおはこび下さらぬか」

「はい、けれど――」

八千緒が躊躇《ためら》うのをみて、

「三九馬殿のことについてもお話しがあるのです。それに――」

と暗く伏眼になって、

「拙者もこれで、今生のお別れと思います」

「――」

八千緒は胸を緊《し》めつけられる思いで、じっと道雄の顔を見ていたが、やがてそっとうなずいた。

「では、ちょっと」

「おいで下さるか」

道雄は生々と顔をあげ、

「かたじけない」

低く呟いて、街の左右をちらと見てから、先に立って増上寺の方へ歩きだした。

既に黄昏《たそがれ》近かった。

今日、甲斐《かい》又兵衛《またべえ》のために、八千緒は三田の織田邸へ吉田玄蕃を誘い出しに行ったのであるが、しかし吉田には会えず、空《むな》しく宿へ戻る途中なのだ。

浄蓮院《じょうれんいん》の裏手。

松の古木が鬱蒼《うっそう》と茂っているところへ来ると、富永道雄は松の根方に、ぐったりと腰をおろした。

「お苦しそうですこと」

蒼《あお》ざめた額に、じっとりと汗ばんでいるのを見ながら、八千緒はいたましそうにいった。

「お傷が痛みましょう?」

「傷のこと、御存知ですか」

「はい、福島様から、――」

「ああ、そうでした」

道雄は首を垂れ、暫く息を整えていたが、やがて静かに面をあげて、
「八千緒どの、お身上も、福島氏から凡《およ》そ伺いました、色々と苦労なさっているのですねえ」
「はい」
「あの頃からみると、お顔の色もすぐれず、体も痩《や》せてしまわれた」
「――」
「こういうあなたの姿を見ようとは、思いませんでした、さぞお辛《つら》いことが多いでしょう」
「あの、――」
八千緒は外向《そむ》いて、
「お話しをどうぞ」
「いや」
道雄は思い切った様子で、
「もう少しいわせて下さい、恐らくこれで再びお眼にかかる時はないでしょう、今なら何も彼《か》もいえる気持です、――八千緒どの」
「――」

「お笑い下さい、道雄は、あなたが忘れられないのです」

八千緒はぴくっと肩を顫わせた。

「碓氷《うすい》から江戸までの旅、あの時が拙者一生の美しい夢でした。あの旅の楽しさ、──そして江戸へ着いて、先生の邸《やしき》にひとつ住いをするようになってからの苦しさ」

「もうおっしゃらないで」

八千緒は苦しそうに、

「あなたのお気持は、わたくし疾《と》うから、よく分っておりました」

「ああ」

道雄は胸をつかんだ、

「分っていて下すったのですか」

十六

「そうですか、分っていて下すったのですか、ではもう」

道雄は弱く、

「ではもう、なにも申しますまい」

「富永さま」

「ああ」

道雄は八千緒の声が耳に入らぬ如く、明るい黄昏の空を仰いで、

「これでよい、これでいつでも死ねる、拙者の気持を分ってさえ頂けたら、それでもう思い遺《のこ》すことはないのです」

「お赦《ゆる》し下さいませ」

八千緒は低く、

「わたくしの身上にも、御存じの外の入込んだ仔細《しさい》がございまして、それだけ余計にあなたのお顔を見ることが辛く、辛くて」

「有難う、有難う」

道雄は眼をつむった。

「もう充分です、この心が分って頂けたら、その外に望みはないのです、拙者はやはり仕合せ者です、八千緒どの」

「はい」

「道雄は日本晴れの気持で死んで行けます」

八千緒は気遣わしげに、

「死ぬと、おっしゃるのは」

「ああその話しでした」

富永道雄は向直って、

「あなたも凡そ御承知だったでしょう、山県大弐先生を総帥《そうすい》に、小幡藩を根城として尊王倒幕の旗挙げをする企て」

「はい、朧気《おぼろげ》ながら」

「残念ながら、その企ては画餅《がべい》に帰しました」

「え、――？」

「小幡藩中に年来の内紛があって、それが爆発したのです、江戸に於《お》いては吉田玄蕃殿、国許に於ては津田頼母氏、勿論その一統は罷免《ひめん》、謹慎、その上に、――あなたも御存知の藤井右門殿」

「はい」

「些細《ささい》な過ちから事を破り、過日幕吏の手に捕えられたのでござる」

「まあ――藤井様が」

それで分った。今日吉田玄蕃に会えなかったのは、既に玄蕃が罷免の上、蟄居《ちっきょ》を命ぜられていたのである。

「三日前、福島氏は早駕籠《はやかご》にて西上、三九馬殿を追って行かれました」

「兄を？」

「御承知かどうか知りませんが」

「長崎へ、炮薬《ほうやく》買入れの」

「それです、事がこう破れた以上、もはや三九馬殿の役目も不要となった故《ゆえ》、その呼び戻しに行かれたのです」

「兄が帰って来るのでしょうか」

「福島氏の提案で、我等同志、三九馬殿は勿論のこと、一統を集めて大志を決行しようというのです」

「――」

「まだ大弐先生には幕吏の手は及んでおりませんが、それとても何日《いつ》までのことやら、間もなく先生も囚獄されるに違いなく、その後を受け継いで、尊王倒幕の事を行なうという計画なのです――しかし拙者は」

道雄は暗然として、

「御覧のように、いつ癒《い》えるともなき傷で、日夜呻吟《しんぎん》に送る体でござれば、一統と共に活潑《かっぱつ》たる働きをすること思いも寄らず、ただ足手まといになるばかり故、――」

悲しげに、

「先生と運命を共にする覚悟でおります」

「では、あの――」

「同志の為に、先生共々、血祭にあがる積りなのです」

「――」

「これで申上げる事は、もう何もありません、お引止め申して済まぬことをしました、お別れ申します」

八千緒は声が出なかった。

「御健固で、――」

そういうと、富永道雄は踵《きびす》をかえして、黄昏の光の中を、足早に金杉の方へ立去って行く。

――道雄さま。

八千緒は口の内に呟きながら、造りつけられた人形のように、松の木蔭《こかげ》から道雄の遠ざかり行く後姿を見送っていた。

増上寺の鐘が、静かに暮六つをうちはじめた。

十七

「どうした」

部屋へ入って来る八千緒をみつけると、又兵衛は床の上に座り直して訊《き》く、

「首尾よくいったか」

「いえ」

八千緒は悲しげに俯向《うつむ》きながら、障子を閉めて座る。

「駄目か」

「玄蕃様はもう」

「――?」

「御役御免のうえ、蟄居を命ぜられましたそうにございます」

「や、やったか」

又兵衛は片膝《かたひざ》立て、

「改革派が動きだしたのだ、よく思い切ってやった。勿論玄蕃一味の者も同断であろう」

「そのように伺いました」

「――」

又兵衛は拳を握って、じっと空《くう》を睨《にら》んでいたが、やがて張切った力の抜けてゆくものの様にぐったりと頭をたれてしまった。

――もうおれの出る幕ではない、これで又兵衛は世に必要のない人間になったのだ。

「お国許におきましても、津田頼母様はじめ御一統は免役蟄居――吟味役としては江戸表に御相談役柘植《つげ》様、松原様、奉行として宮田将監様、それぞれ御役につかれ、お国許にては目付役沢口様、倉島六郎太夫様、御吟味を遊ばすとのこと」

「――」

これで全くけりがついた。

――将監が統帥する以上は、万々もお家に傷のつくような事はあるまい。

又兵衛はそう思うと、安堵《あんど》の太息《といき》と共に、何かもたもたと胸の中が苦しくなり、暗《くら》闇《やみ》へ抛《ほう》りだされたような、たよりなさと烈《はげ》しい不安に襲われるのを感じた。

「あ、――」

又兵衛は突然、蒼白《そうはく》な面《おもて》をふり仰ぐと、荒あらしく叫びだした。

「酒をもて、酒を、――」

「あなた」

八千緒が驚いて顔をあげる、

「祝いだ、お家安泰の祝いだ、酒をもて！」

「でもお体に障りましては」

「黙れ！」

又兵衛は歯をむき出し、

「あって益無き身を庇《かば》う必要があるか、お家万歳を祝うのだ、持って参れ」

「いえ、そればかりは、何と仰《おお》せられましても、――」

「なに、おれの言葉をきかぬか」

又兵衛は手を伸ばすと、いきなり八千緒の手をつかんで引寄せ、

「あ、――」

声をのんでうち伏す八千緒の肩を、力まかせに拳で打った。

「不忠者！　不忠者！　お家の為の祝宴を、何の、何の為に止めだて、貴様は、兄のことを思って、それで邪魔をするのだろう」

「あ、――」

「どうだ、どうだ」

打つ手の拳に、力の弱く、八千緒には又兵衛の心がひしひしと感じられて、思わず袂《たもと》を噛《か》みながら忍び泣きに泣いた。

「泣け！」

又兵衛は突放して、ぜいぜい呼吸を喘《あえ》がせながら叫んだ。

「泣けるだけ泣け、そして何処《どこ》へでも行ってしまえ」

「――」

「その顔、見るのも厭《いや》だぞ」

八千緒は静かに立った。

「仰せに反《そむ》いて申訳ございませぬ、わたくしが悪うございました」

「――」

「お祝いの仕度を致します」

又兵衛は苦しげに外向いた。

十八

「おまえも、飲め」

二三杯呷《あお》ると、又兵衛は盃《さかずき》を八千緒に差出した。

「頂きます」

八千緒は盃を両手に受けた。

又兵衛は徳利《とっくり》を取って、その盃へ静かに酒を注《つ》ぐ——八千緒はそれを、夫婦かための盃のようにも、また袂別《べいべつ》のもののようにも思って、哀《かな》しく手の顫《ふる》うのを抑えかねた。

「やつれたのう」

又兵衛は俯向いて盃をすする八千緒の横顔を見ながら、

「ながい苦労であった」

「——」

「よく辛抱してくれた、又兵衛は礼はいわぬ、いわぬが心ではいつも」

「もう何もおっしゃらずに」

八千緒は涙声で、

「わたくし、本望でござります」

「盃をくれ」

又兵衛は八千緒から外向きながら盃を取ると、注がれる酒をたて続けに呷った。

——これからどうなるのだ。

又兵衛は胸苦しく自問自答を重ねた。

——何を目的に生きるのだ。あしなえの身で妻を抱えて、どうしたらよいのだ。

「あ、——！」

又兵衛は片手で胸をつかんだ。

「あなた」

「——」

「お苦しいのですか」

八千緒がすり寄ろうとした時、ふいに又兵衛は枕許《まくらもと》の大剣へ手を伸ばした。

「あ、何をなさいます」

「退《ど》け」

八千緒をつき退けた又兵衛、左手に剣を取って立上ると、廊下へ面した障子をぱっとあけた。

障子の外に身をひそめていた二人の男、驚いてぱっと起《た》つ。

「三九馬！」

又兵衛は喚《わめ》きざま抜いた。

廊下にいたのは、旅装の三九馬と福島伝蔵の二人であった。

「待て、待て、甲斐」

三九馬が二三歩さがる。

「うぬ、逃げるか」

「待てというに」

三九馬は斬り込んで来る又兵衛の利腕《ききうで》をとると、逆に捻上《ねじあ》げながら、大力に部屋の中へ連れ戻った。

伝蔵も入って障子を閉める。

「改革派の運動が立派に成り、貴公達の目的が達せられたのに、何で三九馬を斬る要がある！」

「黙れ！」

又兵衛は突放されて、そこへくたくたと腰をおとしたが、

「奸党《かんとう》一人たりとも残して置くはお家の害毒だ、抜け！」

「奸党とは何方《どっち》のことだ」

三九馬はむずと座り、

「お上《かみ》のお心をまげてまで、一小藩の本領安堵を企てることが忠の道か、そもそも織田一藩の事が大事か、国家王道を正しくするが大事か、貴公に分るのか」

「知らぬ、知らぬ！」

又兵衛は強く頭を振り、

「おれに取っての第一義は織田家を護《まも》り、お上の武運長久を祈ることだ、国家王道を正すの法は君臣の道を明かにするにある」

「それは事大の思想で根幹を無視した小乗の心だ、幕府の制度が既に歪《ゆが》んでおるのに、その制度に準じて君臣の道があるか」

「根幹いずれにあり、制度いずれが正しいかおれの知るところでない、法制の事を議するはその人がある、武士は武士の本分を守れば足りるのだ」

「鈍愚の言葉よ」

三九馬は嘲《あざけ》って、

「大本を他に委《まか》せて枝葉の事に囚《とら》われ、大義の存するところを知らずして武士の本分が守れるか、眼を覚ませ眼を！」

「奸物！」

又兵衛は喚くと共に、抜剣を振あげて斬りつけた。

「あれ！」

八千緒が寄る、とたんに行燈《あんどん》が倒れて、ぱっと火が散った。

十九

　ぱっと行燈に燃えうつる火。

「八千緒、火を――」

　三九馬が叫ぶ、しかし、狂いたった又兵衛が白刃《はくじん》をふるって斬り込むので、どう手を出す隙《すき》もない、

「待て甲斐！　火が――」

「くそっ！」

　病《やみ》あがりとは思えぬ、必死の切尖《きっさき》、伝蔵も遂《つい》に抜き合せながら、八千緒に傷をつけまいと廊下へ出る。

「あなた、――」

　八千緒の悲痛な声。

　火は障子に燃えついた。

「火事だ火事だあ――！」

「わあっ！」

部屋部屋から人々の駈《か》け出て来た時は、もうどうすることも出来ぬ程に燃えひろがっていた。

「もう我慢が切れた」

庭へとび下りた三九馬、のしかかって来る又兵衛の気違いじみた顔をみると、

「又兵衛、斬るぞ」

「斬れ、斬れ」

又兵衛は歯をむき出し、

「生きてかいの無い体だ、碓氷以来の総勘定をつけてくれる、さあ来い！」

「心得た」

三九馬は一歩出る、

「福島氏、お手出し御無用」

「待って」

八千緒が立ち塞《ふさ》がる。

「お兄様、ま、待って――」

「どけ！」

又兵衛は八千緒を突き退《の》け、

「邪魔すると貴様も同断、又兵衛の妻とはいわせぬぞ！」

八千緒は逆上した顔に、一瞬さっと色を現したがいきなり踵《きびす》をかえして、燃えさかる部屋の中へとって返し、又兵衛の脇差《わきざし》を持って出る、鞘《さや》を払って、

「御助勢――」

と叫んだ。

「許すぞ」

又兵衛はうなずいた。そして八千緒をちらと振返って見た。

どよめきかえす人、燃えさかる火の色の中に、はじめて八千緒は又兵衛の眼に、哀しい愛の誓いを見た。

――八千緒。

――あなた。

――死のうぞ。

――はい。

眼と眼、心と心と、隙間なく触れあったのだ。

言葉何するものぞ、文字何するものぞ、今こそふたりは魂と魂でぴったり結び着いたのだ。

「三九馬、ゆくぞ！」

又兵衛は叫ぶと、痩せた頰に微笑さえうかべながら大剣を青眼につけて寄った。三九馬はちらと伝蔵を見た。

八千緒の必死の面《おもて》、又兵衛は青眼の剣をそのまま、爪《つま》ずりにつつ――出る。

「えい！」

猛然と突きにかわる。

三九馬がかわす、又兵衛の体が崩れる、隙、八千緒が小剣を擬したままぱっと又兵衛を庇って出た。

どどどと吹きあげる火と煙。

右往左往、逃げまどう人声。近くで烈しく半鐘が鳴りだした。

人波を押分けて、

「三九馬さま、――」

叫び叫び、お房の姿が、裏手から庭へ現れた。

「くそっ！」

立直った又兵衛、奮然と斬り込んだが、巻きかえす煙に包まれて思わずたじたじとなる。

八千緒が走り寄って、

「あなた」

支えるのを押退け、

「三九馬、来い！」

喚きながら剣を取直した。

二十

が！

烈しい剣と剣の音。

又兵衛の歯を剝《む》きだした顔が三九馬の上へのしかかる、三九馬は煙に咽《む》せながら、

――斬るのが慈悲だ、
と思った。

「えい！」

「む、――」

呻《うめ》く又兵衛、さっと足をひくや、剣をかえして胴へ、だが病後の弱り、この変化は

無謀であった。

「――！」

無言でひっ外した三九馬、のめって来る又兵衛の肩を胸まで充分に斬り下げる。

「ひ――！」

喉《のど》をつんざく悲鳴、どう！　と前へ倒れる又兵衛、八千緒が、

「御免！」

と叫んで突っかかる、体を捻《ひね》って利腕をとる三九馬、

「妹――」と悲しげに、

「死ぬな、又兵衛の菩提《ぼだい》をとむらってやれ、死ぬなよ」

「――」

突放すと、又兵衛の方へ淋《さび》しげな一瞥《いちべつ》をくれて、伝蔵に目配せをした。

――行こう。

八千緒はわっと、声をあげて又兵衛の上へ泣き伏した。

垣《かき》を押し破って庭の中へ走り込んで来たお房、渦巻《うずま》く煙の中に、火のかがりで三九馬をそれとみつける。

「おお、三九馬さま」

「お房、――」

「父が、父が表に――」

お房は狂気のように叫ぶ。

三九馬はうなずくと、ふところから金の包を取出して八千緒の側《そば》へ投げ出す、

「八千、――もう会わぬぞ」

「――」

三九馬はお房を抱くように、垣を外へ出て行った。

往来はもみかえす人の波。

蒲団《ふとん》を背負って行く女房、包みをさげ、子を負い、老母を抱え泣き喚く女を引ずり、男も女もがくがく身をふるわせながら走り廻る中に、乞食《こじき》のような老人が一人、

「ひひひひ」

妖《あや》しく笑い、手を拍《う》ち、足を踏みながら、燃えさかる火を見て呪《のろ》いの叫びをあげていた。

「焼けろ焼けろ、七兵衛の恨みだ、ひとの娘をたぶらかしおって、いい態《ざま》だぞ、地獄の火だ、燃えろ、もっと燃えろ、江戸中を地獄の底へ焼き落としてくれろ、ひひひひひ」

それは七兵衛の悲しい姿である。

「おお、あれか」

三九馬が、それと見て近寄ろうとする、その時七兵衛は躍りあがって、

「や、お房、お房だ」

と燃えさかる火の中を指さし、

「いたか、お房よ、そこにいたか、待っていろ、いまわしが迎えに行ってやるぞ、待っていろよ、何処《どこ》へも行くな、わしも一緒に行くぞ」

「おお」

三九馬が危しとみて走り寄る時、既に遅く、七兵衛は、今にも燃え落ちようとしている家の中へ、悪鬼のように走り込んで行った。

「あっ！　ととさま、——」

お房は逆上して、父のあとを追おうとする。刹那《せつな》！　どどど！　凄《すご》い音をたて、中天に火の粉をまきちらしながら、その家は焼け落ちた。ぱあっとくる火の煽《あお》り、三九馬はお房を抱いたまま、七八間退がる。

「ととさま、ととさま——！」

お房は狂気のように三九馬の腕の中で身をもがき続けた。

「伝蔵」

三九馬はふりかえった。

「うん」

「良い火だのう、これで古いものは片がついた、明日から新しい仕事を始めるぞ」

「菩提を頼む人もできたからなあ」

伝蔵も快さそうに、しかし眼にはいっぱい涙をためながらうなずいた。火は――隣の家を焼きはじめた。

霓《げい》裳《しょうの》譜《ふ》

一

「奉行を呼べ！」

すっかり喉の嗄《しわが》れた声であった。揚屋《あがりや》の牢内《ろうない》、ずっと奥まった暗いところから、絶望的な調子で断続する。

「牢番聞こえぬか、奉行を呼んで来い、ぐずぐずしていると、蹴破《けやぶ》るぞ」

どど！　荒々しく踏み鳴らす音、拳《こぶし》で叩《たた》くのであろう、陰に籠《こも》った物の響きがそれに続いた。

暗い廊下を見廻り役が近づいて来た。番士が道をひらくと、眉《まゆ》をひそめながら、声のするほうを見やって、

「相変らず騒ぐのう」

「は、――」

「食事は変りないか」

「今朝よりとりませぬ」

「食わぬか」

「椀《わん》のまま尿をかけて戻しまする」

「――」

見廻り役は不快そうに眼をそらし、奥の叫び声に耳を澄ました。

「おのれ等！」嗄れた声は続く、

「不浄の場所へ、かように取籠め、これで、これでおれを窮命できると思うか、ばか

者め等、よく聴けよ、京に於《お》いて禁獄された時も、鉄の檻扉《かんぴ》を何の苦もなく破ったのだぞ、切支丹《キリシタン》の秘法、密教の呪法《じゅほう》、神仙《しんせん》の魔法、通力邪術何ひとつ知らぬおれではないぞ」

「狂っているのではないか」

見廻り役が低い声で囁《ささや》いた。番士は恐ろしげに頭を振って、

「たしかに邪法を行なう者とのことでございます、永代河岸《がし》にて捕縛いたします折にも、一丈あまりの土塀《どべい》を自由自在に躍り越え、縄をぬけること、水にもぐること、まことに風の如《ごと》くであったと、——捕方の者ども、異口同音に申立てておりました」

見廻り役は嘲るように、

「それほど自在力のある者が！　何でまた縄にかかったのか」

「御牢内の様子を探る為に、わざと捕えられたとも申し、疲労のあまり邪法を行なう事が出来なかったのだとも申しまする」

「そんなことを皆信じておるのか」

「始めは誰も半信半疑でおりましたが、或夜《あるよ》のこと、眼前で番士の一人が彼の邪法にかかかり、危く取逃し損いましたので」

「見ていたのか」

「は、――」

番士は身慄《みぶる》いをして、

「ちょうどわたくしとその男とが番に当っておりました。雨の夜のことで、ひどく陰気なしめっぽい、左様――九つ頃でございましたか」

見廻り役は耳を傾ける。

「頻《しき》りに呼びますので、同役の者がその方へ行ったと思いますと、不浄口の鍵《かぎ》をあける音がいたしますので、何事であろうと急いで行って見ますと、牢の中に彼《か》の者が立ち、両手を前に組んで何やらあやしげな呪文を唱えております る、そして同役の男は真蒼《まっさお》な顔をして、額からたらたら冷汗を流しながら、鍵を明けようとしているのです」

見廻り役の唇が顫《ふる》えた。

「わたくしは愕《おどろ》いて、どうするのだ、――と同役の肩を叩きました。すると夢から覚めたようにはっと振返り、そのままわたくしの腕の中へ倒れかかりました故、急いで溜《たまり》へ連れ帰りましたが、全身水を浴びたような汗、半刻《はんとき》ばかりはものを言うことも出来ぬ有様でござりました」

「しかし、それが邪法をつかったという証拠でもあるか」

「同役の者にお訊《たず》ね下さいませ、火の縄のような物があの男の手からとび出して来て体を縛り、どうもがいても逃れることが出来なかったと申しまする、酒も嗜《たしな》まぬ実直の男、決して気がふれたというような訳ではござりませぬ」

「あるかのう」

見廻り男は低く呟《つぶや》く、

「左様な事が稗史《はいし》小説の上でならしばしば聞くが、実際に出会ったことはこれが初めてだ。それであの檻《おり》に押籠《おしこ》めたのだな」

「御奉行直々の御指図にて」

「気味の悪いことだ」

見廻り役は眉を竦《すく》めて、忌《い》まわしげにその方へ眼をやったが、やがて足早に引返して行ってしまった。

二

方六尺、厚さ二寸の欅板《けやきいた》の檻、上に息抜の狭い切目が三ケ所。食器と便器を出し入れする方五寸ばかりの穴が、下の片隅《かたすみ》に黒く口をあけているばかり、――是《これ》が藤井右門の閉じ籠められた檻であった。

檻禁《かんきん》されて六十余日。

ここ二日ばかりは、食気も絶え、滞った空気と、蒸すような暑気と排便の臭気がこもって、身も心も腐れゆくばかりだった。

八大地獄の形容にも、この檻禁の苦はあるまい。右門は日毎《ごと》夜毎の叫喚に、どうかして神経をすり減らそうとするが、精神は益々冴《ますますさ》え、脳は氷のように冷たく澄んで、濁った気と、圧迫する四壁と、息詰る暗がりとを、どうしようもない程はっきりと認識させられるのだ。

——いっそ気が狂ってくれたら、

どんなにそれを望んだ事か。

人は、凡《およ》そどんな境遇におかれても、それに馴《な》れぬということはない、と信じられている。なるほど高貴の姫が売笑の女として生きる例もある。伝うるところ臥薪嘗胆《がしんしょうたん》の古事、針の筵《むしろ》に行ない澄ます天竺《てんじく》の僧がある。しかし、それらがどれ程の苦行艱難《かんなん》であったにせよ、今、藤井右門が嘗《な》めているところのものと比較することは到底出来るものではない。

方六尺の檻。

方六尺の気。

方六尺の闇《やみ》。

方六尺の世界。——

「ああ！　おお！　おお！」

右門は髪を掻《か》きむしる。

「何という滑稽《こっけい》だ、おれが幻術を遣うというのだ、笑え！　笑え！　豚ども、幻術を遣う者を、こんな箱の中に閉じ籠めて、それで脱出することが出来ぬと思うか、ばかめ！　豚め！」

右門は起上った。長身の彼が立つと、殆《ほとん》ど頭が上へつかえそうになる。

息苦しさ。

「おれを出せ！　檻をあけろ！」

叫びながら、体を横板へだっ！　とぶっつけた。しかし、二日間の絶食に力衰えた体は、逆にはね返されて、足も定まらずよろめき倒れた。

「駄目だ！」

右門は絶望して呻く、

「こんな、みじめな態をして、ああ、おれは、何を、何を、ああ！」

拳で板を叩きながら、

「いっそ、舌を嚙切《かみき》って死ぬか、いやいや、このままでは死ねぬ、もう一度太陽が見たい、胸いっぱいに新しい風が吸いたい」

右門は頭を抱え、箱の内を転々ところげ廻った。

「光が見たい、青草を踏んで、高い空を見て、冷たい澄んだ空気が吸えたらなあ、ああ、暗い、息が詰る——胸が、圧《お》しつぶされてしまいそうだ、おお！　おお！」

彼は胸を荒々しくつかみ、溺《おぼ》れる者のように喉をぜいぜい鳴らした。

今思えば、何も彼も自分の軽はずみがもとである。新吉原の事件も、捕縛も、それから檻禁も、山県大弐《やまがただいに》に戒められていた事が、遂《つい》にここまで彼を自ら引きずって来たのだ。

「呪《のろ》ってやる」

右門は喉をつんざくように叫ぶ、

「獄卒ども、幕府の役人、一人も余さず、呪い殺してくれるぞ、右門の死ぬ日を怖《おそ》れるがよい、神仏の加護を頼もうと、何処《どこ》の隅に隠れようと、右門の呪法からのがれるすべは無いぞ、おのれら！　生きておる者親族縁類、残るところなく地獄の底へ呪いおとしてくれるのだ、ひひひひひ」

右門は鬼のような面をふり仰いで、妖しく笑いだした。本当に全身が炎になりそうに思える。瞋恚《しんい》の炎に――。

三

廊下をこちらへ、牢屋奉行が先導で、覆面の立派な人がやって来た。詰めていた番士は慌《あわ》てて起つ。奉行は龕燈《がんどう》を持っていて、ちらと番士に光をさしつけてから、低い声で、

「御内察だ、静かに致せ」

「は――」

「錠を――」

といって先に立つ。

奥の牢からは、力弱い呻吟《しんぎん》が聞こえて来る。奉行は先導して不浄口へくると、番士が錠をあけるのを待って、覆面の人に会釈《えしゃく》し、先に牢内へ入った。

「右門、右門――起きているか」

「む、――」

覆面の人はぬっと入ると、禁檻のそばへ近寄って傍らの足台の上へ登った。箱の上の切目から話しかけようとするらしい。

「あかりをくれ」

「は――」

奉行が龕燈を渡すと、

「暫《しばら》く遠慮して貰《もら》いたい」

「は――」

奉行は低頭して牢の外へ出て行った。覆面の人は奉行と番士の足音がずっと離れるのを待って、龕燈の光を切目から禁檻の中へさし込みながら、

「藤井！　起きぬか」

「む、――」

「藤井、藤井」

「だ、誰だ」

「この声に覚えはないか、輝高だ」

「おお、おお」

右門は声をふるわせて、

「右京大夫侯か」

「思いがけぬ対面だ、如何《いか》に日頃狷介《けんかい》の癖としても、自ら斯様《かよう》な事を招くとは、輝高、――心外に思われるぞ」

「恥入る、――恥入る」

右門は呻くようにいって、そこへ頭を垂れ、喘《あえ》いだ。

「牢内に取り籠めた上、こんな無惨《むざん》な箱詰めにする、係役人の愚さがさぞ憎くあろう、しかしそれも貴公が好んでした業だ、幻術邪法を遣う者とみなされた、貴公自身の縄だぞ」

「む、――」

「特別の計いで会いに来た、何か余に頼むことはないか」

「ござらん」

右門は低く、

「出来ることなら、一日も早く断罪が願いたい、それも――侯のお手でなく、浮浪の徒として町奉行のお調べが望みでござる」

「承知した、左様に計らおう」

「それから一つ、御微行ということでお伺い致したいことがある」

「何なりと」

「柳荘先生お身上はどうなるでござろうか」

「柳荘先生は天下の碩学《せきがく》だ、貴公の事件に関する限り何もお咎《とが》めはないであろう」

「御本心か」

右門はすがるように、

「浪士遊女を殺傷した、右門ごときの為に、あたら先生に汚辱をお与え申したくない、それぱかりが小生の気懸りでござる、――どうぞ御本心を」

「偽りは申さぬ、本心じゃ」

「かたじけないかたじけない」

右門は両手で面を覆った。

「しかし――」

輝高は低く、鋭い調子で、

「万一にも、お取調べの節、貴公が、先生の事に口を滑らすとすれば、輝高の好意もあだになるが、どうだ」

「勿論《もちろん》左様なことはござらん、市井《しせい》無頼の徒として罪をまつ決心でおります」

「確《しか》とそうか」

「誓言仕《つかまつ》ろう」

「うん、――うん」

輝高は、覆面の中で、しすましたりというように微笑しながらうなずいた。

「では余は帰るぞ、くどいようだが先生の事には触れぬようにのう、後は輝高がひきうけておる、分ったのう」

「は、――」

右門は泣くような声だった。

四

「暫く――」

去ろうとすると、右門が声をかけた。

「もはやこれでお目にかかる折もござるまい、お顔を見せて下さらぬか」

「うん」

輝高は静かに覆面をとると、龕燈の灯《ひ》を顔に当てながら、禁檻の切目の間から下を覗《のぞ》いた。

「右京大夫侯――」

という。

「お別れの御挨拶《あいさつ》じゃ」

叫ぶ、刹那《せつな》！　ぷっ！

と仰向いて何やら吹いた。あっと思った時、輝高の右眼の下へぷつり刺さる針、針、
手をやる、ふっ！　ふ！　続けざまに三本まで吹出す針、輝高は危く身を退いたが、

「あ！」

台から足を滑らせてどうと落ちた。

「はははははは、わははは」

右門は牢舎《ろうや》をゆるがさんばかりに哄笑《こうしょう》する。

「猿知恵《さるぢえ》殿、沐猴《もっこう》先生、そんな似非《えせ》弁舌でうまく右門を騙《だま》し了《おお》せたと思ったか。柳荘先生は天下の碩学だと、ぬかせ！　たわけ者。貴様たちの腹は知れきっておる。旨《うま》く罠《わな》にはめて右門を殺傷の咎人《とがにん》にしたのも貴様だ。尊王倒幕の大義を天下に宣明されることを避ける為に、無頼浮浪の輩《やから》として先生一党を刑殺する計略であろう、輝高！」

右門は拳で箱を叩きつつ、

「腐ったりとも藤井右門、そんな手に乗る男ではないぞ、山県大弐先生一党は、如何

なる圧力の前にも尊王を叫んで死ぬのだ。倒幕の血祭になる決心が出来ているのだ。拷問《ごうもん》して殺せ、暗殺せよ、――だがこの口から尊王倒幕の叫びを消せるなどと思うな、いま打った針こそ、やがては百億万の剣と化し、この徳川幕府を潰滅《かいめつ》するのだ」

輝高は針を抜き取ると、懐紙で傷を抑えながら手早く覆面をした。そこへ、――牢屋奉行が物音を聞いてかけつけて来た。

「何ぞ、出来仕《しゅったい》りましたか」

「よいよい」

輝高は手で制し、喚《わめ》き叫ぶ右門の声をうしろに牢を出た。

竹内式部糺問《きゅうもん》の折にも、彼は親しく藤井右門を調べている。その時、――こいつ並々ならぬ奴《やつ》と思っていたが、牢舎の中にまで針を隠しておろうとは全く予想もしなかった。

――油断であった。

余りに殊勝な右門の態度が、つい日頃の要心を忘れさせたのである。旨く説き伏せて尊王倒幕の事を湮滅《いんめつ》させようと思ったが、やはりいけなかった。

――白洲《しらす》へ引き出したら、あの弁口で堂々と説を吐くであろう、大弐の方は学者だから扱い様もあるが、あのがむしゃらでは手のほどこしようがあるまい、――これは。

輝高はずきずき痛む傷を固く押え、先に立って詰所まで戻ってきたが、ふと立止まると奉行の方へ振返った。

「食をとらぬそうだな」

「は、――」

「要もない囚人じゃ、好きにさせるがよいであろう、それから」と声をひそめて、「暑気に向う故、あの容子《ようす》では生命の程も覚束《おぼつか》なく思われるがのう、――」

何か意味ありげだった。牢屋奉行はじっと輝高の眼をみつめて、

「は、――」

「薬を、のう、名薬を与えて、早く、一日も早く回復を計るように」

「承わりまする」

「頼む」

輝高はうなずくと、すっと牢舎を出た。

小伝馬町を出た駕籠《かご》、ひそかに四五名の武士に護《まも》られて、邸《やしき》へ向う途上、輝高の胸には山県大弐捕縛の事が決意していた。

――急がぬと、無能な町奉行、若年寄どもの手で問罪が行なわれる。ここで尊王論などを説かせては幕府の軽重を問われる原《もと》だ。やろう、断じて行なうべき時期だ。

京都で竹内式部を糺問した輝高は、幕閣の愚昧《ぐまい》な手合に任せて、万一にも山県一党を尊王倒幕論者として斬りでもされては禁廷への憚《はばか》りはもとより、天下民心の離反を招くであろう事をよく知っていた。

輝高は起《た》った。彼は山県大弐一党を浮浪不穏の徒党として一網打尽にしようとする。

五

「もし一天の君を尊ばざる者ありとせば、それは即《すなわ》ち賊臣である！」

駒込高林寺の講堂には、五十余人の聴講生が、山県大弐の烈火の弁に魅了されていた。その日大弐の講舌ははじめからかつて見なかったほど矯激《きょうげき》で鋭く、直接に幕政攻撃にむかっていた。

「またもし上に君を奉ぜざる政《まつりごと》ありとせば、それは逆政というべきである。――今日までわたくしが諸子に講じたところの主意は、これ等の賊に天誅《てんちゅう》を加え道を直《なお》くするためのものに外ならぬのだ、道とは何をさすか、いうまでもなく皇室を興隆することである。然《しか》らば、――賊とは何ぞ、賊とは幕府である、天誅とは何ぞ、天に代って幕府を討滅することである――」

講堂は震撼《しんかん》した。

聴講の士、多くは幕府に仕うる者である。如何に研学の堂中とて、言葉あきらかに幕府討滅を叫ばれようとは思わなかった。いずれも身動きならず、顔色を失った。

「借問す！」

堂中に突然声をあげた者がある。大弐はちらと眼をやった。

聴講生の蔭《かげ》に端座していた一人の老人が、ずいと膝《ひざ》をすすめて出た。——かつて、松平輝高の命によって、久しく大弐の柳子新論を検討していた老学者、松宮観山である。

「先生、何の拠《よ》りどころあって幕府を賊にたとえられるか、皇室を軽んじ奉《たてまつ》るといわれるが、幕府の奉公うすしと雖《いえど》も、宮室の営構大礼の儀あるに際しては、幕府また必ず資を献《たてまつ》り、故実有職《ゆうそく》の典拠をまげざること世上のよく識《し》るところである」

「故実有職の枉《ま》げられざるを道の正しき証《あかし》とするか」

大弐は鋭く返した。

「仲尼《ちゅうじ》の言にいわく、殷《いん》は夏《か》の礼により損益するところ知るべく、周は殷の礼によ る、損益するところ知るべしと。禹湯《うとう》は古《いにしえ》の聖人なり、夏殷は古の聖世なり、なお且《かつ》一切之《これ》によれば則《すなわ》ち行なわれざるに如《し》かずである。——幕府、よく皇室に資を献るというが、しからば現にみるところ、恐れ多くも平日の供御《くご》の料さえ事欠かせたまうは如何《いか》に」

「供御の料に御不自由あらせられたまうや否《いな》やは、我等下民の――」

「口にすべきところならずというのであろう」

大弐は声をはげまし、

「その言葉こそ尊王の大義を忘れしむる妄論《もうろん》である。そもそも日本国はいずかたの領土であるか、普天の下率土《もとそっと》の浜《ひん》、一草片礫《へんれき》に至るまでこれ万乗の君のしろしめすところ、幕府は万乗の君の代官に過ぎぬこと三歳の童子も知るところである。しかるにその代官の居城にして豪華善美を尽くし、皇室の式微をかえりみず、将軍にして淫逸《いんいつ》遊楽に飽き、万乗の君にして供御の料に事欠かせたまうとせば、代官たる幕府の奸忠《かんちゅう》は論ずるに及ばぬところではないか――恐れ多きことながら、供御の料乏しき一例を述べてみよう」

大弐は衿《えり》を正し、

「かしこくも主上には毎年頭関白以下の殿上人に御祝賀の饗膳《きょうぜん》を賜わるの例であった。御饗宴には主上も出御ましまし、御陪食をたまわるのであるが、一年、――大膳職《だいぜんしき》においては鶴《つる》を御買上げになることかなわず、鶴の代りに焼豆腐を御用いになった。その折主上には御箸《はし》にて焼豆腐をお挟《はさ》みあらせられ――今年の鶴はこれであるぞ、とお示し遊ばされ、かしこくも群臣に御詫《わ》びあらせらるる御風情《ふぜい》であったという。関白以下いずれも涙に咽《むせ》び、御饗膳を拝して嗚咽《おえつ》の声のみ聞え、一人も箸を頂く者がなかったのである――」

大弐は両手を膝に、深く頭を垂れて黙した。堂内は森の如《ごと》く鎮《しず》まり、敢《あえ》てせく者もない。やがて大弐は涙に濡《ぬ》れた面《おもて》をあげ、

「かつてまた、酒井忠義《ただあき》殿が所司代在勤中のことであった。あるとき参内して主上のきこしめしたお下《さがり》を賜ったことがある。破格の光栄に感泣しつつ頂戴《ちょうだい》の箸をとると、鯛《たい》の焼物が腐臭鼻をつくばかりである、さすがに口にすること能《あた》わず平伏して退下した後、さる公卿《くぎょう》にその事を話すと、公卿は答えて――その答である、主上も御箸をつけたまわぬことになっているが、儀式なれば鯛を用いぬわけにはゆかぬ故、腐れた物を承知で大膳職が調ずるのであるといった。――何故《なぜ》であるか」

六

「何故であるか」

大弐は恐懼《きょうく》しつつ、

「即ち、大膳職の費用は寛永年度に幕府の指図で取決めたまま爾来《じらい》二百余年、一文たりとも増加されておらぬのだ、したがって魚商の納める鯛も、町家で買う者の無い品を以《もっ》てするようになったのである。――かかる幕府の行ないを暴戻《ぼうれい》と云《い》わずして何ぞ、これを賊徒と云わずして何をか賊徒というや。国土を私し、租税を私し、奉公の誠を致さず、おのれ独り衣食に飽足りて後宮《こうきゅう》に女を抱え、歌舞遊楽に耽溺《たんでき》して国政を紊《みだ》り民心をくらます、黄巾米賊《こうきんべいぞく》の輩と雖《いえど》も面を反《そむ》くるの悪業、即ち大弐が幕府を討滅すべしと唱《うた》うる所以《ゆえん》の一例に過ぎぬ」

「先生の言！」

と観山はそれに屈せず、

「その証左を見ずして一概に信ずることを得るや否やはしばらく措《お》き、いやしくも野人にして朝政云為《うんい》するは僭踰《せんゆ》の罪ありと聞く、故に君子はこれを慎む。官吏は治道に晦《くら》く、尸位《しい》の誹《そし》りを免《まぬか》れず、故に哲人は愧《は》ずという、学者の本分はもと、これ学を研究し道徳を――」

「道徳？――道なくして何の徳ぞ、いたずらに古学の紙魚《しみ》となり、語彙《ごい》に縛られ、哲言に迷って明智《めいち》を晦まされ、旧套《きゅうとう》を墨守して新を知るとせず、これを腐儒という、松宮主鈴《しゅれい》先生！」

大弐は冷笑して、

「尊公の学は、本分を知らんとせずして、時勢に就《つ》き権勢に媚《こ》び、自ら学を黄白に換う、御用学者とは貴殿の如きをいうのでござるよ」

「なに、御用学者？」

自分の名を、それを言い当てられたのさえあるに、御用学者とまで喝破《かっぱ》されては、さすがの観山も顔色が変った。

「無礼、ぶ、無礼なことを申すな、不肖なりとも松宮主鈴、尊公ごときに御用学者などといわれる訳はないぞ」

「御不承なれば講室をお退《さが》りなさい、大義名分を糊塗《こと》し、官用をつとむるの学を御用学と称するは大弐の持論でござる」

「おお、居《お》れと申せばとて居るものか、暴論を吐いて士民を惑わし、恐れ気もなく幕府を誹謗《ひぼう》する不逞《ふてい》の徒、松宮主鈴が確《しか》と聴問したからには、必ず近く思い知る折があろうぞ、帰ろう！」

観山が立つと、続いて四五人の士が座を蹴《け》って立った。

一堂は森《しん》としてこの有様をながめていたが、主鈴の一行が講堂を去ると、隅《すみ》の方から一人立ち、二人立ち、いつか過半の人影が崩れるように減って行った。

この立退いた人々の中に、宮沢準曹《じゅんそう》がいた。彼はやはり大弐の門弟であり、年来の知己である禅僧霊宗とつれ立って高林寺を出るなり、

「のう、御坊」

と足を止めて、

「これはなかなかの事になりましたぞ、あの松宮先生は、実のところ右京大夫様お差遣わしの仁で、ひとくちに申せば探索でござる」

「や、それは」

「あの勢いでは、必ず近々のうち大弐先生の身辺に幕府の手が伸びるでござろうが、その時、のう――我々はどうあろう」

霊宗は戦《おのの》いて、

「どう、ござろう」

「大弐先生の門弟としてあれば百中、九十九までは同罪まぬがれぬところと思われる」

「しかし、その」

霊宗は狼狽《ろうばい》して、

「拙僧などは、ほんの講義を聞くばかりで、それも大弐先生の学が流行いたす故、い

つか許を得てひと釜《かま》おこそうと存じたばかり、別に心から倒幕などと不穏なことを信奉した訳ではない故――」

「そんな云い訳が通るかどうか」

「云い訳ではない、ほんのところ全くその、拙僧などは――」

「こう致そう」

準曹は低く、

「明日、定刻をはかって、御老中の駕籠《かご》へ直訴を仕ろう」

「な、なんと、――」

「主鈴先生の報告が参らぬ先に、謀反人《むほんにん》ありと訴え出たなれば、きとくの者としてかえって恩命があるかも知れぬ」

「うまい、それだ！」

霊宗はこおどりして手を拍《う》った。

七

大弐は朝早くから風呂《ふろ》をたてさせ、身を潔《きよ》めると、居間に香をたいて、東寿を招いた。

「東寿、――」

「は」

「そちとも、もうすぐ別れることになった」

「――」

「かねてからの覚悟、大弐の本望の達する時が来る、そちにも長い世話であったな」

東寿は両手をおろし、暗然と声をのんだ。

「何も申すことはないが、――大弐の手をはなれたらくれぐれも体を大切にして、琵《び》琶《わ》の道をはげむがよいぞ、心ばかりであるがそちに遣わしたいものがある、それを足しにして京へのぼれ、薩摩《さつま》派の明石検校《あかしけんぎょう》に書をしたためておいた、分ったか」

「は、――」

東寿は平伏して、

「お言葉かたじけのうはござりまするが、先生をはなれて東寿ひとり、生残る心はござりませぬ、――何卒《なにとぞ》」

「ならぬ！」

大弐はきっぱりといった。

「それはかねて申し聞かしてあったはず、大弐は自分の道のために死ぬのではない、大義を正さんが為《ため》に死ぬのだ、道雄にも堅く申しつけてあるが、わしに倣《なら》うことは許さんぞ」

「は、――お言葉をお返し申すようにて、お叱《しか》りもございましょうが」

「くどいぞ」

大弐は声をはげまして、

「もうひと言申せば勘当だ」

「は、――」

大弐は、力なくそこへ平伏した東寿の姿をみて、思わずその眼を外向《そむ》けた。

「わしが死んでも、直ちに尊王の大義が宣弘《せんこう》されるかどうか分らぬ、大切なのはこれからだ、――礼楽あって国ありと申す位、音楽の功顕は何よりも著しい。これから、そちは琵琶の道を極めて、全国津々浦々に尊王の思想をひろめてくれ、大任だぞ――分るか」

「はい、及ばずながら」

「分ってくれたらうれしい、では別れに一曲うたおうかのう」

「は、――」

東寿は力なく言った。

大弐はすでに、いつ捕吏に踏み込まれてもいいように仕度を済ませていた。松宮主鈴の気色《けしき》では、必ず、検察近きにありと見たのだ。

織田家の江戸家老、吉田玄蕃が蟄居《ちっきょ》を命ぜられたと聞いた時、既に大弐は身のまわりの処置にかかっていた。それ以来、——帰って来た富永道雄に命じて、幕府がたの動きに、絶えず注意を怠らなかったのである。

「持参いたしました」

東寿が琵琶を運んで来た。

「何をやろうか」

「平家を、——」

「相変らずの法一ぶりか」

「先生の平家は、江戸ひろしといえども、右に出る者はござりませぬ」

「褒《ほ》めるのう、だがそうとしておこうぞ、では撥《ばち》を頼む」

「は、——」

東寿は琵琶を抱いて座を正した。大弐は広縁を前に、緑したたる庭の植込みを見やりながら静かに眼を閉じた。

東寿のはじく撥の音が、谿流《けいりゅう》の如くひそかに鳴りはじめた。

八

「申上げます」

広縁へ富永道雄が平伏した。

大弐は朗詠をやめて、

「何だ」

「与力三井伴次郎と申すが参りました」

「うむ」

大弐はうなずいて、

「唯今、一曲終ります故、しばらく御猶予《ゆうよ》が願いたいと申せ」

「は、――」

道雄が去ると、大弐は悠々《ゆうゆう》と詠《うた》いつづけた。様子を察したのであろう。庭先へ老僕弥助《やすけ》が這《は》い出て、沓脱《くつぬぎ》石にひれ伏し、低く咽《むせ》びながら大弐の朗詠を聴いている。

曲は終った。

「近頃になく快くうたえたぞ」

大弐が微笑しながらいうと、東寿は琵琶を抱えたまま堪《こら》えきれぬ嗚咽《おえつ》をもらした。

「爺《じい》か、――」

大弐は庭先を見て、

「そちにも長い世話であったな、今となって何も申すことはない、一応のお取調べはあろうが、それが済んだなら故郷へ帰るがよい」

「はい――」

「大弐が刑死すと聞いても、冥福《めいふく》をいのるに及ばぬぞ、――大弐は死すとも成仏《じょうぶつ》はせぬ、悪鬼となって幕府倒壊を呪《のろ》うのだ、必ず念仏無用だぞ、分ったか」

「はい、はい――」

「道雄はいるか」

答えはなくて、すべるように広縁へ道雄がまかり出た。

「与力衆をお通し申せ」

「――」

道雄が退る。

「弥助、東寿もさらばだ、ひきとっているがよい」

「はい、——」

「東寿、さがるのだ」

「——」

涙を抑えながら、弥助と東寿はその場を立ち去った。

道雄を先導に、十手を右手にして、割羽織《さきばおり》を着た三井伴次郎が五六名の組下をつれて入って来た。

「お待たせ仕った、これへ」

「御免」

伴次郎は、大弐の神妙な姿をみると、振返って組下の者に控えていろと眼配せをした後、ずっと上座に通り、立ったままで、

「山県大弐と申すは貴殿か」

「わたくしでござる」

「このたび、御不審のことあってお取糺《とりただ》しこれあるに依《よ》り、奉行所まで同道さるるようとのお指図でござる」

「役目、御大儀のこと」

大弐は微笑《ほほえ》んだ。

「同道いたしましょう」

「御神妙のことでござる」

伴次郎はうなずいてから、静かに下座へさがり、

「少々お手間はかかっても差支えござらぬ、お召換えをなさるよう」

「いやこれでよろしゅうござる」

「御遠慮には及びませぬが」

「御親切はかたじけないが、疾《と》くより御使者を待っていたのでござる、身も潔め衣服も換えてござる――同道仕ろう」

伴次郎は思わず頭を垂れた。

大弐はしずかに立ちあがった。

九

晴れた晴れた。

空は紺碧《こんぺき》に、雲は白く、薫風《くんぷう》は潮の香をふくんで、並木の松に松籟《しょうらい》をおこしながら、唆《そそ》るように東へ東へと流れている。

雲水を交えて旅姿の四人づれ、東海道を西へ、神奈川の宿にさしかかった。僧形の人は甲斐の正念寺の和尚《おしょう》愚得である。彼は大弐と事を共にすべく来たが、時すでに遅く、勇途を失っていま退去するところだった。

「達者な足だのう」

愚得は、お房の方へ振向いて明るく笑いながらいった。

「足も達者、腕も達者よ」

そばから伝蔵が口をはさむ、

「金仏のような三九馬を、とうとうそのやせ腕で射落してしまったもの」

「まあ」

お房は頰を染めて、

「福島さまのお口悪な」

「そうであろう、拙者はさぞ口が悪かろうよ、そして三九馬なら何といおうが良いであろうよ、こいつめ」

「あれ」

お房は袂《たもと》を唇に、

「あなた、福島様が」

「あの声はどうだ」

伝蔵が反って、

「や、拙者も早くいい嫁をさがすとしよう、この道づれに独りでは身の毒だ、のう和尚」

「そうじゃ」

愚得は大きくうなずき、

「いずれも娶《めと》り、いずれも生み殖やすがよい、我等同志の子を生むことは、即《すなわ》ち尊王倒幕の同志を殖やすことだ、一人でも多く志を伝えねばならぬ」

「聞いたか、嫁御寮」

伝蔵は厳かさをつくろい、

「和尚は生めと仰《おお》せられる、誰に遠慮もいらぬから精を出して生むがよいぞ」

「知りませぬ」

「赫《あか》くなることはない」

三人は声をあげて高々と笑った。

「良い日和《ひより》じゃのう」

愚得が空を仰いで、

「だが、この晴れあがった天日の下に、さかしまの世が滔々《とうとう》と権を専《もっぱ》らにしておるかと思えば、この日本晴れさえも口惜しく思われるぞ、——待て、待っておれ、大弐先生の刑殺される時は我等の狼火《のろし》のかかげられる時じゃ、水の面《みも》に飛礫《つぶて》は投げられたのだ。やがて今日の空のように天上天下あともなく晴れあがる時が来ようぞ」

三九馬は胸いっぱいに潮風をすいこみ、高く天をにらみ上げながら、

「和尚！」

と大きくいう。

「先生の詩を吟じよう」

「聞こうぞ」

「お房もよく聞け、三九馬は今日まで一度として、歌をうたい、詩を吟じたことはなかった、一世一代の聞きものだぞ」

「はい」

「いいか、——」

三九馬は腹にうんと力を入れ、声いっぱいに吟じ始めた。

「君ひとり忠を懐《いだ》きて、豈跌蕩《あにてっとう》を憚《はばか》らんや、忿争《ふんそう》して聴かれず。此巨殃《このきょおう》にかかる。人の識なき笑うて以《もっ》て狂となす、挙世昏濁《こんだく》にして誰か佯《いつわ》りに非《あら》ずといわん。吾《われ》独り

喋々《ちょうちょう》として君が忠良を説く。……江に臨みて君を弔すれども君の葬を聞くなし。陵にのぼりて君を望めども君が郷を知るなし。髣髴《ほうふつ》たる長風神それ来《きた》りくだれ、凜然《りんぜん》たる清爽威《せいそうい》霜を飛ばすに似たり、来往期なし復《また》何ぞ央《つき》ん……」

高らかに吟じつつ、四人の姿は西へ、街道を西へ西へとくだって行く。

大志を天下に喚起せんがために、彼等は先ず竹内式部をたたき、それより全国を遍歴しようとするのである。——晴れた空に一点の白雲、惑星の如くかかって一行の前途に祝福をなげていた——。

解説

縄田一男

『明和絵暦』は、山本周五郎にとって『安永一代男』に次ぐ二番目の新聞小説で、昭和九年（一九三四）一月二十一日から七月十五日にかけて「二六新報」に連載された。しかし、過去、新潮社から刊行された第一次、第二次の「山本周五郎全集」には、ともに収録されたことはなく、新潮文庫に収録されたのも六十一冊目である。つまり、あらかた周五郎作品が刊行されてからやっと陽の目を見たのであるが、本書はその新装版である。

木村久邇典は、『明和絵暦』と同様、山県大弐の登場する『夜明けの辻』（昭和十五年～十六年）と比較して、弁明につとめている。

『明和絵暦』のばあい、初期の新聞小説ということもあってか作者の力みすぎが目立ち、文体も初期作品の多くに認められる講談読物調の軽質さから脱却しきれず、人物造形も大衆娯楽小説通有の安手な型にはまるなどの欠点が諸所で指摘され、成功作とはいい難い。しかし山本が、藩主派、隠居派のいずれをも、正義または不義の徒党と結論することなく、歴史の〝流れ〟として受け止めようとしている点に、作者の〝歴史と人物〟に対する視点を垣間みることができるうえで、初期作品中でも重要な位置を占めるものといえよう。『夜明けの辻』では『明和絵暦』のさまざまの欠点を大鉈を振るって整理し、かなりすっきりしたものに再構築されている。

（第二次全集第一巻附記）

そして木村は、さらにいま一つ記している。

『明和絵暦』のテーマとなっているのは、／山県の〈我々は夜盗山賊ではない、また幕府と党を構えて争闘するものでもない、身命を賭して天下に尊王倒幕を宣弘するのみである、もし幕府に捕えられたとせよ、泰平の世に敢えて王政復古を唱うる者ありと、万民の耳目に伝わるだけでも本懐これに過ぎぬではないか――〉とする思想であろう。

（同右）

つまり、大弐は、事がなるかならぬかは問題ではないとしている――すなわち山本周五郎の座右の銘、「人間の真価は何を為《な》したかではなくて、何を為そうとしたかである」が、はやくも明確に打ち出されていると木村は言うのである。

そして、山本周五郎が、山県大弐の甲州軍学を通じて覚えたであろう、恐らくは苦みを含んだ郷愁……。だが、この作品の読みどころは、果してそれだけなのか。そのことを論じる前に、ストーリーの核となっている「明和事件」について触れておこう。

この事件は、明和三年（一七六六）から翌年にかけて、江戸幕府が尊王兵学派の山県大弐や藤井右門らを謀叛人《むほんにん》として処刑した尊王運動弾圧事件のことをいう。が、これには、前段階がある。それが「宝暦事件」である。

こちらは、宝暦六年（一七五六）、徳大寺公城に仕える尊王論者竹内式部が、公家への神書・儒書講義について京都町奉行所に取り調べられたのが発端だった。翌々年、関白近衛内前らが朝幕関係の悪化を恐れ、徳大寺ら竹内式部派の公家二十七名を罷免《ひめん》、処罰し、式部を京都所司代に訴える。式部は追放に処せられ、伊勢に蟄居《ちっきょ》の身となる。

事件後、竹内の同志であった藤井右門は逃亡し、江戸の山県大弐のもとに寄宿。宝暦九年、大弐は、宝暦事件をきっかけに『柳子新論』を書いて尊王の大義を説き、幕府を攻撃。明和三年、大弐や右門が謀叛を企てているとの密告で、幕府は二人を逮捕。糾問の結果、大弐らに謀叛の計画はなかったことが明らかになったが、幕府は思想弾圧という点から処罰することを決めた。明和四年八月、大弐は死罪、右門は獄門に処せられる。累《るい》は竹内式部にも及び、八丈島に流罪となり、途中、三宅島で死ぬ。

さて、事件と作品『明和絵暦』との接点だが、山県大弐の門下に上野《こうずけ》小幡藩の家老吉田玄蕃がいたのは史実である。彼の失脚を図る同藩士松原郡太夫が、玄蕃らが幕府転覆を企てていることを聞いて、それを藩主の父に告げ、玄蕃は監禁された。そのため、累が自分に及ぶのを恐れた大弐の門人が幕府に密告した。木村久邇典言うところの講談読物調であれ、大衆娯楽小説であれ、この作品は、史実の根っ子をきっちりおさえた上で、自在にストーリーを展開しているのである。

ではこの作品以前に、宝暦・明和事件を扱った作品はあったか。ある。吉川英治の『鳴門秘帖』（「大阪毎日新聞」大正十五年八月十一日〜昭和二年十月十四日）だ。木村久邇典が、山本周五郎は「昔から吉川英治という事大主義の大衆作家を嫌悪していた」と記した（『山本周五郎　下巻』平成十二年三月、アールズ出版刊）、その吉川英治の作品が、そうなのである——。

果たして山本周五郎は、吉川英治をいつ頃から嫌悪していたか、その正確な時期は分からないが、ここで、二人の境遇を較《くら》べてみる。

明治三十六年（一九〇三）、六月二十二日、山本周五郎は山梨県北都留郡初狩村八十二番の奥脇賢造所有の斎藤まつ能の居宅で、同番地に居住する父清水逸太郎、母とくの長男として出生した。本名三十六《さとむ》。四歳の折、山津波で、祖父伊三郎、祖母さく、叔父粂次郎、叔母せきを喪《うしな》った。この折、三十六の家は大月町駅前の拾店《ひろいみせ》運送店の二階に別居していて難を逃れ、父もまた上京中であったため、北豊島郡王子町で一家は合流した。その後の生涯の恩人たる山本周五郎質店の主人との出会い等は省くとして、問題は、吉川英治が『鳴門秘帖』を書いた昭和元年（大正十五年）から二年にかけて、周五郎は何をしていたかである。

木村久邇典編の年譜によれば、昭和元年は、帝国興信所を母体とする「日本魂社」に勤務し、実質的な文壇デビュー作『須磨寺附近』を発表、新国劇劇団結成十周年記念脚本に応募した『法林寺異記』が当選し、はじめての少女小説『小さいミケル』を発表。山本質店の長女でひそかに恋人と目していた志津を盲腸炎で、母とくを脳溢血《のういっけつ》で喪うとある。昭和二年に関しては記述がない。

一方、吉川英治は、明治二十五年八月十一日、神奈川県久良岐郡中村根岸で父直広、母いくの間に生まれる。本名英次。父の事業の失敗により小学校中退。各種の職業を転々とする。周五郎の場合も、祖父伊三郎の頃から家運が傾き、充分な教育が受けられなかった。その点では二人は共通している。吉川英治は、十七歳の折、横浜船渠の船具部に入るが、二年後、ドックで負傷、九死に一生を得る。明治四十四年に上京（翌年に一家も移住）、井上剣花坊と親交を深め、「大正川柳」の同人となり、また、吉川雉子郎の名で「講談倶楽部」に処女作『江の島物語』を発表する。大正十年までに父母を喪うが、『鳴門秘帖』以前に、多くの短篇を書き、さらに新聞小説を一本、長篇では『剣難女難』『神州天馬俠』『神変麝香猫』等、初期代表作をすでに発表している。

『鳴門秘帖』の連載当時、「大阪朝日新聞」には大佛次郎の『照る日くもる日』が連載されており、この両作が浪華《なにわ》の人気を二分していたといわれているが、その『鳴門秘帖』の物語の発端は、竹内式部らを主謀者として挫折した宝暦事件の後背に阿波蜂《はち》須賀《すか》家あり、との噂《うわさ》であった。その真偽を確かめるため阿波に潜入した隠密、世阿弥の行方が杳《よう》として知れない。そこから華麗な伝奇絵巻が展開されることになるわけだが、恐らくかねて宝暦・明和事件に関心を抱いていた周五郎は、この作品を読んで、吉川は物語の面白さのみに終始している、とかなりの不快感を抱いたのではあるまいか。吉川より十一歳年下でまだ知名度は低いが、あいつが宝暦事件を作中に取り入れたなら、俺は史実を踏まえた上で、明和事件を書いてやる、と曲軒、山本周五郎が考えたとしても不思議ではあるまい。そして吉川の凝りに凝った伝奇的文章に対し、『明和絵暦』のそれには、今日、講談調であるといわれてはいるが一つの闊達《かったつ》なリズムがあり、周五郎の自負するところではなかったか。

そして、この後、吉川英治が、「大楠公夫人」「谷干城夫人」等、史上有名な賢婦を扱った『日本名婦伝』（昭和十五年〜十七年）を書く一方で、山本周五郎が無名の女性たちの美徳を讃《たた》える『日本婦道記』（昭和十七年〜二十一年）を書き継ぐといったように、二人の作家の描く軌跡はどんどん対照的なものになっていく。さらには、昭和十年から十四年にかけて書かれた吉川の代表作『宮本武蔵』に対して、周五郎が戦後『よじょう』（昭和二十七年）で剣豪宮本武蔵の権威主義、形式主義への批判を行い、両者の隔りはますます明確になっていく。

とはいえ、むろん、この作品（『明和絵暦』）にあるのは吉川英治への反目だけではない。お家騒動の渦中《かちゅう》に、何らかのかたちで幕府の関与がある点、また脇《わき》の人物の人生が列伝風に描かれている点など、後の大作『樅ノ木は残った』への第一歩を見ることはできないだろうか。

そして後に『正雪記』を書く周五郎が、この作品では由比正雪の行動を一般的解釈にとどめている点など、陽のあたる機会の少なかった『明和絵暦』には、山本周五郎の歴史小説の原石が埋まっているといえるだろう。

（平成二十七年九月、文芸評論家）

この作品は昭和十六年十二月奥川書房より刊行され、昭和四十九年八月実業之日本社刊『山本周五郎甲州小説集』に収録された。

表記について

新潮文庫の文字表記については、原文を尊重するという見地に立ち、次のように方針を定めました。

一、旧仮名づかいで書かれた口語文の作品は、新仮名づかいに改める。
二、文語文の作品は旧仮名づかいのままとする。
三、旧字体で書かれているものは、原則として新字体に改める。
四、難読と思われる語には振仮名をつける。

なお本作品中には、今日の観点からみると差別的表現ととられかねない箇所が散見しますが、著者自身に差別的意図はなく、作品自体のもつ文学性ならびに芸術性、また著者がすでに故人であるという事柄に鑑み、原文どおりとしました。

（新潮文庫編集部）

新潮文庫編
文豪ナビ 山本周五郎
乾いた心もしっとり。涙と笑いのツボ押し名人——現代の感性で文豪作品に新たな光を当てた、驚きと発見がいっぱいの読書ガイド。

山本周五郎著
青べか物語
うらぶれた漁師町浦粕に住みついた〝私〟の眼を通して、独特の狡猾さ、愉快さ、質朴さをもつ住人たちの生活ぶりを巧みな筆で捉える。

山本周五郎著
柳橋物語・むかしも今も
幼い一途な恋を信じたおせんを襲う悲しい運命の「柳橋物語」。愚直なる男が愚直を貫き通したがゆえに幸福をつかむ「むかしも今も」。

山本周五郎著
五瓣の椿
自分が不義の子と知ったおしのは、淫蕩な母と相手の男たちを次々と殺す。息絶えた五人の男たちのそばには赤い椿の花びらが……。

山本周五郎著
赤ひげ診療譚
小石川養生所の〝赤ひげ〟と呼ばれる医師と、見習い医師との魂のふれ合いを中心に、貧しさと病苦の中でも逞しい江戸庶民の姿を描く。

山本周五郎著
大炊介《おおいのすけ》始末
自分の出生の秘密を知った大炊介が、狂態を装って父に憎まれようとする姿を描く「大炊介始末」のほか、「よじょう」等、全10編を収録。

山本周五郎著

小説日本婦道記

厳しい武家の定めの中で、夫や子のために生き抜いた日本の女たち——その強靱さ、凜とした美しさや哀しみが溢れる感動的な作品集。

山本周五郎著

日日平安

橋本左内の最期を描いた「城中の霜」、武士のまごころを描く「水戸梅譜」、お家騒動をユーモラスにとらえた「日日平安」など、全11編。

山本周五郎著

さぶ

ぐずでお人好しのさぶ、生一本な性格ゆえに不幸な境遇に落ちた栄二。二人の心温まる友情を描いて〝人間の真実とは何か〟を探る。

山本周五郎著

虚空遍歴（上・下）

侍の身分を捨て、芸道を究めるために一生を賭けて悔いることのなかった中藤冲也——苛酷な運命を生きる真の芸術家の姿を描き出す。

山本周五郎著

季節のない街

〝風の吹溜りに塵芥が集まるように出来た〟庶民の街——貧しいが故に、虚飾の心を捨て去った人間のほんとうの生き方を描き出す。

山本周五郎著

おさん

純真な心を持ちながら男から男へわたらずにはいられないおさん——可愛いおんなであるがゆえの宿命の哀しさを描く表題作など10編。

山本周五郎著

おごそかな渇き

〝現代の聖書〟として世に問うべき構想を練った絶筆「おごそかな渇き」など、人生の真実を求めてさすらう庶民の哀歓を謳った10編。

山本周五郎著

ながい坂（上・下）

下級武士の子に生れた小三郎の、人生という〝ながい坂〟を人間らしさを求めて、苦しみつつも着実に歩を進めていく厳しい姿を描く。

山本周五郎著

つゆのひぬま

娼家に働く女の一途なまごころに、虐げられた不信の心が打負かされる姿を感動的に描いた人間讃歌「つゆのひぬま」等9編を収める。

山本周五郎著

ひとごろし

藩一番の臆病者といわれた若侍が、奇想天外な方法で果した上意討ち！　他に〝無償の奉仕〟を描く「裏の木戸はあいている」等9編。

山本周五郎著

栄花物語

非難と悪罵を浴びながら、頑なまでに意志を貫いて政治改革に取り組んだ老中田沼意次父子を、時代の先覚者として描いた歴史長編。

山本周五郎著

松風の門

幼い頃、剣術の仕合で誤って幼君の右眼を失明させてしまった家臣の峻烈な生きざまを描いた「松風の門」。ほかに「釣忍」など12編。

山本周五郎著

深川安楽亭

抜け荷の拠点、深川安楽亭に屯する無頼者たちが、恋人の身請金を盗み出した奉公人に示す命がけの善意——表題作など12編を収録。

山本周五郎著

ちいさこべ

江戸の大火ですべてを失いながら、みなしご達の面倒まで引き受けて再建に奮闘する大工の若棟梁の心意気を描いた表題作など4編。

山本周五郎著

山彦乙女

徳川の天下に武田家再興を図るみどう一族と武田家の遺産の謎にとりつかれた江戸の若侍。著者の郷里が舞台の、怪奇幻想の大ロマン。

山本周五郎著

あとのない仮名

江戸で五指に入る植木職でありながら、妻とのささいな感情の行き違いから、遊蕩にふける男の内面を描いた表題作など全8編収録。

山本周五郎著

四日のあやめ

武家の法度である喧嘩の助太刀のたのみを、夫にとりつがなかった妻の行為をめぐり、夫婦の絆とは何かを問いかける表題作など9編。

山本周五郎著

町奉行日記

一度も奉行所に出仕せずに、奇抜な方法で難事件を解決してゆく町奉行の活躍を描く表題作ほか、「寒橋」など傑作短編10編を収録する。

山本周五郎著
一人ならじ
合戦の最中、敵が壊そうとする橋を、自分の足を丸太代りに支えて片足を失った武士を描く表題作等、無名の武士の心ばえを捉えた14編。

山本周五郎著
人情裏長屋
居酒屋で、いつも黙って飲んでいる一人の浪人の胸のすく活躍と人情味あふれる子育ての物語「人情裏長屋」など、〝長屋もの〟11編。

山本周五郎著
花杖記
父を殿中で殺され、家禄削減を申し渡された加乗与四郎が、事件の真相をあばくまでの記録「花杖記」など、武家社会を描き出す傑作集。

山本周五郎著
扇野
なにげない会話や、ふとした独白のなかに男女のふれあいの機微と、人生の深い意味を伝える〝愛情もの〟の秀作9編を選りすぐった。

山本周五郎著
寝ぼけ署長
署でも官舎でもぐうぐう寝てばかりの〝寝ぼけ署長〟こと五道三省が人情味あふれる方法で難事件を解決する。周五郎唯一の探偵小説。

山本周五郎著
あんちゃん
妹に対して道ならぬ感情を持った兄の苦悶とその思いがけない結末を通して、人間関係の不思議さを凝視した表題作など8編を収める。

山本周五郎著

彦左衛門外記

身分違いを理由に大名の姫から絶縁された旗本が、失意の内に市井に隠棲した大伯父を天下の御意見番に仕立て上げる奇想天外の物語。

山本周五郎著

やぶからし

幸せな家庭や子供を捨ててまで、勘当された放蕩者の前夫にはしる女心のひだの裏側を抉った表題作ほか、「ばちあたり」など全12編。

山本周五郎著

花も刀も

剣ひと筋に励みながら努力が空回りし、ついには意味もなく人を斬るまでの、平手幹太郎(造酒)の失意の青春を描く表題作など8編。

山本周五郎著

楽天旅日記

お家騒動の渦中に投げ込まれた世間知らずの若殿の眼を通し、現実政治に振りまわされる人間たちの愚かさとはかなさを諷刺した長編。

山本周五郎著

雨の山吹

子供のある家来と出奔し小さな幸福にすがって生きる妹と、それを斬りに遠国まで追った兄との静かな出会い——。表題作など10編。

山本周五郎著

月の松山

あと百日の命と宣告された武士が、己れを醜く装って師の家の安泰と愛人の幸福をはかろうとする苦渋の心情を描いた表題作など10編。

山本周五郎著
花匂う
幼なじみが嫁ぐ相手には隠し子がいる。それを教えようとして初めて直弥は彼女を愛する自分の心を知る。奇縁を語る表題作など11編。

山本周五郎著
風流太平記
江戸後期、ひそかにイスパニアから武器を密輸して幕府転覆をはかる紀州徳川家。この大陰謀に立ち向かう花田三兄弟の剣と恋の物語。

山本周五郎著
艶書
七重は出三郎の袂に艶書を入れるが、誰からか気付かれないまま他家へ嫁してゆく。廻り道してしか実らぬ恋を描く表題作など11編。

山本周五郎著
菊月夜
江戸詰めの間に許婚の一族が追放されるという運命にあった男が、事件の真相を探り許婚と劇的に再会するまでを描く表題作など10編。

山本周五郎著
朝顔草紙
顔も見知らぬ許婚同士が、十数年の愛情をつらぬき藩の奸物を討って結ばれるまでを描いた表題作ほか、「違う平八郎」など全12編収録。

山本周五郎著
夜明けの辻
藩の内紛にまきこまれた二人の青年武士の、友情の破綻と和解までを描いた表題作や、〝こっけい物〟の佳品「嫁取り二代記」など11編。

山本周五郎著
髪かざり

日本の妻や母たちの、夫も気づかないところに表われる美質を掘起こした〈日本婦道記〉シリーズから、文庫未収録のすべて17編を収録。

山本周五郎著
生きている源八

どんな激戦に臨んでもいつも生きて還ってくる兵庫源八郎。その細心にして豪胆な戦いぶりに作者の信念が託された表題作など12編。

山本周五郎著
人情武士道

昔、縁談の申し込みを断られた女から夫の仕官の世話を頼まれた武士がとる思いがけない行動を描いた表題作など、初期の傑作12編。

山本周五郎著
酔いどれ次郎八

上意討ちを首尾よく果たした二人の武士に襲いかかる苛酷な運命のいたずらを通し、著者の人間観を際立たせた表題作など11編を収録。

山本周五郎著
風雲海南記

西条藩主の家系でありながら双子の弟に生まれたため幼くして寺に預けられた英三郎が、御家騒動を陰で操る巨悪と戦う。幻の大作。

山本周五郎著
与之助の花

ふとした不始末からごろつき侍にゆすられる身となった与之助の哀しい心の様を描いた表題作ほか、「奇縁無双」など全13編を収録。

山本周五郎著

泣き言はいわない

ひたすら〝人間の真実〟を追い求めた孤高の作家、周五郎ならではの、重みと暗示をたたえた言葉455。生きる勇気を与えてくれる名言集。

山本周五郎著

ならぬ堪忍

生命を賭けるに値する真の〝堪忍〟とは――。「ならぬ堪忍」他「宗近新八郎」「鏡」など、著者の人生観が滲み出る戦前の短編全13作。

山本周五郎著

怒らぬ慶之助

初期の習作から、直木賞に推されてこれを辞退した時期までの苦行時代を、新たに発掘された11の作品とともに跡づける短編集。

山本周五郎著

樅ノ木は残った

毎日出版文化賞受賞（上・中・下）

「伊達騒動」で極悪人の烙印を押されてきた原田甲斐に対する従来の解釈を退け、その人間味にあふれた新しい肖像を刻み上げた快作。

山本周五郎著

正雪記

（上・下）

染屋職人の伜から、〝侍になる〟野望を抱いて出奔した正雪の胸に去来する権力への怒り。超大な江戸幕府に挑戦した巨人の壮絶な生涯。

山本周五郎著

天地静大

（上・下）

変革の激浪の中に生き、死んでいった小藩の若者たち――幕末を背景に、人間の弱さ、空しさ、学問の厳しさなどを追求する雄大な長編。

三島由紀夫著
仮面の告白

女を愛することのできない青年が、幼年時代からの自己の宿命を凝視しつつ述べる告白体小説。三島文学の出発点をなす代表的名作。

三島由紀夫著
花ざかりの森・憂国

十六歳の時の処女作「花ざかりの森」以来、巧みな手法と完成されたスタイルを駆使して、確固たる世界を築いてきた著者の自選短編集。

三島由紀夫著
愛の渇き

郊外の隔絶された屋敷に舅と同居する未亡人悦子。夜ごと舅の愛撫を受けながらも、園丁の若い男に惹かれる彼女が求める幸福とは？

三島由紀夫著
盗賊

死ぬべき理由もないのに、自分たちの結婚式当夜に心中した一組の男女——精緻微妙な心理のアラベスクが描き出された最初の長編。

三島由紀夫著
禁色

女を愛することの出来ない同性愛者の美青年を操ることによって、かつて自分を拒んだ女達に復讐を試みる老作家の悲惨な最期。

三島由紀夫著
鏡子の家

名門の令嬢である鏡子の家に集まってくる四人の青年たちが描く生の軌跡を、朝鮮戦争直後の頽廃した時代相のなかに浮彫りにする。

芥川龍之介著

羅生門・鼻

王朝の説話物語にあらわれる人間の心理に、近代的解釈を試みることによって己れのテーマを生かそうとした〝王朝もの〟第一集。

芥川龍之介著

地獄変・偸盗《ちゅうとう》

地獄変の屛風を描くため一人娘を火にかけて芸術の犠牲にし、自らは縊死する異常な天才絵師の物語「地獄変」など〝王朝もの〟第二集。

芥川龍之介著

蜘蛛《くも》の糸・杜子春《とししゅん》

地獄におちた男がやっとつかんだ一条の救いの糸をエゴイズムのために失ってしまう「蜘蛛の糸」、平凡な幸福を讃えた「杜子春」等10編。

芥川龍之介著

奉教人の死

殉教者の心情や、東西の異質な文化の接触と融和に関心を抱いた著者が、近代日本文学に新しい分野を開拓した〝切支丹もの〟の作品集。

芥川龍之介著

戯作三昧・一塊《いっかい》の土

江戸末期に、市井にあって芸術至上主義を貫いた滝沢馬琴に、自己の思想や問題を託した「戯作三昧」、他に「枯野抄」等全13編を収録。

芥川龍之介著

河童・或阿《あるあ》呆《ほう》の一生

珍妙な河童社会を通して自身の問題を切実にさらした「河童」、自らの芸術と生涯を凝縮した「或阿呆の一生」等、最晩年の傑作6編。

新潮文庫最新刊

葉室麟著
春風伝
激動の幕末を疾風のように駆け抜けた高杉晋作。日本の未来を見据え、内外の敵を圧倒した男の短くも激しい生涯を描く歴史長編。

藤原緋沙子著
百年桜
―人情江戸彩時記―
新兵衛が幼馴染みの消息を追えば追うほど、お店に押し入って二百両を奪って逃げた賊に近づいていく……。感動の傑作時代小説五編。

諸田玲子著
来春まで　お鳥見女房
珠世、お鳥見女房を引退――!?　新しい家族の誕生に沸く矢島家に、またも次々と難題が降りかかり……。大人気シリーズ第七弾。

北原亞以子著
祭りの日　慶次郎縁側日記
江戸の華やぎは闇への入り口か。夢を汚す者らから若者を救う為、慶次郎は起つ。江戸の哀歓を今に伝える珠玉のシリーズ最新刊！

西條奈加著
閻魔の世直し
―善人長屋―
天誅を気取り、裏社会の頭衆を血祭りに上げる「閻魔組」。善人長屋の面々は裏稼業の技を尽し、その正体を暴けるか。本格時代小説。

青山文平著
伊賀の残光
旧友が殺された。伊賀衆の老武士は友の死を探る内、裏の隠密、伊賀衆再興、大火の気配を知る。老いて怯まず、江戸に澱む闇を斬る。

新潮文庫最新刊

乃南アサ著
最後の花束
—乃南アサ短編傑作選—
愛は怖い。恋も怖い。狂気は女たちを少しずつ蝕み、壊していった——。サスペンスの名手の短編を単行本未収録作品を加えて精選！

船戸与一著
群狼の舞
—満州国演義三—
「国家を創りあげるのは男の最高の浪漫だ」。昭和七年、満州国建国。敷島四兄弟は産声を上げた新国家に何色の夢を託すのか。

津村記久子著
とにかくうちに帰ります
うちに帰りたい。切ないぐらいに、恋をするように。豪雨による帰宅困難者の心模様を描く表題作ほか、日々の共感にあふれた全六編。

朝倉かすみ著
恋に焦がれて吉田の上京
札幌に住む23歳の吉田は、中年男性に恋をした。彼の上京を知り、吉田も後を追う。彼はまだ、吉田のことを知らないけれど——。

高田崇史著
パンドラの鳥籠
—毒草師—
浦島太郎伝説が連続殺人を解く鍵に？　名探偵・御名形史紋登場！　200万部突破「QED」シリーズ著者が放つ歴史民俗ミステリ。

島田荘司著
セント・ニコラスの、ダイヤモンドの靴
—名探偵　御手洗潔—
教会での集いの最中に降り出した雨。それを見た老婆は顔を蒼白にし、死んだ。奇妙な行動の裏には日本とロシアに纏わる秘宝が……。

新潮文庫最新刊

梨木香歩著
不思議な羅針盤
慎ましく咲く花。ふと出会った本。見知らぬ人との会話。日常風景から生まれた様々な思いを、端正な言葉で紡いだエッセイ全28編。

山本博文著
日曜日の歴史学
猟師が大名を射殺!? 江戸時代は「鎖国」ではなかった!? 「鬼平」は優秀すぎた!? 歴史を学び、楽しむための知識満載の入門書。

関裕二著
古代史 50の秘密
古代日本の戦略と外交、氏族間の政争、天皇家と女帝。気鋭の歴史作家が埋もれた歴史の真相を鮮やかに解き明かす。文庫オリジナル。

小和田哲男著
名城と合戦の日本史
秀吉以前は、籠城の方が勝率がよかった! 名城堅城を知謀を尽くして攻略する人間ドラマを知れば、城巡りがもっと有意義になる。

白石仁章著
杉原千畝
―情報に賭けた外交官―
六千人のユダヤ人を救った男は、類稀なる〈情報のプロフェッショナル〉だった。杉原研究25年の成果、圧巻のノンフィクション!

加藤三彦著
前進力
―自分と組織を強くする73のヒント―
元能代工業高校バスケット部の名監督が、現状から一歩前に進むヒントを伝授。結果を出すための、成功への最短距離が見えてくる。

明《めい》和《わ》絵《え》暦《ごよみ》

新潮文庫　や－2－61

平成　九 年三月三十日　発　行
平成二十七年九月二十五日　九刷改版

著　者　山《やま》本《もと》周《しゅう》五《ご》郎《ろう》

発行者　佐藤隆信

発行所　株式会社　新潮社

郵便番号　一六二―八七一一
東京都新宿区矢来町七一
電話　編集部(〇三)三二六六―五四四〇
　　　読者係(〇三)三二六六―五一一一
http://www.shinchosha.co.jp

価格はカバーに表示してあります。

乱丁・落丁本は、ご面倒ですが小社読者係宛ご送付ください。送料小社負担にてお取替えいたします。

印刷・錦明印刷株式会社　製本・錦明印刷株式会社

© Tôru Shimizu 1941 Printed in Japan

ISBN978-4-10-113462-8 C0193